THE FLIGHT ATTENDANT

CHRIS BOHJALIAN

THE *FLIGHT ATTENDANT*

Traducción de Alicia Botella Juan

☾ UMBRIEL

Argentina • Chile • Colombia • España
Estados Unidos • México • Perú • Uruguay

Título original: *The Flight Attendant*
Editor original: Doubleday
Traductor: Alicia Botella Juan

1.ª edición: noviembre 2021

ISBN: 978-84-16517-55-8
E-ISBN: 978-84-18480-70-6
Depósito legal: B-13.702-2021

Fotocomposición: Ediciones Urano, S.A.U.
Impreso por: Romanyà Valls, S.A. – Verdaguer, 1 – 08786 Capellades (Barcelona)

Impreso en España – *Printed in Spain*

Para Anne Messitte,
doce libros juntos.

Los hombres temen que las mujeres se rían de ellos.
Las mujeres temen que los hombres las maten.

—Margaret Atwood

PARTE UNO
PREPÁRATE PARA EL IMPACTO

CAPÍTULO UNO

Primero fue consciente del olor al champú del hotel, un aroma del Medio Oriente con reminiscencias a anís, y luego, cuando abrió los ojos, de cómo la luz que entraba por la ventana era diferente de la luz de las habitaciones de hotel en las que normalmente se quedaba la tripulación. El sol de la mañana se colaba por una pequeña rendija entre las cortinas afelpadas, que iban desde el techo hasta el suelo, mientras derramaba una tira de luz sobre la alfombra. Parpadeó. No por la luz, sino por las punzadas de dolor que sentía detrás de los ojos. Necesitaba agua, pero haría falta un tsunami para evitar la resaca que la esperaba. También necesitaba ibuprofeno, aunque temía que las pastillas rojas que se tomaba como si fueran caramelos estaban demasiado lejos, en la bolsa de las medicinas en su propia habitación de hotel. En su propio hotel.

Y este, definitivamente, no era su hotel. Era el de él. ¿Había vuelto ella hasta allí? Todo apuntaba a que sí. Estaba segura de haberse marchado. Creía haber vuelto a los alojamientos más modestos que le proporcionaba la aerolínea. Al menos ese había sido su plan. Al fin y al cabo, tenía que subirse a un avión esa mañana.

Su mente empezó a abordar lentamente las preguntas que tendría que responder cuando se diera la vuelta; la principal era la más prosaica: «¿Qué hora es?». Parecía que el reloj estaba al lado de la cama de él, puesto que no estaba del suyo. En su mesita de noche descansaba el teléfono y una bandeja de porcelana con dátiles, galletas azucaradas y tres delicias turcas perfectamente cortadas en cubos, cada una ensartada con un arpón del tamaño de un palillo de dientes. La hora importaba porque tenía que estar en el vestíbulo del hotel adecuado, su propio hotel, con el resto de la tripulación a las doce menos cuarto para subir todos juntos a la furgoneta que los llevaría al aeropuerto para volar a París. Todo lo demás, incluyendo cómo iba a encontrar en su interior el coraje para deslizar las piernas fuera de la cama y sentarse —una tarea que, dado su estado, requería la audacia de una gimnasta olímpica— era secundario. Respiró lenta y profundamente por la nariz, lo que emitió un suave silbido y esta vez notó un olor más pronunciado que el del anís: sexo. Sí, la habitación estaba repleta del inconfundible aroma de un champú de hotel de lujo, pero también podía olerse a sí misma y a él. Seguía todavía allí, sumido en un sueño totalmente silencioso, y lo vería en cuanto se diera la vuelta. Cuando se sentara.

Joder, tendría que habérselo llevado a su habitación. Pero, durante la cena, él le había pasado una llave, le había dicho que volvería a las nueve y que, por favor, lo estuviera esperando allí. Ella lo había hecho. Su habitación era una suite. Era enorme, decorada con un gusto impecable y más grande que su apartamento de Manhattan. La mesa de café de la sala de estar tenía incrustaciones de nácar y la madera estaba pulida a tal punto que reflejaba la luz como una luna llena. Había una botella de *whisky* escocés en el bar —porque era un bar, no un minibar o una nevera de campus con un par de latas de Coca-Cola Zero en el único estante— que podría costar más que el alquiler mensual de su apartamento de Nueva York.

Cerró los ojos por la vergüenza y el disgusto. Se recordó a sí misma que ella era así y redujo ligeramente el autodesprecio que sentía. ¿Acaso no se habían divertido la noche anterior? Por supuesto que sí. Al menos, eso suponía. Cuando había abierto los ojos por primera vez, había tenido la esperanza de haber sufrido un simple desmayo por la borrachera, pero no, evidentemente, había sufrido otro *blackout* o amnesia alcohólica. De nuevo. La diferencia no era solo léxica. Había experimentado las dos cosas. Desmayarse por la borrachera era más humillante cuando sucedía; era la mujer con el rostro medio enterrado entre los cojines del sofá, ajena a la fiesta que seguía sin ella. Sin embargo, el *blackout* era más humillante la mañana siguiente, cuando se despertaba en camas extrañas con desconocidos y no tenía ni idea de cómo había llegado hasta allí. Recordaba esa habitación de hotel y a ese hombre, lo cual era buena señal, pero, claramente, había lagunas en su memoria. Lo último que recordaba era haberse marchado. En sus recuerdos estaba vestida y saliendo de la suite; él llevaba uno de esos maravillosos albornoces de hotel con rayas de cebra blancas y negras en el exterior y afelpado en el interior, mientras bromeaba sobre una botella rota de vodka que todavía tenían que limpiar. El chico murmuró que se encargaría de eso —de la botella de vodka y de los fragmentos que eran como dagas— por la mañana.

Y, sin embargo, allí estaba, de nuevo en su cama.

Suspiró lentamente, con cuidado, para no agravar su inminente dolor de cabeza. Finalmente, levantó la cabeza y sintió una oleada de náuseas mientras la habitación le daba vueltas, así que volvió a hundirla instantáneamente en la agradable y voluptuosa almohada.

En el avión le había gustado su colonia amaderada y él le había dicho que era rusa. Añadió que le encantaban los rusos. Sí, había bromeado diciendo que era un chico estadounidense y sureño, pero que descendía de los rusos y que sentía que todavía tenía un alma rusa en el interior. Pushkin. *Eugenio Oneguin*. Algo sobre los destellos de un corazón vacío. Le contó sonriente que los rusos invertían en su fondo de cobertura —y era una sonrisa sincera como la de un niño, no un alarde— y los oligarcas locos eran como tíos para él. Ante él eran como osos de peluche, no osos rusos.

Ahora ya no olía la colonia. Entonces recordó haberse bañado con él. Era una ducha grande y elegante de mármol, con rayas blancas y negras y con un banco, del mismo material; en él se había sentado y la había apoyado en su regazo mientras le lavaba el pelo con ese champú de anís.

Se llamaba Alexander Sokolov y era muy probable que tuviera siete u ocho años menos que ella, treinta y pocos, supuso. Le gustaba que lo llamaran Alex porque Al sonaba demasiado estadounidense. Le confesó que, en un mundo perfecto, lo llamarían Alexander porque sonaba a ruso, pero que cuando había empezado a trabajar, sus jefes le habían sugerido que se quedara con Alex, ya que era internacionalmente neutral, lo que era importante teniendo en cuenta la cantidad de tiempo que pasaba en el extranjero. Había crecido en Virginia, aunque no tenía rastros de acento sureño, y ahora vivía en el Upper West Side de Manhattan, administrando un fondo en Unisphere Asset Management. Era un fanático de las matemáticas, afirmaba que ese era el secreto de su éxito y la razón por la que su fondo proporcionaba el tipo de beneficios que hacía feliz a la gente a ambos lados del Atlántico. Era evidente que disfrutaba con el trabajo, aunque insistía en que había pocas cosas más aburridas que administrar el dinero de otras personas, por lo que prefería hablar de lo que hacía ella. De sus historias de guerra. Se mostró absolutamente fascinado.

Había estado sentado en el asiento 2C en el vuelo a Dubái y no había dormido mucho en el avión, si es que había dormido algo. Había estado trabajando con el portátil, había visto películas y había flirteado con ella. También, había llegado a conocerla mucho mejor de lo que ella lo había conocido a él. Antes de aterrizar, habían acordado que, tras echarse cada uno una siesta, se encontrarían para cenar. El vestíbulo del hotel de él era el lugar del encuentro y ambos sabían que la cena sería un simple preliminar. Le dio vueltas a su nombre en la cabeza varias veces y una última más antes de prepararse para girarse y enfrentarse a la oleada de dolor. Enfrentarse a él. Una vez más, pensó en la cantidad de arak que había bebido la noche anterior. Una bebida de ciento veinte grados. Cuando se le añadía hielo, el líquido transparente se volvía del color de la leche aguada. Y luego estaba el vodka, el Stolichnaya, que había llevado su amiga más tarde ya de noche. Anteriormente, había bebido arak; de hecho, lo bebía siempre que volaba a Beirut, Estambul o Dubái. Pero ¿había bebido tanto alguna vez? Se dijo a sí misma que no, aunque sabía que se estaba engañando. Lo había hecho. Claro que lo había hecho. Un día de estos la arrestaría la aerolínea, cualquier día volaría demasiado cerca del sol y fallaría un test antidroga y ese sería el principio del fin. Estaba siguiendo el camino que había iniciado su padre, y sabía muy bien dónde terminaría.

No, no era el rastro de su padre. Precisamente, porque él era hombre y ella era mujer. Sabía la verdad sobre los hombres, las mujeres y el alcohol: raramente acababa bien para ningún género, pero eran las mujeres las que acababan siendo violadas.

Suspiró. Era una lástima que la aerolínea no volara a Riad. Los minibares de los hoteles de Arabia Saudita ni siquiera tenían alcohol. Tenía que llevar una abaya hasta los tobillos. No salía sola, por lo que nunca pasaba a por los hombres. Se encontraba con ellos en los vestíbulos de los hoteles. Siempre.

Pensó que se encontraría bien ahora mismo si Alex no hubiera atendido la llamada de su amiga y esta no los hubiera hecho vestirse. La mujer —Cassie creía que se llamaba Miranda, pero, aunque no había sido uno de sus peores *blackouts*, todavía tenía la memoria bastante nublada— había llamado justo cuando acababan de salir de la ducha, limpios, postcoitales y todavía un poco ebrios y había dicho que se pasaría por el hotel para tomar una copa. Cassie pensó que estaba relacionada de algún modo con el fondo de cobertura y que al día siguiente estaría en las mismas reuniones que Alex. También era posible que tuviera algo que ver con las propiedades inmobiliarias de Dubái, pero Cassie no estaba segura de dónde había sacado esa idea.

Cuando Miranda llegó a la suite, quedó claro que él y ella tenían poca historia juntos y que, en realidad, era la primera vez que se veían. Sin embargo, tenían un pasado que trascendía al trabajo: parecía que tenían amigos en común y conexiones laborales que estaban por todas partes en esa ciencia ficción, como una ciudad junto al mar. Tendría la edad de él, ojos oscuros y almendrados, y el pelo de un profundo color caoba que llevaba retirado en un recogido francés. Tenía unos pantalones negros holgados y una elegante, aunque modesta, túnica roja y negra. Los tres se sentaron en la suntuosa sala de estar durante una hora, puede que más, mientras se terminaban el vodka que había traído Miranda. A Cassie se le pasó por la mente que podía ser una especie de trío planeado y, aunque no estaba dispuesta a iniciarlo ella, sabía que les seguiría el juego si lo hacían Alex o Miranda. Algo de todo ese ambiente —el alcohol, la charla, la suite— había vuelto a excitarla. Alex y Miranda estaban sentados en sus sillas cada uno a un lado de una exquisita mesa de café y ella estaba sola en el sofá y, de algún modo, el hecho de que los tres estuvieran separados calentaba aún más el ambiente. Pero al final no hubo ningún trío. Miranda se marchó y les lanzó besos al aire a ambos; y él cerró la puerta tras ella. La mujer todavía no habría llegado al ascensor en algún pasillo lejano cuando Alex empezó a quitarle primero la ropa a Cassie y luego a sí mismo, y volvieron a hacer el amor; esta vez en una magnífica cama de dos metros con un enorme cabezal en forma de arco árabe.

Pero luego ella se había vestido. Lo había hecho. Estaba segura de eso. Iba a volver al hotel de la aerolínea. ¿No se había despedido de él en la entrada de su suite? ¿No había llegado hasta el ascensor, dondequiera que estuviera en aquella planta?

Tal vez sí. Tal vez no.

En realidad, no importaba, porque estaba claro que había vuelto a su habitación y se había vuelto a meter en su cama.

Suponiendo, por supuesto, que realmente se hubiera marchado. Quizá solo recordaba el hecho de caminar sola desde el restaurante hasta su hotel después de cenar, cuando Alex le había dicho que tenía una breve reunión con un inversor. Le dijo que quería que lo esperara desnuda en su habitación y ella lo había complacido.

Y ahí estaba, desnuda de nuevo.

Finalmente, respiró hondo, se encogió ante el dolor que sentía en los ojos y se giró ciento ochenta grados en la cama para mirar hacia Alex.

Y ahí estaba él. Durante un momento, su mente solo registró la idea de que algo iba mal. Quizá fuera por la quietud absoluta de su cuerpo o porque notó el frío propio de un anfibio. Pero entonces vio la sangre. Vio la gran mancha carmesí que se extendía sobre la almohada y el pringoso charco, todavía húmedo, sobre las nítidas sábanas blancas. Estaba boca arriba. Vio su cuello, el enorme corte que iba de un lado a otro de su mandíbula y cómo la sangre había manado hasta su pecho y la base de su barbilla, empapando como miel la incipiente barba negra.

En un reflejo, y a pesar del dolor, apartó la sábana y saltó de la cama, y se escondió tras las cortinas que cubrían la ventana. Mientras estuvo de pie allí, envolviéndose con los brazos como si fuera una camisa de fuerza, notó que ella también estaba manchada de sangre. La tenía por el pelo y en el hombro. También en las manos. (Más tarde, cuando estuvo en el ascensor, supuso que la única razón por la que no había gritado había sido por la autoconservación, ya que dado el modo en el que le palpitaba la cabeza, su propio grito desesperado y lleno de pánico podría haberla matado).

¿Había visto alguna vez tanta sangre? No de un humano. De un ciervo tal vez, cuando era niña en Kentucky. Pero no de una persona. Nunca.

Al otro lado del cuerpo, en el lado más alejado de la cama, estaba el reloj. Era digital. Marcaba las 09:51. Tenía menos de noventa minutos para estar en el vestíbulo de otro hotel preparada para salir hacia el aeropuerto y tomar un vuelo a París, para volver al día siguiente al aeropuerto JFK e ir a su casa.

Con la espalda hacia las cortinas, se deslizó primero hasta una pose de receptor de béisbol y después hasta el suelo. Intentó concentrarse, tomar decisiones. Su mente solo se desaceleró cuando vio el fragmento de vidrio roto en el suelo, una constelación en la alfombra entre los pies de la cama y el elegante aparador sobre el que estaba la televisión. Anteriormente, había sido la botella de vodka Stoli que había llevado Miranda, pero ahora solo eran cristales y fragmentos triangulares que se veían casi bonitos, aunque el cuello de la botella todavía estaba unido a los hombros y los hombros tenían un borde irregular. Y luego, cuando se dio cuenta de lo que eso podía significar, aumentaron las náuseas en su interior. Corrió hacia el baño tapándose la boca con las manos, como si sus dedos tuvieran alguna posibilidad de retener una cascada que desafiaba la gravedad. Consiguió llegar al baño por los pelos.

Se sentó con la espalda apoyada en el bidé, de cara a la ducha y observó cómo se balanceaban los techos y las paredes. Empezó a hacer una lista en su mente de todo lo que recordaba de la noche anterior, pero estaba empezando a darse cuenta de cuánto arak, vodka y cualquier otra cosa había bebido. Trató de imaginar qué podría haberla llevado a agarrar una botella rota y rebanarle el cuello al chico como si estuviera destripando un ciervo con su padre. No era una matona de bar. No había herido nunca a nadie, al menos, no físicamente. Pero su comportamiento cuando bebía, cuando había ahogado toda la razón en tequila o en ginebra, era legendario. En teoría, había una primera vez para todo, aunque no tenía ningún sentido haberlo matado. La mayoría de la gente decía que durante sus *blackouts* era degradante y sarcástica y —en ocasiones— un peligro para sí misma. Pero no era violenta.

Se dio cuenta de que lo primero que tenía que hacer era asegurarse de que el letrero de NO MOLESTAR estuviera colgado en la puerta de la habitación. Tenía que mantener apartado al personal de mantenimiento mientras pensaba qué mierda podía hacer. Parpadeó. Volvió a parpadear. Estaba asombrada por lo rápido que el cuerpo de Alex Sokolov había hecho que recuperara la sobriedad y que el dolor de otra resaca tectónica y el remordimiento de otro lío de una noche parecieran bastante intrascendentes.

Durante un momento, se quedó mirando el teléfono del hotel de la sala de estar de la suite y el botón de la recepción. Finalmente, decidió no pulsarlo.

En lugar de eso, se duchó. Se lavó el pelo y se limpió la sangre con el champú y se la frotó de los hombros y las manos como si fuera alquitrán. No conocía los detalles sobre la pena capital en los Emiratos Árabes Unidos, pero supuso que sería algo más civilizado que en la vecina Arabia Saudita. (Tenía la vaga sensación, por los informativos televisivos, de que las decapitaciones públicas solo eran ligeramente menos populares que el fútbol en Arabia Saudita). Aun así, no quería descubrirlo.

En realidad tenía dos opciones: llamar a alguien en cuanto saliera de la ducha o no hacerlo. O se quedaba allí durante un tiempo —mucho tiempo— o en dos horas estaba volando a Francia. Esas dos palabras resonaron en su interior: *mucho tiempo*. Cielo santo, recordó a una pobre universitaria estadounidense que pasó años en una cárcel italiana esperando un juicio por un asesinato que juraba no haber cometido. Se estremeció al pensar lo que la esperaba allí en Medio Oriente, sobre todo porque pensaba que no creerían que alguien hubiera entrado a la suite, hubiera casi decapitado a Alex Sokolov y la hubiera perdonado a ella. Y si elegía la primera opción, la de alertar a alguien sobre el cadáver que había en la cama en la que había dormido, ¿debía llamar a recepción o a la aerolínea? ¿Debía llamar a la embajada estadounidense?

La elección dependía en parte de si había matado realmente a ese joven gestor de fondos de cobertura. A pesar de las pruebas, una parte de ella —la mayor parte— creía sinceramente que no lo había hecho. Efectivamente, había cometido muchas locuras cuando iba como una cuba: cuando estaba en la zona *blackout*. La mañana siguiente se enteraba de todo lo que había dicho. El día siguiente se enteraba de todo lo que había hecho. A veces se enteraba cuando volvía a un bar en particular.

«Estabas muy provocativa fingiendo cantar en un karaoke sin música, Cassie, ¡sin música! ¡No había máquina de karaoke! Cantabas subida a un taburete de la esquina».

«Por dios, si te caíste de boca delante del baño de mujeres. ¿Cómo es que no te rompiste la nariz?».

«Te quitaste la ropa e intentaste que el camarero practicara yoga desnudo contigo».

Solo era cuestión de suerte que no le hubieran puesto multas por conducir bajo los efectos del alcohol y que no tuviera delitos ni faltas en su historial y, por lo tanto, todavía se le permitiera volar. Pensó una vez más en su padre. Mientras se secaba rápida y bruscamente, recordó a los hombres y los errores de su pasado y contó una vez más los países en los que se había acostado con extraños y se había despertado en camas desconocidas. Incluso ahora, probablemente ningún miembro de la tripulación estuviera pensando en el hecho de que no estaba con ellos en el hotel. La mayoría apenas la conocían, pero conocían a mujeres y hombres como ella. Su comportamiento podía ser extremo, pero no era infrecuente.

Si no le había cortado el cuello al hombre que le había lavado el pelo con tanta ternura en la ducha, supuso que debería estar profundamente agradecida, porque quien lo hubiera hecho no se hubiera molestado en matarla. Y eso, a su vez, sugería o bien un profundo respeto por la vida humana o bien un rechazo a los daños colaterales que no cuadraba con la ferocidad con la que él —o ella, o ellos— había asesinado a su ligue de borrachera. También podía significar que le estaban tendiendo una trampa. Alguien —tal vez incluso la mujer que había ido a su habitación a tomarse una copa— quería que la culparan del crimen. Dos pensamientos se le pasaron por la cabeza y no estaba segura de si clasificarlos como paranoicos o como inusualmente lúcidos: el primero era que ella no había matado a Sokolov, pero sus huellas estaban en el cuello de la botella rota; el segundo era que el arak no podía haberla dejado tan fuera de juego: la habían drogado. Los habían drogado a los dos. Puede que fuera el vodka que había traído Miranda, ella había afirmado que lo había llevado porque no estaba segura de si los minibares del Royal Phoenician tenían alcohol, puesto que en Dubái algunos hoteles tenían, pero otros no. Tal vez el regalo fuera solo eso, tal vez no.

Se consoló un poco al pensar que nadie que conociera sabía que estaba allí, en la habitación 511 del Royal Phoenician. Por supuesto, Megan y Shane la habían visto flirteando con Alex en el 2C, pero no les había dicho a los dos azafatos que iba a verse con él. Ella y Alex habían sido muy discretos cuando habían hablado de dónde y cuándo se encontrarían. No le había dado su número porque él no se lo había pedido, lo que significaba que no estaba en su teléfono.

Solo estaba Miranda.

Pero Miranda sabía mucho. Miranda sabía que era azafata. Miranda conocía su nombre, a menos el nombre de pila. Cassie supuso que la mujer sería la que llamara al hotel cuando Alex faltara a la reunión que tenían y no contestara al móvil.

Al final, se dijo a sí misma que hacía cosas turbias cuando bebía, pero degollar no estaba entre ellas. Al menos eso creía. Pero tampoco iba a morder el anzuelo y llamar a recepción. Se alejaría todo lo que pudiera de Dubái y la península arábiga y ya se ocuparía de las acusaciones de Miranda y sí, también de su propia culpa, cuando volviera a Estados Unidos.

Así que se metió el jabón y el paño que había usado para ducharse en el bolso. También se llevaría la toalla, aunque supuso que su ADN estaría por todas las sábanas. Sin embargo, después de vestirse, pasó un segundo paño por todo lo que recordaba haber tocado en el dormitorio, el baño y la sala de estar, en un intento por borrar sus huellas. Limpió los vasos, el minibar y las botellas, todas esas botellas vacías. El control remoto del equipo de música. A continuación, como gran parte de la noche anterior era una mancha borrosa con grandes lagunas, decidió limpiar todo lo que podría haber tocado. Los pomos de las puertas y de los armarios, las perchas, el pie de cama. También la hermosa cabecera.

Cuando terminó, recogió todos los pedazos de la botella que pudo encontrar. Miró durante un momento el borde irregular del hombro de la botella rota. ¿De verdad con eso se pudo abrir el cuello de Alex Sokolov con la minuciosidad de un bisturí de autopsia? No tenía ni idea. También se la llevó, enrollada en la toalla.

Abrió las cortinas y parpadeó ante el sol y el agua azul que se veía a pocas manzanas de distancia. Aunque su habitación estaba en el quinto piso, el vestíbulo era tan alto y cavernoso como un casino y tenía una vista completa del azul del mar.

Se dijo a sí misma que cuando estuviera a salvo en Estados Unidos —suponiendo que consiguiera regresar— hablaría con un abogado. Poco a poco. Lo importante ahora era volver a su propio hotel, inventarse que había pasado la noche con otro hombre si alguien preguntaba y estar en el vestíbulo a las once y cuarto. Tenía la sensación de que no respiraría tranquila hasta que el avión despegara. No, sabía que incluso entonces no podría relajarse. Al menos, no del todo. De todas las cosas horribles que había hecho borracha, nada se parecía ni remotamente a dejar atrás un cadáver que se había desangrado estando a su lado en la misma cama.

Y, muy a su pesar, lo estaba haciendo sobria.

Dejó el letrero de NO MOLESTAR colgando de la elegante trenza dorada que bordeaba el pomo de la puerta para tratar de retrasar el descubrimiento del cuerpo de Alex todo lo posible y se quedó parada tratando de recordar dónde diablos estaba el ascensor. El hotel era enorme y los pasillos parecían serpentear en todas direcciones. Finalmente, se puso en marcha, caminando rápidamente por los pasillos vacíos hasta que encontró los elevadores. Le dio la impresión de que el ascensor tardaba una vida en llegar, pero se tranquilizó pensando que el tiempo pasaba lentamente porque estaba nerviosa. No, no estaba nerviosa, estaba aterrorizada. Se calmó pensando en cómo todavía podía decirle a alguien de recepción lo que había pasado e insistir en que ella no había hecho nada malo. Después de todo, hasta ese momento no había hecho nada irrevocable: simplemente estaba tomando el ascensor (que estaba vacío, lo que era un buen presagio). Pero un instante después atravesaba el magnífico vestíbulo con palmeras, alfombras orientales y opulentas marquesinas moriscas —y sí, cámaras de vigilancia— con el rostro escondido detrás de sus gafas de sol y un pañuelo que había comprado el día anterior antes de salir del aeropuerto de Dubái. Pasó por delante de la fila de tiendas que había dentro del hotel. La zapatería de Christian Louboutin. La que solo vendía bufandas de Hermès. Una boutique de arte y recuerdos bastante elegante. En ese momento recordó, como a través de una espesa niebla, que había entrado en las tres. Había sido después de cenar, mientras iba de camino al ascensor, cuando estaba esperando a que Alex volviera de su reunión. En una de esas tiendas había visto un pañuelo con estampado de leopardo —luminoso, con espirales amarillas y negras y cuentas doradas a lo largo de los bordes— que le había encantado, pero que no podía permitirse.

Caminaba cada vez más rápido, evitando tener contacto visual con nadie, ignorando al portero y al botones y a los que recibían a los huéspedes mientras le ofrecían té. En un instante, estaba de vuelta en el mundo bajo el calor abrasador del desierto y la línea de fuentes alrededor de dos piscinas reflectantes. Casi se subió a un taxi, pero se detuvo. ¿Por qué darle a alguien pruebas adicionales de que había estado en ese hotel ahora que parecía que había tomado una decisión? Estaba fuera. Estaba marchándose. Con cada paso que daba, la idea de volver le parecía más problemática —por no decir imposible—, porque cada paso la arrastraba de la percepción de inocencia a la percepción de culpabilidad. Corroboraba las acusaciones que seguro haría Miranda.

Comprobó el reloj, supuso que estaba a unos diez minutos a pie de su propio hotel, lo que le dejaba unos quince minutos para ponerse el uniforme y bajar al vestíbulo. Puede que incluso veinte, porque, evidentemente, no se irían sin ella. Empezó a escribirle a Megan para decirle que iba en camino, pero también se detuvo. Los mensajes dejaban un rastro. Durante un momento, se consoló con el hecho de que Megan no le hubiera escrito, pero luego la golpeó una revelación: desaparecía en ciudades extranjeras, incluso en Medio Oriente, con tanta frecuencia que su compañera, con quien más vuelos había compartido a lo largo de los años, no parecía preocupada por su ausencia.

Por dios, era un desastre. Un absoluto desastre.

Y, sin embargo, siguió adelante porque subirse a uno de los aviones en los que pasaba la mayor parte de su vida era la única dirección que le permitía sobrevivir. Pensamiento de tiburón. Giró a la derecha y recorrió el gran oval del camino del hotel. Miró por última vez las palmeras, las fuentes y la larga fila de coches con ventanas a prueba de balas, y se dirigió al alojamiento menos opulento de la aerolínea. Suspiró. Había tomado una decisión —otra mala decisión en una vida plagada de ellas— y ya no había vuelta atrás.

CAPÍTULO DOS

—Aquí se podría rodar algo de ciencia ficción. Una locura de ciencia ficción. Imagínate darle esta paleta a un cineasta como Tarkovsky. Mira por una ventana de la planta noventa y nueve del Burj Khalifa, sobre todo con la niebla de la mañana. Las cumbres están por encima de las nubes. Las agujas están en el cielo, literalmente en el cielo. Crecen en medio de la niebla. ¿Los mejores edificios nuevos de la ciudad? Te digo yo que los construyeron para los marcianos.

Elena asintió. Había visto muchas fotos y horas de vídeo de Dubái antes de llegar. Se había sentado junto a la ventana en el vuelo y, aunque no había podido vislumbrar los enormes puertos artificiales con forma de palmera mientras el avión descendía, en el último momento había podido ver los rascacielos del estilo *Blade Runner.*

Incluso el bar de ese hotel era una serie de columnas negras futuristas, obeliscos de cristales y candelabros que caían del techo como esbeltos carámbanos. Los taburetes de la barra eran los más altos que había visto en toda su vida. Dubái era un mundo vertical entre la planitud de la arena y la planitud del mar, un innovador puesto fronterizo entre el Golfo Pérsico e Irán. Era completamente diferente de Gaziantep, la ciudad turca en la que había pasado la mayor parte del último mes acechando a su presa. Había partes de la ciudad que todavía le parecían material de archivo de una película ambientada en Medio Oriente durante la Primera Guerra Mundial.

Casi esperaba ver a Peter O'Toole con su atuendo de *Lawrence de Arabia* en el zoco.

—¿Cómo ha ido la reunión? —le preguntó a Viktor, quien acababa de volver de NovaSkies.

—Tienen un dron que caza drones —contestó sin responder a su pregunta. No sabía si estaba descartando lo que veía o si estaba cavilando sobre su potencial para Siria—. ¿Hay algún problema con el ordenador de Alex?

Llevaba un traje negro y una camisa Oxford blanca sin corbata. El bar tenía aire acondicionado —hacía casi cuarenta grados en el exterior, pero no más de dieciocho en la estancia— aunque se había mostrado bastante insensible al calor cuando habían ido andando hasta allí. Ella casi se había derretido, aunque lo había estado haciendo desde que había salido por primera vez de la terminal del aeropuerto.

—Para nada —respondió ella entregándole una memoria USB que parecía un tubo diminuto de pasta de dientes de esos que vienen en los kits de viaje—. La policía de Dubái es buena. Supondrán que ha sido un inversor enfadado. Saben que tenemos tendencia a reaccionar de forma exagerada.

—Eres una inversora enfadada. Al menos deberías estarlo, también te estaba robando a ti.

—Lo sé.

Ella estaba bebiendo té helado por todo el vodka Stoli que había tenido que beber la noche anterior para seguirles el ritmo a ese par de idiotas estadounidenses. Pero, claro, pocas veces bebía a la hora de la comida. Viktor estaba saboreando un cóctel hecho con centeno y bíteres árabes. El bar estaba en la primera planta y Elena contempló el sol del mediodía.

—Sí, la policía de Dubái es buena, muy buena —corroboró él haciéndole eco de manera sombría—. Excelente, en realidad. Igual que las fuerzas de seguridad. Estaba pensando en esa historia de hace un par de años, cuando un líder de Hamás fue asesinado en su habitación de hotel.

Ella asintió. Se sabía la historia. Todos se la sabían. Las autoridades de Dubái pudieron rastrear a los culpables gracias a las cámaras que habían colocado por toda la ciudad. Los siguieron desde el aeropuerto hasta un club de tenis, donde se reunieron, y luego hasta el hotel en el que fue ejecutado el comandante militar. Había sido el Mosad, por supuesto, y Dubái estaba furioso porque nadie les había dicho que se acercaba el golpe que quemaría a los agentes. Publicaron las imágenes de las cámaras de vigilancia y los descubrieron a todos.

—Han pasado más de un par de años. Unos diez. Yo todavía iba a la universidad —lo corrigió.

—Claro que ibas a la universidad, por supuesto. Tu padre todavía estaba vivo —agregó con una sonrisa ligeramente teñida de maldad. No era crueldad absoluta, sino despecho: no le gustaba que lo corrigieran. Sabía lo mucho que ella quería a su padre y recordarle su muerte era una pequeña reprimenda. Pero, una vez dicho esto, la expresión de su rostro cambió—. ¿Y Alex estaba dormido?

—Sí. Desmayado, más bien.

—¿No le disparaste?

—Llevé un calibre veintidós y un silenciador, pero no, al final no lo hice. No vi motivos para arriesgarme a hacer ruido. Y supongo que en ciertos círculos, sobre todo en la justicia árabe, será visto como un mensaje más dramático.

Él se secó la boca con el dorso de la mano y consultó su reloj.

—No me gusta el drama.

En cierto nivel, ella lo sabía. Por eso todavía no le había hablado de la azafata. Había planeado hacerlo, pero no estaba segura de si debería. Al fin y al cabo, estaba tan borracha que apenas recordaría nada de su lío de una noche con Sokolov. Además, ¿a quién iba a decírselo? ¿Por qué contarlo? Cuando la mujer había dicho que se volvía a su hotel porque tenía un vuelo a París la mañana siguiente, Elena había decidido esperar. Ella también se marcharía y volvería más tarde para ocuparse de Sokolov. Estaba tan borracho como su nueva amiga, por lo que fue fácil deslizar una de las llaves de su habitación por la mesa y metérsela en el bolso.

—Fui eficiente —aseguró—. No te preocupes.

Observó al camarero mientras mezclaba licor de chocolate con frambuesas y trató de distinguir quién se emborracharía tan fácilmente como para pedir eso. Decidió que probablemente sería para la rubia estadounidense que estaba con un hombre que le doblaba la edad. En un momento, comprobó que tenía razón.

—Sí que me preocupo. Y tú también deberías. Cuando dejamos de preocuparnos, nos volvemos descuidados y sucede lo peor.

Odiaba que la sermoneara, pero nunca servía de nada tratar de defenderse de un hombre como Viktor, sobre todo después de un comentario que era bastante inocuo para sus estándares. Era capaz de cosas mucho peores. Había alcanzado la mayoría de edad en Spetsnaz, en las fuerzas especiales del ejército soviético, en Afganistán en la década de los ochenta, y había demostrado ser particularmente hábil para convencer a los muyahidines para que hablaran. En lugares como Kunduz y Faizabad, según le había dicho su padre, a menudo los superiores de Viktor tenían que mirar hacia otro lado: obtenía resultados, pero sus métodos recordaban a los peores momentos de Lubianka en los cincuenta. Actualmente, era de los que no les importaban un comino la Convención sobre las Armas Químicas y se encogía de hombros ante los niños muertos en Jan Sheijun. Antes de viajar de nuevo a Dubái, había estado en Damasco.

Además, era posible que hubiera sido descuidada, aunque no del modo en el que él sugería. Lo cierto era que, cuando había descubierto que Sokolov tenía compañía, no se había atrevido a ejecutar a la patética y ebria azafata que estaba en el momento y lugar equivocados. Ella no hacía eso, no era así. Asimismo, esa decisión también podía tener consecuencias.

—Tienes razón —admitió con arrepentimiento—. Sé que la tienes.

—Alex había estado bebiendo cuando lo conociste. Supongo que no te causaría una buena primera impresión.

—No, la verdad es que no.

—No apruebas a los borrachos chapuceros, ¿verdad? —comentó él sonriendo ligeramente.

—No —respondió ella—. No apruebo la chapucería. Y punto.

CAPÍTULO TRES

Cassie compró un bote de ibuprofeno en una farmacia de camino a su hotel y se tragó tres comprimidos sin agua. No quería esperar a volver a su habitación para empezar el tratamiento. Dejó el paño y el jabón del hotel en una papelera en la esquina. En otra, lanzó la toalla y los restos de la botella de Stolichnaya, incluyendo el cuello roto. Luego se dio cuenta de que en el fondo del bolso se le habían quedado fragmentos y trozos de vidrio más pequeños. Seguro que en el forro quedarían rastros del ADN de Sokolov. El bolso en sí era una prueba, así que sacó la cartera, el pasaporte, las llaves de su apartamento y el móvil. También el cepillo del pelo. Recuperó la base de maquillaje y el rímel, y tuvo un instante de pánico cuando rebuscó en el interior y no encontró el pintalabios. Pero ahora no podía centrarse en eso, era demasiado tarde. Obviamente, no iba a volver a la suite para comprobar si se lo había dejado allí. Metió todo lo que había recuperado del bolso en la bolsa de plástico que le habían dado en la farmacia. Una manzana más adelante, tiró el bolso en una tercera papelera.

Mientras caminaba, deseó ser una de esas mujeres ocultas entre los pliegues de sus abayas. Pensó que tal vez se derretiría con el extremo calor del desierto y se preguntó si podría volverse líquida como un helado.

Llevaba apenas un momento en su habitación de hotel —se había quitado el pañuelo y las gafas de sol y acababa de subir la maleta a una de las dos camas para empezar a empacar, pero eso era todo— cuando alguien llamó a la puerta y el corazón le dio un brinco. La seguridad del hotel. La policía de Dubái. Alguien de la embajada estadounidense. Sin embargo, cuando se asomó por la mirilla, vio a Megan, su compañera azafata, que ya llevaba puesto el uniforme. Cassie se sintió aliviada, pero notó una punzada: ¿se sentiría así el resto de su vida cada vez que alguien llamara a su puerta o le sonara el móvil? Una vez más, consideró volver a la habitación 522 del Royal Phoenician y pulsar el botón de reinicio.

Pero no lo hizo. Abrió la puerta y Megan se quedó mirándola, examinándola, antes de pasar junto a ella y entrar en su habitación. En el interior, la mujer se apoyó contra el tocador, sin dejar de evaluarla con la mirada. Luego le sonrió levemente.

—¿Sabes, Cassie? Esperaba que tuvieras peor aspecto —dijo Megan—. ¿Puedo preguntarte dónde estabas? ¿Me atrevo a preguntar? Estaba empezando a preocuparme.

Cassie se encogió de hombros, se quitó la bufanda y la guardó en un bolsillo de la maleta. Se quitó los tacones. Por dios, ¿qué decía de ella que continuara llevando tacones incluso cuando planeaba —o al menos esperaba— emborracharse? ¿Cuántas veces la combinación de sangría y zapatos altos había convertido un tramo de escaleras en el paso Hillary del Everest?

—¿En serio? —preguntó tratando de restarle importancia a la preocupación de Megan. Se quitó la falda y empezó a desabrocharse la blusa—. ¿Por qué estabas preocupada?

En lugar de responder, Megan preguntó:

—¿Estabas con el joven que venía en el vuelo? —Se dio cuenta del uso que Megan había hecho de la palabra *joven*. Él era joven. Al menos lo había sido. Megan tenía cincuenta y uno, doce más que ella, y una década y media (o probablemente dos) más que Alex Sokolov—. Sabes a quién me refiero —continuó—, al chico del 2C.

Cassie no podía arriesgarse a la transparencia del contacto visual. En lugar de eso, enrolló la blusa en un tubo apretado sobre la cama, la dobló por la mitad, presionó el aire y la colocó en la sección de la maleta que reservaba para la ropa sucia.

—¿El del 2C? Por dios, no. ¿No dijo que trabajaba en una especie de fondo de cobertura? Suena muy aburrido. No es exactamente mi tipo.

—¿Los ricos no son tu tipo?

—No tengo ningún problema con los ricos, pero ¿esos tipos no son como machos alfa chalados?

—Estuvisteis charlando bastante en serio, sobre todo antes de empezar el descenso.

Se sentó en la cama en la que se había echado la siesta el día anterior por la tarde, para ponerse las medias que requería la aerolínea.

—La verdad es que no —respondió casualmente.

—Entonces, ¿no estabas con él?

—Ya te he dicho que no.

—¿Tienes resaca?

—Asentiría, pero me duele demasiado. Sí.

—¿Estarás bien?

—Por supuesto.

Cassie se puso de pie, se ajustó las medias y se inclinó con cuidado para buscar en la maleta el uniforme de repuesto. Cuando se levantó, lo hizo despacio con la esperanza de evitar —o al menos minimizar— la oleada de náuseas que solía acompañar a los movimientos de cabeza en momentos así.

—¿Quieres una aspirina?

—Estoy bien. Llevaba algunas.

—Por supuesto que las llevabas. ¿Puedo preguntarte algo?

—¿Con quién estaba si no era con el tipo del avión?

—No. No iba a preguntarte eso —contradijo Megan. Cassie esperó—. ¿Por qué? ¿Por qué siempre te haces esto? Un día de estos te matarán. Sé que Dubái es seguro, lo pillo. Pero seguimos en Medio Oriente. Sigues siendo una mujer. Esto no es París, ni Nueva York.

Se sentó en la cama observando a Cassie mientras se ponía el uniforme negro con adelgazantes rayas azules y rojas. La palabra *matar* resonó en el interior de Cassie de un modo que la hizo estremecerse. ¿Cuándo, antes de esa mañana, había visto un cadáver? En funerales. No en el de su padre, porque el accidente de coche requería un ataúd cerrado. Pero sí en casa de su madre. Y en el par de funerales de sus abuelos que murieron y habían decidido no ser incinerados. Recordó el cuello de Alex Sokolov. Pensó que sus ojos estarían cerrados, solo porque se acordaría si hubieran estado abiertos, pero eso no disminuyó en su mente la violencia de su muerte.

—Estoy bien —mintió—. Estoy bien. —Esperaba que decirlo dos veces hiciera que fuera verdad. Hay que hacer lo que uno predica.

—No estás bien —replicó Megan con la mirada escéptica—. La gente que está bien no hace...

—¿No hace qué? —espetó como si esas tres palabras fueran latigazos para defenderse. Su resentimiento la sorprendió—. ¿Qué he hecho mal exactamente?

Megan se inclinó hacia adelante con las manos en las rodillas y se preguntó qué decir. Cassie no sabía si su *amiga* —no, en realidad era una conocida del trabajo, amiga sugeriría que eran más cercanas de lo que en realidad eran— empezaría con el alcohol o con el sexo. Cuando vio que se quedaba en silencio, Cassie añadió:

—No me juzgues. Lo digo en serio. Tú tienes un gran marido y dos hijas muy monas...

—Tienen dieciséis y trece años. Dejaron de ser monas hace mucho —replicó Megan como en una especie de ofrenda de paz.

—Pero mi vida no es la tuya. Mis decisiones no son tuyas.

—Lo sé, lo entiendo. Haz que me sienta tranquila, ¿estás completamente sobria?

—Sí. Por supuesto.

—Vale, me lo trago. ¿Quién era? ¿Con quién estabas?

—Con un chico que conocí en el bar.

—No te vi abajo.

Aunque la habitación de Megan estaba al lado de la suya, Cassie confiaba en que la azafata todavía durmiera cuando se había marchado del hotel la noche anterior. El más mínimo subterfugio le serviría.

—Nos conocimos rápido y nos marchamos rápido. Nos fuimos a su hotel. ¿Tú qué hiciste?

Rebuscó de nuevo en la maleta para sacar el pañuelo y el cinturón de la aerolínea.

—Cené con Shane, con Victoria y con Jada. Fuimos a un restaurante japonés que conoce Shane. Estuvo bien. Luego todos volvimos a las habitaciones a dormir. Descansamos —explicó Megan.

Cassie tenía la sensación de que la mujer no había querido sonar mojigata, pero al menos, la última palabra la molestó.

—Bien —dijo simplemente.

Cuando empezó a atarse el pañuelo alrededor del cuello, se detuvo. No pudo evitar recordar el espantoso corte de la garganta de Alex Sokolov. Se estremeció levemente ante la auténtica vulnerabilidad del cuello.

Megan vio su temblor involuntario y malinterpretó su significado. Se puso de pie y tomó las manos de Cassie entre las suyas.

—Hazte un favor...

Cassie no dijo nada, pero sintió que empezaba a enroscarse por dentro, preparada para morder si Megan decía algo, cualquier cosa, para criticarla.

—Empieza de nuevo —continuó la otra azafata en un tono maternal y amable—. A vestirte, quiero decir. Esta vez ponte ropa interior limpia. Me aseguraré de que la furgoneta espere.

Entonces soltó los dedos de Cassie y la dejó sola en la habitación del hotel.

Stewart, el primer oficial, charlaba sentado en la primera fila de la furgoneta mientras se abrían paso a través del tráfico de Dubái hasta el aeropuerto. Cassie hubiera preferido tener el aire acondicionado un poco más fuerte para que la ayudara a combatir las náuseas, pero no quería atraer más atención hacia ella de la necesaria. Todavía faltaban dos horas para que saliera el vuelo, pero, solo por si acaso, pensó que sería mejor tener Biodramina —dimenhidrinato— en su kit antes de embarcar.

—Recordad que esto es Hamburgo y que todos sabemos que el control de tierra es, bueno, alemán —iba diciendo el primer oficial. Se había dado la vuelta para poder hablar con todos. La camioneta tenía catorce asientos, incluido el del conductor, y todos menos el suyo estaban ocupados por miembros de la tripulación de vuelo. Cassie iba en la última fila con Megan y Shane, escondiéndose lo mejor que podía cerca de la ventana de la esquina.

El capitán, aunque él y su familia habían vivido siempre en el Medio Oriente, era descendiente de alemanes y Cassie se preguntó si el primer oficial se estaba divirtiendo a su costa o si el alemán sería, de algún modo, relevante para la historia. Era la primera vez que volaba con Stewart, así que no tenía ni idea. Solo sabía que no dejaba de hablar.

—¿Y qué significa eso, precisamente? —preguntó el capitán en tono afable. Tenía cincuenta y pico, se estaba quedando calvo pero todavía era atractivo en un sentido clásico. Había volado con él unas seis veces en los últimos cinco años, desde que había empezado a volar internacionalmente, y disfrutaba viendo a los pasajeros que asentían con aprobación hacia la cubierta y observaban a pilotos como él cuando embarcaban.

—Todo negocios —respondió Stewart—. No vas jodiendo por ahí. Y el avión ahora está en tierra. Hablamos de British Airways, por lo que el distintivo es el Speedbird. El control de tierra le dice al Speedbird que ruede hasta la puerta Alpha dos-siete. Pero ¿y el avión? Se detiene. Se detiene por completo. Así que el de tierra dice: «Speedbird, ¿tienes problemas para encontrar la puerta?», y el Speedbird le responde: «La estoy buscando».

—Madre mía, ya veo cómo va a acabar esto —comentó el capitán riendo.

—Sí. En tierra estaban molestos e impacientes, así que le preguntaron: «Speedbird, ¿has ido alguna vez a Hamburgo?». Y el capitán del Speedbird, con su fría voz británica, respondió: «Sí. Dos veces. Pero en 1943, así que no aterricé».

Megan y Shane rieron educadamente. Megan incluso asintió un poco con complicidad. Pero el capitán, que había estado en las fuerzas aéreas, negó con la cabeza y preguntó:

—¿En qué comedia cancelada has escuchado ese viejo chiste?

—¿Crees que es apócrifo?

—Sí, creo que es... apócrifo. Y más viejo que andar a pie. Normalmente el chiste se desarrolla en Frankfurt.

—No lo sé —intervino Megan y empezó a decir algo sobre un viejo amigo alemán que volaba con Lufthansa.

Pero lo único que Cassie podía sentir era la impaciencia del controlador alemán, real o imaginario, en la torre. La furgoneta apenas se movía. Nadie a su alrededor parecía alarmado, ya que el avión no se marcharía sin ellos y, probablemente, acabaran llegando al aeropuerto con tiempo más que de sobra. Pero cuanto más tiempo estuvieran atrapados en el tráfico, más probable era que siguiera en Dubái cuando descubrieran el cuerpo de Sokolov. El cartel de NO MOLESTAR le había dado un par de horas, no más. Por lo que sabía, varias personas —incluida Miranda— le habrían estado enviando mensajes durante noventa minutos, preguntándose por qué no estaba en la reunión. En cualquier momento, enviarían al personal de seguridad del hotel para que subiera a abrir la puerta.

Miró por la ventana y vio un coche de policía, uno de sus nuevos Lamborghini, atascados en el tráfico justo a su lado. Los agentes llevaban boinas de color verde oscuro y camisas verde oliva de manga corta. El conductor miró hacia arriba y la vio. Era un chico joven con un bigote espeso. Se inclinó la boina y le sonrió a Cassie de un modo que le pareció más caballeroso que seductor. Ella le devolvió el saludo, pero se alegró de llevar gafas de sol y bufanda. Se dijo a sí misma que quizá todavía podía volver al hotel. Incluso ahora, tal vez no fuera demasiado tarde. En su cabeza se oyó gritándole al conductor que se detuviera allí, que, *por favor*, la dejara bajar.

Aunque ese pensamiento mostraba que realmente no había matado a Sokolov. No creía haberlo hecho, ella no era así, pero entonces

CHRIS BOHJALIAN • 39

¿quién pudo haber sido? La duda llevaba casi dos horas inflándose como un globo.

Así que no dijo nada. La furgoneta avanzó un poco, el coche de policía avanzó un poco, Stewart continuó parloteando y otras conversaciones empezaron a surgir entre la tripulación.

—¿Todavía necesitamos pilotos en los bombardeos? Supongo que los usamos, ¿no? Pero ¿no infringimos el mayor daño con drones? —se preguntó Shane.

—Pregúntale a Cassie —murmuró Megan—. Su cuñado está en el ejército.

—¿De verdad? ¿Fuerzas aéreas? ¿Drones? Me encantan los drones. Me parece muy guay cuando hay un dron en una boda.

—No tiene nada que ver con los drones, al menos que yo sepa —contestó—. Está en el ejército, no en las fuerzas aéreas.

—Ah, ¿dónde está destinado? ¿En Estados Unidos o en el extranjero?

—Ahora está justo donde crecimos mi hermana y yo, en Kentucky. Así se conocieron. Es comandante en el depósito del ejército Blue Grass.

—Suena casi pastoral —comentó Jada.

—¡Ja! Es una antigua instalación de armas químicas —corrigió Cassie.

—¿Un ingeniero en una planta de armas químicas? Suena aterrador —susurró Shane.

—Creo que ayuda a supervisar la eliminación de cosas que sí que dan miedo. Nuestras reservas —respondió, aunque, honestamente, no tenía ni idea. No hablaban de ello. Por lo que sabía, supervisaba la producción de gas sarín. Entonces, justo cuando el tráfico empezó a moverse, oyó sirenas. Todos las oyeron.

—No puede ser nada bueno —comentó Stewart.

—¿Camiones de bomberos? —preguntó otro de los azafatos, un compañero de su edad con el que volaba por primera vez. No había llegado a conocerlo en los dos vuelos porque él había estado en turista y ella, en primera.

—No —intervino el conductor—. Son sirenas de la policía.
—Casi en ese mismo momento, el coche de policía que estaba junto a la furgoneta encendió las luces e intentó salir del atolladero
dando un giro de ciento ochenta grados—. Están al sur de nosotros, en Jumeirah.

Cassie notó que se ruborizaba porque el Royal Phoenician estaba en Jumeirah, y tuvo que tranquilizarse diciéndose a sí misma
que Jumeirah era una de las vías principales de la ciudad y que el
conductor solo estaba especulando. Lo único que sabían era que las
sirenas se dirigían a un destino que estaba detrás de ellos.

—Supongo que no debería haber dejado una caja con una pequeña bandera del ISIS y un reloj en el vestíbulo —bromeó Stewart.

—Yo no haría ese tipo de bromas, Stewart —le reprochó Jada un
poco consternada. La azafata tenía un hermoso rostro en forma de
corazón, pero en ese momento solo mostraba disgusto—. No en estos tiempos y no aquí, y claramente, no si quieres que alguno de nosotros sea amigo tuyo.

—¿Demasiado pronto? —preguntó Stewart.

—Demasiado de mal gusto. Demasiado ofensivo. Demasiado estúpido.

Megan se volvió hacia ella y le susurró:

—¿Se te ha olvidado el bolso?

Cassie se frotó los ojos. No podía decir que lo había perdido, todavía tenía el pasaporte, la cartera y el teléfono.

—Es una historia muy larga.

—Cuéntamela.

—Le derramé un vaso de vino encima y lo tiré.

—¿Lo tiraste?

—Sí.

—¿Dónde?

—¿Importa? Déjalo estar.

—¿Estás bien?

—Por supuesto. —Asintió—. ¿Por qué?

—Estás sudando.

—Estoy bien.

Sin embargo, se sintió aliviada cuando Megan llamó a la parte delantera de la furgoneta y le preguntó al conductor si podía subir un poco el aire en la parte de detrás.

El tráfico no estaba mucho mejor por Sheikh Zayed, la autopista, incluso cuando los altavoces de los minaretes empezaron a transmitir el llamado de mediodía del almuédano al culto. Cuando llegaron al aeropuerto, tuvieron que dirigirse rápidamente al avión. Estaba todo preparado y, casi milagrosamente, todavía podían despegar puntuales. Megan era la directora del servicio de cabina de ese vuelo y Shane era el sobrecargo. De nuevo, Cassie estaría en primera clase. Su planificación de julio incluía tanto la ruta (París, Dubái) como la cabina (primera). El agente federal aéreo, un estadounidense corpulento con un insulso cortavientos en un asiento del pasillo de la última fila de la cabina de primera clase, parecía estar observándola mientras Cassie se preparaba para el vuelo, pero respiró profundamente y se dijo a sí misma que estaba empezando a ponerse paranoica.

La sesión informativa de seguridad era un vídeo, pero aun así se esperaba que permaneciera alerta al inicio del pasillo para animar a los pasajeros a que prestaran atención. En esa cabina, no lo hacía nunca ninguno. Algunos ni siquiera se quitaban los auriculares ni levantaban la vista de sus tabletas o periódicos. No era simplemente que fueran viajeros frecuentes y se supieran las advertencias, había cierto machismo en el hecho de no mirar: prestar atención sugería que, o bien te daba miedo volar, o bien no conocías la sensación de estar a diez mil metros de altura. Eras un novato.

Cassie empezó a volver hacia el *galley* mientras el alegre vídeo seguía parloteando. Se le atascó el tacón en una cinta adhesiva del suelo y tropezó. Un ejecutivo saudí vestido con un prístino thawb blanco la agarró por el brazo izquierdo antes de que cayera.

—Gracias —dijo. Estaba avergonzada. No recordaba haber tropezado en un avión mientras todavía estaba estacionado en la puerta. Una cosa era perder el equilibrio cuando volaba y había turbulencias, pero ¿en el suelo? Era algo nuevo—. No me lo esperaba.

—Me alegro de haber podido ayudar —respondió el. Tenía una sonrisa amplia y magnánima. Se ajustó la kufiyya que le cubría el cuello y el pelo, con un agal que era como un halo negro y espeso. Luego, volvió la cabeza a la revista de negocios que estaba leyendo en la tableta.

Cuando estuvo de nuevo de pie y en el *galley*, con la cubierta de vuelo tras ella, la única persona que la observaba era el agente federal aéreo. Se preguntó si, al igual que un león, podría sentir su miedo.

Fueron retenidos en la puerta y perdieron las posibilidades de que el vuelo saliera a tiempo. No había visto una *conga* en la pista, pero los minutos pasaban. El capitán informó primero a la tripulación y después a los pasajeros del motivo del retraso: tormentas eléctricas al este del Mediterráneo y el sur de Europa. Tal vez estarían allí media hora más. Cassie intentó creer que ese era el motivo, que lo único que los retenía era el tiempo atmosférico. Pero su ansiedad no hizo más que aumentar. Aun así, trabajó. Ella y Megan llevaron las bebidas a la cabina de primera clase y luego les dieron combinados de frutos secos que calentaban en el horno. Los pasajeros de clase turista solo podían sufrir en silencio y temer perder sus escalas en Charles de Gaulle. Cassie miraba por las ventanas, medio esperando ver furgones policiales acercarse al avión desde los túneles que serpenteaban bajo el aeropuerto.

Hizo una pausa ante la puerta de la cabina delantera, temiendo que alguien al otro lado le indicara que la abriera, que la abriera ahora mismo —en su mente estaba el capitán, saliendo de la cabina de vuelo, asintiéndole y dándole permiso— porque la seguridad del aeropuerto iba a sacar a alguien del avión. De vez en cuando revisaba el móvil para ver si había noticias sobre un gestor de fondos de cobertura estadounidense hallado muerto en un hotel de Dubái, pero no parecía haber nada en Twitter ni en ninguna página de noticias, al menos en los sitios que pudo encontrar en Google en inglés y que podía leer.

Finalmente, retiraron la pasarela de acceso y Stewart les indicó que se aseguraran de que la cabina estuviera preparada para el despegue. Dijo que era el momento de abrocharse el cinturón. Comenzaron a rodar y mientras avanzaban por la pista notó el temblor que sugería que estaban a punto de subir las ruedas. Un instante después estaban escalando, despegando y saliendo de Dubái. Una vez más, dejaban atrás la estación de esquí cubierta, los enormes puertos artificiales en forma de palmeras que se podían ver desde el espacio y el horizonte con esas altísimas agujas futuristas. Las máquinas expendedoras que vendían oro. Se elevaban sobre las interminables filas de pozos y plataformas petrolíferas —desde el cielo parecían hormigas negras trabajadoras encadenadas al suelo— y el desierto, infinito, plano y que se desplegaba en dunas y lomas hacia el horizonte occidental.

Entonces llegaron las lágrimas, tan inesperadas como imparables y ella les permitió deslizarse por su rostro y emborronarle el rímel. Lloró en silencio, consciente de que ninguno de los pasajeros podía verla en su asiento plegable. Megan podría mirarla y pensar en qué desastre se había convertido, pero había volado con ella lo suficiente para saber que se recuperaría. Lloró, supuso, de manera imperceptible porque se sentía profundamente aliviada: se estaba alejando de la península arábiga, donde ya era bastante difícil ser mujer y, probablemente, en donde fuera un desastre ser una mujer que los hombres pensaran que casi había decapitado a un pobre gestor de dinero en un inexplicable ataque de locura postcoital impulsado por el arak. Pero se dio cuenta de que lloraba, sobre todo, por el dolor, por el luto y por la pérdida. Ahora que la autoconservación que la había llevado tan lejos empezaba a disolverse, pensó en el hombre que había dejado atrás y, por primera vez —la conmoción se evaporó como la bruma matutina que le recordaba a cuando el sol salía tras las montañas Cumberland—, empezó a sentir la desesperación que va unida al duelo.

Comenzó una letanía en su mente sobre lo poco que sabía de la vida personal de Alex Sokolov. Era hijo único. Sus padres vivían en Charlottesville y empezaban a juguetear con la idea de la jubilación, aunque todavía les faltaba mucho. (Por dios, eso le recordó lo joven que era: sus padres todavía no se habían jubilado). Había dicho que llevaba casi cuatro años con el fondo —así lo llamaba cada vez que salía el tema, «el fondo»— y antes había estado trabajando para Goldman Shachs. Pero llevaba trabajado en la administración del dinero desde que había alcanzado una especie de máster en Matemáticas —algo cuantitativo y algo financiero— en Durham. (Del mismo modo que solo le dijo el nombre de su empleador, solo dijo «Duke» cuando ella quiso presionarlo para sacarle más detalles). Prefería a Tolstói, Turguénev y Dostoievski, y la había animado a releer a los tres autores «como adulta» en lugar de como estudiante que se queda despierta toda la noche.

No se había limitado a conseguir una mesa para dos en un bistró francés a un par de manzanas de su hotel, sino que además le había pagado al *maître* para que los sentara en un rincón y dejara libre la mesa que había junto a ellos. Al principio, este gesto le pareció una arrogancia masculina y pretenciosa, pero mientras se acercaban a la mesa, él le había susurrado al oído que veía el romance como un asunto privado y que esa noche quería enamorarla. Más tarde, se había ofrecido a pagar una cuenta mucho mayor que lo que solía gastar ella al pasar tres noches en París y en Dubái; era más de lo que gastaba en comida la mayoría de los meses. Él había pedido *blanquette* de ternera y ella *coq au vin*, alegando que, después de todo el arak que habían tomado, tenía sentido que pidiera pollo al vino (aunque, por supuesto, él le había recordado que el alcohol se evaporaba al cocinarlo). Habían disfrutado de la comida, saboreando su privacidad, y se habían tomado su tiempo. Se habían acabado una botella de vino y habían pedido más arak. Y, pese al pozo de alcohol en el que habían caído, no habían perdido de vista el hecho de que estaban en Dubái. Ambos habían estado ya anteriormente en la ciudad y sabían que las sanciones por embriaguez pública no eran precisamente agradables. Ninguno de los dos había armado ningún escándalo. Habían coqueteado en su pequeño rincón, pero no se habían tocado. Él le había dicho en voz baja lo que quería hacer en la habitación del hotel cuando se uniera a ella. Le había deslizado la llave sobre el mantel y ella se había estremecido levemente cuando sus dedos se habían tocado.

Cuando la policía siguiera el rastro de su tarjeta de crédito y llegara al restaurante, la gente recordaría que había estado con una mujer probablemente estadounidense porque ambos hablaban inglés con acento americano. Alguien podría recordar que ella era mayor que él. Pero ¿habían destacado? Un poco sí, porque habían pedido primero arak, después vino y después más arak. Confiaba en que al menos la mitad, tal vez incluso dos tercios de los comensales, fueran occidentales. Y no habían montado ninguna escena.

Recordó que a él le gustaba el fútbol y que jugaba en la universidad. El *squash* le gustaba todavía más y lo seguía practicando.

La idea de que él también fuera un borracho —al menos por una noche— hizo que sintiera un dolor profundo y nostálgico en el corazón. Todos los que bebían como ella tenían un motivo, pero no lo había presionado para que le contara el suyo. ¿Tenía algún motivo? Ahora nunca lo sabría. Él tampoco había preguntado por el dolor privado de Cassie.

Fumaba. Nunca había besado a un hombre que lo hiciera y besar a Alex no había sido como besar a un cenicero. Lo había sentido decadente en el buen sentido de la palabra. Él le explicó que solo fumaba cuando viajaba al extranjero.

En la habitación del hotel, habían empezado en la cama, sobre la colcha carmesí, en cuanto él llegó; aunque luego la había llevado hasta la ducha. Primero la había sorprendido, indecisa sobre si debía asombrarse más por su impresionante fuerza de voluntad en ese momento o insultada de un modo que no quería analizar, pero lo había seguido y se alegraba de haberlo hecho. Habían hecho el amor allí, con las rodillas de Cassie sobre el banco de mármol, con las manos y los dedos de Alex a su alrededor, entre sus piernas, y luego le había lavado el pelo.

Ese recuerdo hizo que se ahogara con un pequeño sollozo sonoro en el asiento plegable.

—Madre mía, estás llorando —susurró Megan con un tono entre solícito y molesto—. ¿Puedo hacer algo?

—No.

—¿Qué te pasa?

Cassie sollozó y se limpió el rostro con los dedos.

—No lo sé —mintió—. Te juro que no lo sé. Pero estoy bien. O lo estaré.

Después de eso, había llegado Miranda. Luego Miranda se había marchado y Cassie también había pensado en irse. Pero Alex la había llevado de nuevo al impresionante dormitorio en el que habían vuelto a hacer el amor. Habían vaciado la botella de arak que habían encontrado en el minibar. (Al menos en ese momento había creído que se la habían acabado, pero cuando había limpiado el cristal azul con el paño, esa misma mañana, había visto que quedaba algo de líquido en el fondo). Entonces habían vuelto al vodka. Por alguna razón, a él le había costado desenroscar la tapa y había roto la botella accidentalmente con el borde de la mesita de noche. (¿O la había roto a propósito por la frustración?). En lugar de limpiarlo, simplemente se habían reído. Creía que se había vestido para irse. Pero era menos que un borrón, era una laguna. Estaba desnuda cuando se despertó. ¿Qué diablos había pasado con lo de volver a ponerse la falda y la blusa y regresar al hotel?

Joder, había sido como tantas otras veces, se había despertado desnuda y con resaca en la cama con un tipo sin tener la más mínima idea de cómo había llegado hasta allí, solo que esta vez, el tipo estaba muerto.

Evaluó la situación una vez más, tratando de encontrarle sentido a lo que había hecho. A lo que podía haber hecho. ¿La habría atacado y ella se habría defendido? Posible, pero poco probable. Se habían acostado dos veces, por lo que podía recordar. Aun así, no es no. Desmayarse no es consentir. ¿Y si eso es lo que había ocurrido durante el *blackout*? Él intenta forzarla y ella se resiste. Él se lanza sobre ella, no se detiene y Cassie lo golpea en la cabeza, en la cara y en la espalda. Intenta arañarlo y él cada vez se enfada más y se pone más violento. Ve los restos de la botella de Stoli. Tal vez todavía queden algunos fragmentos en la mesita de noche. Alcanza uno —puede que los hombros irregulares de la botella, y la agarra por el cuello como un cuchillo— y lo ataca. Puede visualizar mentalmente el malintencionado movimiento, el tajo resultante.

Y luego se vuelve a dormir.

Deseó haber mirado el cuerpo más de cerca esa mañana. No lo había hecho. Había visto el cuello de Alex y le había parecido suficiente. Había visto que tenía los ojos cerrados, pero por lo demás no había estudiado su cabeza, su espalda, ni sus brazos. Sinceramente, no sabía exactamente dónde más podría haberlo apuñalado.

Y, sin embargo, cuando volvía la vista atrás en su historia, no tenía sentido que lo hubiera atacado si estaba intentando acostarse una vez más con ella. Una parte de su vida era —gracias a Dios— sexo *blackout*. Eso había pasado. Sabía por demasiadas mañanas con demasiados tipos espeluznantes que eso le había pasado. Supuso —y esta idea hizo que se le revolviera de nuevo el estómago— que era más probable que dejara que la violaran.

Que. La. Violaran. El horror de la expresión la hizo gemir en silencio.

Sin embargo, aunque no hubiera matado a Alex Sokolov, había huido. Era un hecho. El pobre chico tenía padres y amigos, y se había desangrado hasta morir en la cama junto a ella. Y lo había abandonado.

—No estás bien —murmuró Megan—. Esto es diferente de tus…, no sé cómo decirlo, de tus otras artimañas. Ha pasado algo.

—No ha pasado nada.

—La gente no llora por nada.

Pero entonces sonó el timbre del avión y ya estaban a tres mil metros de altura. No podía seguir llorando, tenía que trabajar. Se lavó la cara y se retocó el maquillaje. Se desabrochó el cinturón y se puso de pie, resuelta a ser tan encantadora y eficiente como siempre.

Sin embargo, mientras se miraba en el espejo del pequeño aseo, y observaba las líneas que ocultaba debajo de sus ojos, las líneas que tan artísticamente había disimulado con el corrector, notó que su iris azul parecía menos brillante que cuando era joven —incluso rodeado por las señales de la resaca— y volvieron a caerle las lágrimas. Recordó algo que le había dicho su padre cuando era pequeña: «Entierras a los muertos y sigues adelante». Fue unos años antes de que, borracho como una cuba, estrellara el Dodge Colt contra un poste de teléfono con su hija pequeña en el asiento trasero; fue mucho antes de que, accidentalmente —al menos suponía que había sido un accidente— se matara a sí mismo y a un par de adolescentes que volvían a casa desde Lexington y resultaron estar en el carril correcto cuando él —borracho de nuevo— iba por el carril equivocado. Tenía ochos años cuando él le había dado ese consejo porque Cassie no había conseguido pasar a la clase de *ballet* del siguiente nivel con dos de sus amigas como esperaba. La profesora no creía que estuviera lista.

Su padre había intentado consolarla. Bueno, dijo que «a veces lo mejor que puedes hacer es enterrar a los muertos y seguir adelante».

Aunque él, por desgracia, nunca había seguido su propio consejo. Después de que su esposa —la madre de Cassie— falleciera, había bebido aún más. Y ella nunca había olvidado ni superado esas palabras que le había dicho cuando estaba en tercer curso. Pensó en esa frase al morir su madre, cuando ella tenía quince años, y al morir su padre, cuando tenía diecinueve, y la recordaba a menudo cuando se despedía de los hombres a los que había seducido o que la habían seducido a ella; sobre todo, las veces que iba tan borracha que no insistía en utilizar uno de los condones que siempre llevaba encima. Lo cierto era que no había nada casual en el sexo casual. Cuando funcionaba, era intenso. Cuando no, era particularmente insatisfactorio. De cualquier modo, dejaba cicatrices; algunas eran similares a las cicatrices del *blackout*, pero otras eran muy diferentes: la violación era menos pronunciada, pero el autodesprecio podía ser brutal. (Una vez había compartido la sabiduría de su padre con un extraño en la cama. Era otra mañana del día después y ambos habían acordado que la noche anterior había sido un terrible error de borrachera. Podrían haberse hecho amigos y nunca deberían haberse acostado. Él, a cambio, había observado que por oscuro e inapropiado que pudiera ser el consejo, era lo que se podía esperar de un hombre que había llamado a su primera hija Cassandra).

Del mismo modo, ya no había nada casual en su manera de beber: llevaba años haciendo lo mismo.

Se oyeron golpes en la puerta del aseo seguidos de la voz de Megan.

—Cassie, odio ser un fastidio, pero o estás bien para trabajar en este vuelo o no. Es la última vez que te lo pregunto. —Cassie se imaginó que así sonaría Megan cuando instara a una de sus hijas a alegrar la cara y comportarse. La azafata tenía dos hijas preciosas, un esposo que era consultor de gestión en Washington D. C., y una encantadora casa al norte de Virginia. Esa mujer lo tenía todo—. ¿Cassie?

Se puso de pie dentro del aseo.

—Ahora salgo —contestó—. Estaré lista para el *rock and roll.*

Se pasó el rímel por las pestañas y por los labios el nuevo lápiz labial que había comprado en el aeropuerto. Lo llamaban *labios de aterrizaje.* Fue rápida, pero cuidadosa. Era de un tono similar al que había perdido en Dubái. Luego salió y se prometió a sí misma que, si todo acababa saliendo bien, no volvería a beber nunca. Jamás. Se prometía lo mismo o algo similar todos los meses, pero se dijo que esta vez iba en serio.

CAPÍTULO CUATRO

Elena suponía que una de las razones por las que era buena en lo suyo era porque simplemente no era guapa ni fea. Podía verse bonita si se vestía bien y usaba el maquillaje correcto, por lo que trataba de hacer ambas cosas, aunque su objetivo no era destacar. Medía un metro sesenta y cinco, tenía unos profundos ojos marrones y el cabello castaño, que llevaba con la raya en medio cuando no estaba trabajando y en un recogido francés cuando sí. Rara vez usaba gafas de sol en Estados Unidos y en Rusia porque pensaba que te hacían resaltar. Se dio cuenta de que en Dubái ocurría todo lo contrario: los occidentales que no llevaban gafas de sol eran los más memorables, así que compró un primer par poco después de aterrizar y un segundo par en una de las tiendas del hotel justo después de tomarse el té helado con Viktor.

Caminaba alrededor del zoco con un pañuelo alrededor de la cabeza, le gustaba bastante el anonimato absoluto. Se detuvo en un pasillo estrecho de especias sin saber si el olor que le llegaba venía del comino o del vendedor. Elena no cocinaba a menudo, pero había usado bastante comino para saber que el hedor podía salir de cualquiera de los dos sitios. Él estaba de pie detrás del largo buffet de recipientes llenos de los colores fosforescentes del azafrán y del curry. En los estantes que tenía detrás había pequeñas réplicas de vidrio de los edificios más prominentes de Dubái, cada uno le recordaba a una pieza de ajedrez. Jugaba de pequeña en la escuela y en casa con su padre hasta que la enviaron a un internado en Suiza. Se le daba bastante bien.

Junto a los recuerdos de los edificios había una variedad de ornamentadas cachimbas de color azul océano. Apreció la forma en la que el mercado parecía complacer tanto a los lugareños como a los turistas, aunque podía imaginarse a los turistas llevando a casa tanto especias como un *souvenir* de Burj Al Arab, el icónico hotel de Dubái que parecía un barco gigante de cincuenta y seis pisos. Pensó en el mercado oriental que había cerca de su apartamento cuando estaba en Washington D. C., unos años antes y en cómo se podía encontrar allí desde fruta local fresca hasta monumentos de Washington del tamaño de un pisapapeles, pasando por bolas de nieve de la Casa Blanca.

Levantó la mirada porque el vendedor de especias le preguntó si hablaba inglés. Ella asintió y sonrió.

—¿Qué le gustaría llevar? —preguntó él. Era un hombre mayor con una barba gris y bien recortada. Su thawb estaba impecable, blanco como las flores del cerezo y sin una mancha, a pesar de todas las especias que lo rodeaban.

Realmente no había nada que quisiera, al menos ese día. El apartamento que le habían proporcionado tenía una cocina bien equipada, pero no sabía cuánto tiempo se quedaría en Dubái. Esperaba que fuera una semana o dos, pero lo sabría en los próximos días. Querían asegurarse de que la muerte de Alex no tuviera daños colaterales de los que ella tuviera que ocuparse.

Por dios, ¿y si sabían lo de la azafata? Sintió una aguda punzada de inquietud —casi alarma— cuando se imaginó las posibles repercusiones de su decisión de no matarla también a ella. Respiró hondo para calmarse. Para compartimentar. Así funcionaba ella. Era capaz de concentrarse intensamente en un problema y pensar en muchos pasos por delante. Por eso se le daba tan bien el ajedrez. Podía tener visión de futuro hasta el punto de la premonición. Pero su mente también se dividía y conquistaba, escondiendo perlas de sabiduría que tal vez un día pudiera necesitar mientras dejaba los miedos que podían paralizarla detrás de un cortafuegos.

—Por favor —le dijo el vendedor—, seguro que hay algo que necesite una mujer tan hermosa.

Lo miró a él y luego se fijó en sus mercancías. Para ella la verdadera diversión de un sitio como el zoco no era solo la frescura del género, sino la negociación. El regateo. Era algo así como diplomacia de riesgo bajo. A Elena le encantaba. Solo tenía treinta años —recién cumplidos— pero había pasado bastante tiempo en ciudades de Medio Oriente y se había acostumbrado al regateo necesario para comprar un ladrillo de queso halloumi. Así que supuso que compraría algo.

Pero entonces le vibró el móvil. Le dio las gracias al vendedor y se dispuso a leer el mensaje. Era de Viktor. Alex Sokolov había faltado esa mañana a una reunión con inversores rusos. Lo habían llamado al móvil, habían llamado al hotel y habían dejado mensajes. La mayoría de la gente de la sala no tenía ni idea de por qué no estaba allí, pero había otros que sí y lo agradecían.

Aceptó sus elogios, pero no sonrió. Sabía que, si bien era altamente competente —no, era más que competente, tenía *habilidades locas*, según decía un compañero de piso de la universidad—, en su línea de trabajo había pocas segundas oportunidades. Sobre todo con esa gente, la gente de su padre. No era insustituible. Lo último que quería era encontrarse entre los perseguidos.

Pero el mensaje de Viktor era reconfortante. Incluso había dicho que estaban *agradecidos*. Entonces se volvió hacia el vendedor y le señaló un pañuelo tan colorido y luminoso que parecía el sorprendente manto de los sueños de Yosef.

—¿Cuántos dírhams? —preguntó.

Cuando él le respondió, Elena puso los ojos en blanco y le ofreció un segundo precio, y así continuaron.

CAPÍTULO CINCO

Cuando aterrizaron en Charles de Gaulle y se dirigieron a la puerta de embarque, Cassie revisó su móvil en busca de noticias de Dubái. No encontró nada. Era posible —aunque no le parecía muy probable— que el cuerpo de Alex todavía no hubiera sido descubierto. Eran casi las ocho y media de la noche en los Emiratos Árabes Unidos. Si su cadáver —joder, qué palabra tan horrible— todavía estaba en la cama donde lo había dejado, significaba que el personal de mantenimiento del Royal Phoenician había respetado el cartel de NO MOLESTAR que había puesto para el servicio de limpieza y mantenimiento. Quien entregara la fruta fresca de cortesía y las galletas de *ma'amul* a última hora de la tarde habría visto el cartel y habría vuelto a la cocina del hotel. Eso significaba que ni Miranda ni ningún otro socio comercial habían ido a buscarlo o a preguntar por él —al menos no con mucha urgencia— ante su peculiar e inexplicable ausencia.

Al final concluyó que a esas alturas definitivamente habrían encontrado los restos macerados de Alex Sokolov. Tenían que haberlos encontrado. En su mente, mientras saludaba a los pasajeros que desembarcaban, visualizó a un equipo de forenses analizando la habitación. El cuerpo había desaparecido de la cama, pero había un Rorschach rojo.

Normalmente habría considerado que los dioses de los horarios eran amables con ella porque la aerolínea solo estaba obligada a dejarles diez horas de descanso, pero habían tenido veintiún horas en

Dubái e iban a tener casi quince en Francia. Sin embargo, todo ese tiempo solo aumentaba su ansiedad. Quería estar de nuevo en Estados Unidos. Quería estar en su apartamento en la calle 27 de Manhattan. Quería saber que tenía acceso a abogados estadounidenses si llegaba a necesitarlo.

Esta tripulación —los trece— tenía al menos un último tramo juntos, el regreso al aeropuerto JFK el día siguiente por la mañana y después de eso se dispersarían. Sus caminos podrían cruzarse nuevamente en diferentes combinaciones, sobre todo Megan, Shane y ella porque disfrutaban de su compañía mutua y a menudo cuadraban sus horarios para poder volar juntos, pero esa disposición particular de pilotos y asistentes de vuelo nunca se repetiría. La aerolínea tenía casi mil doscientos azafatos en Nueva York pujando mensualmente por rutas y cabinas, y de algún modo Megan, Shane y ella habían conseguido París, aunque, en esa secuencia, el precio a pagar había sido Dubái. Dos noches antes, de camino al este, los tres se habían echado una siesta por la mañana y habían pasado una tarde y noche maravillosas primero en un bistró y después en un club nocturno con hípsters a los que les doblaban la edad cerca de la Bastilla. Aquella noche había sido mucho más larga que la última. Cassie había bebido, pero no en exceso y no se había separado de sus amigos.

Se dio cuenta de que no debería volver a Dubái, al menos no en el futuro cercano. Probablemente nunca. No estaba en su agenda para el próximo mes y se aseguraría de que no estuviera tampoco en septiembre.

—No creo que nadie vaya a la ciudad esta vez —estaba comentando Megan mientras salían de la pasarela de acceso hacia la explanada. Esa noche la aerolínea los alojaba en un hotel del aeropuerto porque tardarían demasiado en entrar y salir de París, y la noche era mucho más corta—. Aunque hay un restaurante bastante bueno cerca del hotel al que podemos ir andando. *Brasserie* nosequé. De todos modos, unos cuantos hemos quedado en el vestíbulo a las siete. ¿Te apuntas?

—No, creo que me quedaré descansando —respondió Cassie.

—Tiene sentido —admitió Megan—. Quédate en la habitación para variar. Duerme un poco.

Pasaron por una tienda de Hermès y recordó el pañuelo con estampado de leopardo que había visto la noche anterior en el Royal Phoenician. Pensó en su cuello y pensó en el de Alex.

—Date un capricho. Pide algo ligero al servicio de habitaciones. Cómete el postre primero —continuó Megan.

—Sí, creo que ese es el plan.

—En serio, no tienes ni idea de lo agradable que es, como madre de dos adolescentes con hormonas alocadas, pasar la noche sola en una habitación de hotel. Puede que yo tampoco salga. Quizá solo hago Skype con Vaughn y doy la noche por terminada.

Cassie asintió cortésmente. Había visto un par de veces al marido de Megan. Parecía bastante majo. Recordaba los chistes que había hecho sobre ser consultor:

«Solo se necesitan dos cosas para ser consultor: locura. Y tarjetas de visita».

«¿Quieres saber la definición de consultor? Un tipo que te quita el reloj para decirte qué hora es».

Pero desde que su familia se había mudado a Virginia había trabajado mucho para los contratistas del Departamento de Defensa, por lo que Cassie supuso que era mucho más competente de lo que sugería su autodesprecio. Y sus chistes no eran peores que los del primer oficial con el que viajaba esa semana. En ese momento, Stewart estaba obsequiando al capitán con otra historia bastante obsoleta.

—Salúdalo de mi parte —le dijo a Megan.

—Lo haré. Y tú descansa.

Cassie asintió. Sabía que tendría la tentación de pedir una copa de vino, pero también confiaba en que sería capaz de resistirse: se recordó a sí misma que tendía a beber en exceso —y sí, también a practicar sexo en exceso— pero no era una borracha como su padre. Por supuesto, ese era el lema de los alcohólicos no redimidos en todas partes: *no soy un borracho*. Pero ella no lo era. Había un montón de noches en las que no bebía. ¿No había jurado unas horas antes que no iba a volver a beber? Lo había hecho.

No habían pasado ni cinco minutos desde que se habían dirigido a la salida junto a las colas de seguridad y la escalera mecánica que llevaba a la parte exterior en la que los esperaba su transporte hacia el hotel cuando Jada se detuvo y le mostró su teléfono a Megan. Toda la tripulación se paró junto a ella como gacelas en alerta.

—¿Lo reconoces? —preguntó Jada.

Megan amplió la foto con el índice y el pulgar.

—Madre mía —murmuró en voz baja algo aturdida—. Qué fuerte. Venía en el vuelo de París a Dubái.

—Sí.

Megan le pasó el móvil a Cassie sin decir ni una palabra.

Durante unos instantes se quedó mirando la foto y fue una de esas experiencias en las que reaccionaba al mismo tiempo visceralmente y con la conciencia de una actriz porque sabía que Megan la estaba vigilando. Ahí estaba. Su amante de la noche anterior. Su historia aparecía en una página que todos visitaban a veces y que ayudaba a los viajeros internacionales a mantenerse al día con el crimen internacional, una especie de versión sensacionalista del sitio web de avisos de viajes del Departamento de Estado. Era breve e iba al grano: había habido un asesinato bastante espantoso en el Royal Phoenician de Dubái. A la víctima, un gestor de fondos de cobertura estadounidense llamado Alex Sokolov, le habían rajado la garganta en su habitación de hotel. Lo habían encontrado a media tarde porque había faltado a una reunión en la que lo esperaban. Finalmente, la seguridad del hotel había ignorado el cartel de NO MOLESTAR y había entrado a la suite. No había más nombres en el artículo, ninguna mención a una mujer llamada Miranda.

—Lo siento muchísimo —dijo Cassie esperando que el shock de su cuerpo fuera interpretado por Megan y por toda la tripulación como una sorpresa porque existiera el cadáver, porque el pobre chico hubiera sido asesinado. Desplazó hacia abajo y se enteró de que las autoridades no tenían sospechosos. Un agente de viajes y turismo insistía en que había sido un incidente aislado y que los visitantes no tenían que alarmarse, pero un capitán de policía parecía discutírselo argumentando que no habían descartado el robo como motivo.

Megan le quitó el teléfono, se lo devolvió a Jada y ella se lo pasó a Stewart y al capitán para que lo vieran. A todos les pareció interesante que un pasajero de su avión hubiera sido asesinado. Entonces Megan se acercó a Cassie y le susurró:

—Júrame que no sabes nada de esto.

—Por supuesto que no, ¿por qué tendría que saber algo? —espetó esperando sonar ofendida.

—Vale. Es solo que los dos hablasteis mucho de camino a Dubái. Y parecías fuera de juego y muy extraña esta mañana cuando íbamos hacia el aeropuerto. Y estabas llorando cuando hemos despegado.

Negó con la cabeza.

—Supongo que me entristece que el chico haya muerto. Parecía bastante majo, pero la última vez que lo vi fue ayer por la tarde cuando se bajó del avión.

El grupo empezó a moverse y caminó con ellos. Parte de ella temía enterrarse más profundamente con cada mentira. Pero también se dijo a sí misma que era demasiado tarde para empezar a contar la verdad.

Cassie estaba tumbada de lado en la cama de su habitación del hotel, desnuda excepto por el albornoz que había encontrado en el armario. Oía el sonido de pasos y maletas pasando por el pasillo y se estremecía cada vez que escuchaba una puerta o el *clic* de una cerradura. Trató de recordar una vez más los detalles que le faltaban de la noche anterior, pero se habían perdido. Intentó recordar cada palabra que le había dicho a Miranda, aunque gran parte de la conversación estaba en la oscuridad que envolvía normalmente a los acontecimientos, los hombres, los bares y las camas durante tantas noches de tantos años.

Durante un momento, consideró enviarle un mensaje a su hermana en Kentucky. Hacerle preguntas inofensivas sobre su sobrino y su sobrina. Sobre su cuñado.

Su hermana y ella rara vez hablaban de su padre y su madre porque acababan discutiendo cada vez que lo hacían. Había demasiada ira y demasiado dolor, y habían respondido ante sus padres de formas tan diferentes y únicas como copos de nieve. Ya no tenían una relación muy cercana y probablemente nunca volverían a tenerla, pero Rosemary necesitaba que Cassie estuviera al menos en la periferia de su vida familiar para alimentar su propio anhelo de normalidad. De vez en cuando, Rosemary, su marido Dennis y sus dos hijos volaban desde Kentucky y se quedaban en un hotel económico en Westchester durante el fin de semana y luego tomaban el tren o alquilaban un coche para ir a la ciudad los sábados y los domingos. Rosemary era contable en Lexington. Dennis trabajaba en la base militar de Richmond. A veces, durante sus visitas familiares, a Cassie se le concedía una breve audiencia a solas con su sobrino o su sobrina. Le permitían llevar a Jessica a la American Girl Store o a Tim al Museo Metropolitano. A veces incluso había conseguido que le dejaran llevarse a los niños a almorzar, los tres solos, y los llevaba a restaurantes que les encantaban, esos sitios en los que había camareros y camareras jóvenes que cantaban canciones de musicales o el comedor estaba diseñado como si fuera una casa encantada. Cassie apreciaba mucho esos ratos, no se imaginaba a sí misma teniendo descendencia, una realidad que algunas noches solitarias la dejaba con el sentimiento de angustia por el hijo o la hija que nunca abrazaría. A menudo, sin embargo, cuando la familia de su hermana iba a Nueva York, veía a los niños y a sus padres juntos. Los cinco subían a lo alto del Empire State. La estatua de la Libertad. El estadio de los Yankees cuando los Royals estaban en la ciudad para juntos luchar contra el Evil Empire.

Esos fines de semana estaban libres de alcohol porque Rosemary no bebía y no quería ver beber a su hermana. Así de diferentes eran.

Decía mucho sobre lo que su hermana realmente pensaba de ella el hecho de que nunca había dejado a sus hijos solos con Cassie en su apartamento. Se había ofrecido a cuidarlos cantidad de veces para que Rosemary y Dennis pudieran disfrutar de una noche solos. Tal vez ver un musical que no fuera de Disney. Disfrutar de un restaurante en el que los lavabos de hombres y mujeres no estuvieran marcados como Brujas y Magos. Pero su hermana siempre se negaba. Decía que ella y Dennis querían pasar tiempo en familia con los niños. Lo cierto era que su hermana no confiaba en ella por las noches y Cassie lo sabía. Era cuando a menudo —pero no siempre— su padre se metía en problemas y era cuando casi parecía infligirse más daño a sí misma y a los demás.

Por eso no le escribió a su hermana. No tenía sentido. No comprobó el teléfono ni una sola vez mientras se cargaba en la mesita de noche. Temía no poder resistirse al impulso de buscar *Alex Sokolov* en Google. Ahora que sabía que habían encontrado su cuerpo y que la investigación había comenzado quería ocultarse en un vacío de noticias. Temía que cualquier nueva información solo la hiciera sentirse peor. O la asustara, como una soga que se aprieta cada vez más, o exacerbara su culpa por no haberle dicho a nadie que lo había encontrado muerto y había dejado el cuerpo atrás. Esa noche solo se levantó de la cama para beber o para ir al baño.

Se despertó con el aire denso y con los restos distantes de un sueño. La habitación estaba en silencio, excepto por el zumbido del aire fresco y forzado; los detalles del sueño habían desaparecido. Su padre aparecía en él, eso lo sabía, y también el campamento de caza. Pero eso era todo.

Se frotó los ojos. Había salido a cazar dos temporadas con él y uno de sus pocos amigos, a pesar de que eso significaba tener que saltarse la clase de *ballet*. El campamento estaba en las montañas Cumberland y era de ese amigo, un carpintero que tenía una hija aproximadamente de su edad. Ella también tenía que ir. Se llamaba Karly e iba a una escuela diferente. El campamento era en realidad un remolque con fontanería que ya no funcionaba, por lo que el carpintero había construido un retrete anexo. Un retrete ecológico de compostaje. Esos dos fines de semana de noviembre, con un año de diferencia, habían sido al mismo tiempo increíblemente saludables y sórdidos. Los padres se veían a sí mismos como progresistas ilustrados: llevaban a sus hijas a un campo de ciervos. Las enviaron a cursos de seguridad para cazadores y luego refinaron lo que los instructores les habían enseñado sobre armas de fuego. Pero los hombres se habían emborrachado y desmayado cada noche, y luego, cada día, los cuatro se adentraban en el frío bosque. Gracias a Dios, no había nevado ninguno de los dos años, pero eso también significaba que no había huellas.

El segundo año, Cassie había herido a un ciervo sin matarlo instantáneamente, lo que la había dejado sollozando y llena de remordimiento. Inevitablemente, había muerto, pero lo había hecho de forma lenta y con un dolor insoportable. Estaba tan mal que su padre no había sido capaz de dejarla y rastrear al animal para acabar con él.

¿Y Karly? Karly solo quería beber con su padre y con el padre de Cassie durante esos fines de semana, aunque los adultos no la dejaban porque todavía iban a la secundaria. Ella no dejaba de hablar de lo mucho que le gustaba la espuma y el burbujeo de la cerveza en lata y de cómo la excitaba abrirla. Le susurró a Cassie que la ponía cachonda.

Cuando Cassie finalmente salió de la cama del hotel, se tocó reflexivamente el hombro derecho donde el retroceso del rifle de aquel día había herido mucho más su alma que su piel. No había vuelto a tocar un arma desde entonces.

En algún lugar sobre el Atlántico oriental, después de que le hubiera llevado a la mujer del 6G otra copa de Riesling y de que Jada le hubiera llevado un *whisky* al tipo del 3A, esta verbalizó la verdad que, junto a muchas otras, había mantenido a Cassie mirando las luces del techo de la habitación del hotel la noche anterior (y la radio, el reloj y la alarma antiincendios). Ambas se estaban tomando un respiro en el *galley* delantero del avión.

—Ya que era estadounidense y venía en nuestro vuelo, ¿crees que querrán hablar con nosotros? —preguntó Jada. A Cassie no le hizo falta preguntar a *quién* se refería—. ¿Y quiénes crees que serán?

Cassie se frotó las manos bruscamente con gel sanitizante. Ella también lo había considerado a primera hora de la mañana. Se había decidido por el FBI, pero solo porque estaba bastante segura de que la CIA no investigaba los crímenes. Supuso que el FBI debía tener algún tipo de arreglo con las fuerzas policiales extranjeras, tal vez en este caso, como Alex era un ciudadano estadounidense, le harían las preguntas a la policía de Dubái. O tal vez no. Sabía que Dubái mantenía tantos negocios con Occidente que era probable que tuvieran una fuerza policial bastante impresionante. También sospechaba que la mayoría de las embajadas de Estados Unidos tenían algún tipo de presencia del FBI, un agente o dos. Solo por si acaso. Ojalá Alex hubiera sido tan ruso como su colonia o su gusto literario. Suponía que en ese caso el interrogatorio habría sido bastante superficial, en caso de que lo hubiera habido. ¿Por qué iban a investigar los estadounidenses a un ruso en Dubái? No sería asunto suyo.

Sin embargo, cuando Cassie finalmente se había levantado de la cama del hotel y se había duchado, estaba convencida de que incluso estaría involucrado el Departamento de Estado. La familia de Alex presionaría a los medios para exigir justicia. La gente —la gente poderosa— estaría prestando atención. La idea le provocó náuseas. En algún lugar, Miranda estaría compartiendo su historia.

—Creo que será el FBI —le respondió finalmente a Jada—. Si es alguien...

—No estoy segura de haber estado alguna vez tan cerca de alguien que ha sido asesinado.

—Yo tampoco —coincidió, aunque pensó en su padre y analizó mentalmente las distinciones entre homicidio involuntario y asesinato.

De repente, Jada miró por encima del hombro de Cassie, su mirada se intensificó y sus ojos se agrandaron. Cassie sintió una aguda punzada de terror y se dio la vuelta convencida de que eso era todo, de que un agente federal aéreo la arrestaría justo cuando Jada pasó por su lado. Entonces vio a la azafata ayudando a una madre joven con un niño en brazos, levantando la bolsa de pañales que se retorcía bajo el hombro de la mujer, los pañales, las toallitas y el vaso en forma de conejito que estaban a punto de caer al suelo del avión justo delante del baño de primera clase. La madre le dio las gracias poniendo los ojos en blanco por lo cerca que había estado del desastre y ambas se rieron. Jada le preguntó el nombre del niño y Cassie se apoyó contra la pared con los carritos y el cubo de basura, al mismo tiempo aliviada y consternada. Se preguntó si tendría esas reacciones tan exageradas durante el resto de su vida.

Mientras se colocaba su arnés de hombro en el transportín en la parte delantera del avión, mientras sobrevolaban las costas y las playas de Long Island, pensó en las cuatro palabras que esperaba no tener que decir nunca en voz alta ni escuchar en un avión: *prepárense para el impacto*. Era la señal que indicaba que estaban a punto de aterrizar de forma forzada. ¿Ese conjunto de sílabas? Eran el llanto del cuervo. La colisión inminente con el suelo. En el mejor de los casos, un planchazo, y en el peor, un choque frontal. En cuanto el morro del avión tocara el suelo, la aeronave se rompería y explotaría, y los cuerpos —los trozos de cuerpos que fueran reconocibles— serían como pequeñas briquetas carbonizadas.

Se le pasaron por la mente esas palabras porque el capitán había informado a la tripulación cuando sobrevolaban New Brunswick de que las autoridades los esperaban en el aeropuerto JFK. No había mencionado si con «autoridades» se refería a los agentes TSA, la administración de seguridad del transporte, o a algún otro grupo policial y ningún miembro de la tripulación iba a preguntárselo. Pero todos tenían sus sospechas. Algunos supusieron que había un posible terrorista a bordo, alguien que estaba en los puestos más altos de las listas de vigilancia y el pasajero sería arrestado en cuanto aterrizaran. Sin embargo, Cassie había volado lo suficiente para saber que no era el caso: si le hubieran dicho al capitán que podía haber un terrorista en el avión habría informado a la tripulación para que tuvieran un ojo puesto sobre él todo el tiempo que estuvieran en el aire. En cambio, mientras preparaban las cabinas para la llegada, Megan, Jada y Shane habían especulado en voz alta que podía tener algo que ver con el estadounidense asesinado en Dubái. «¿Qué iba a ser si no?», había comentado Megan. Había volado con ellos desde París a Medio Oriente.

Cassie consideró pedirle a Megan que la cubriera: no necesariamente que mintiera, sino que ocultara la información de que Cassandra Bowden había vuelto al hotel de la tripulación en Dubái esa mañana veinte minutos antes de la hora en la que tenían que marcharse hacia el aeropuerto. Cassie sabía que sería más fácil decirles a los investigadores que había pasado la noche sola en su habitación en el hotel de la aerolínea que tener que inventarse a un hombre para justificar su ausencia. Pero pedirle eso a Megan solo haría que pareciera más sospechosa a los ojos de la mujer: la convencería de que sí había estado con Alex la noche de su muerte y de que, muy posiblemente, lo hubiera matado. Cassie ya había notado que su amiga la miraba mientras pasaban por los pasillos para comprobar que los pasajeros tuvieran los cinturones bien puestos y los respaldos erguidos.

En ese momento, se centró en inventar dos posibles historias. Si el interrogatorio le daba la sensación de que Miranda todavía no se había presentado, compartiría con las autoridades la información de que había estado en otro hotel con otro hombre, moldeándolo en su mente como un gólem. No se complicaría. Les daría un nombre y admitiría que estaba segura de que el tipo se lo había inventado porque estaba casado. Iba a decir que era una especie de consultor y que creía que era sudafricano. El hotel sería el Armani porque era grande y estaba en la dirección opuesta al Royal Phoenician y sería un piso de los del centro. Podría haber sido el sexto o el octavo. Confesaría tímidamente que había estado bebiendo y que no se acordaba bien. Seguramente habría un hombre solo en una habitación de alguno de esos pisos que hablaba inglés con un acento extranjero que podría decir más adelante —si era necesario— que había confundido con el sudafricano. Pero, de lo contrario, no diría casi nada. Eso era lo que importaba. Sería mucho más fácil mantener la historia si tenía pocos detalles.

Pero ¿y si Miranda ya le había dicho a la policía de Dubái que la noche anterior había estado con una azafata llamada Cassie y lo habían informado al FBI estadounidense? Eso requeriría una mentira muy diferente, una mucho más peligrosa, pero, en cierto modo, mucho más fácil de mantener. La mentira sería simplemente: «Alex Sokolov estaba vivo cuando me marché de su suite».

De hecho, quizás debería decir eso de todos modos porque Miranda hablaría con la policía en algún momento y Cassie sabía que sus historias debían ser coherentes. Sí, esa sería la historia. Es lo que había sucedido. Sería su mentira.

Mientras tanto, se prepararía para el impacto. Sabía que era inevitable.

OFICINA FEDERAL DE INVESTIGACIÓN

FD-302 (redactado): CASSANDRA BOWDEN, AZAFATA

FECHA: 28 de julio de 2018

CASSANDRA BOWDEN, fecha de nacimiento __ / __ / _____ , número de la Seguridad Social _____, teléfono (__) _____, fue interrogada por los agentes especiales debidamente identificados FRANK HAMMOND y JAMES WASHBURN en el AEROPUERTO INTERNACIONAL JFK, inmediatamente después de la llegada de su vuelo a Estados Unidos.

HAMMOND condujo el interrogatorio; WASHBURN tomó estas notas.

Tras ser informada de la naturaleza del interrogatorio, BOWDEN proporcionó la siguiente información.

BOWDEN afirmó que trabajaba en la misma aerolínea desde que terminó la universidad hace dieciocho años y que es el único trabajo que ha tenido.

BOWDEN confirmó que ALEXANDER SOKOLOV estaba sentado en el asiento 2C del vuelo 4094 el jueves 26 de julio de París a Dubái. Él se presentó con ella en el avión antes de despegar. Dijo que se vieron por primera vez cuando el avión todavía estaba en la puerta de embarque y estaban subiendo los pasajeros de clase turista. Bebió vino tinto, café y agua durante el vuelo.

Lo describió como un pasajero que requería poca atención y que estaba claro que viajaba solo. No recuerda haberlo visto hablando con el pasajero del otro lado del pasillo (2D) ni con el de su lado (2B), aunque piensa que si habló con alguien sería probablemente con el del 2B. Basó esta afirmación únicamente en su experiencia, ya que sostuvo que es más probable que los pasajeros hablen con quien está sentado a su lado que con quien está al otro lado del pasillo.

Dijo que ella y SOKOLOV conversaron sobre todo durante el servicio de las comidas y que hablaron prácticamente sobre las opciones de vino, entrantes y postres.

Lo caracterizó como un joven educado y «encantador». Añadió que era «un poco seductor» y que le gustaba el uniforme/traje que ella llevaba. Le contó que trabajaba para un fondo de cobertura y que tenía reuniones en Dubái y le habló de que tenía clientes y propiedades inmobiliarias allí, pero que lo que hacía era demasiado aburrido para hablar de ello. No dijo con quién iba a reunirse ni dónde.

SOKOLOV no durmió durante el vuelo, lo que le pareció normal porque era un vuelo diurno. BOWDEN declaró que comió, vio una película y trabajó. Informó de que vio documentos abiertos en el portátil pero que no se fijó en ellos. No vio papeles en su bandeja. Asimismo, añade que aunque sabe que durante un rato estuvo viendo una película, no vio cuál era.

Finalmente, dijo que parecía tranquilo y contento, nada agitado. Caracterizó el vuelo como un vuelo sin incidentes.

CAPÍTULO SEIS

Normalmente las pruebas de detección de drogas eran aleatorias, no analizaban a todos los azafatos ni a toda la tripulación. Un empleado de la aerolínea señalaba a uno o dos cuando desembarcaban y les pedían que respondieran al test. Esa vez fue diferente. Se lo hicieron a todos, a toda la tripulación. Y registraron todas sus bolsas.

Todos pasaron los test antidrogas. Y no se encontró nada ilegal en sus maletas y bolsas.

Cassie pensó que era extraño. Era como si el FBI no tuviera interés en conocer el paradero de la tripulación durante la noche que habían pasado en Dubái. Era como si Frank Hammond y James Washburn no tuvieran ningún motivo para sospechar que ella podía haber estado con Alex Sokolov cuando lo mataron. Hammond era guapo, tendría más o menos su edad y un semblante que parecía ligeramente desconcertado, como si lo hubiera visto todo. Tenía el pelo corto, de color canela y empezaba a tener entradas. Washburn era más joven, tenía la piel pálida y perfecta y unas gafas sin montura de aspecto profesional. Los dos actuaban como si solo les preocupara lo que había visto del hombre durante el vuelo y si le había dicho algo que pudiera ser revelador. ¿Significaba eso que esperaban atraparla en una mentira? Parecía que no, porque no le preguntaron nada para lo que necesitara alguna. Era como si no supieran que una compañera de Alex había ido a su suite y había tomado una copa con ella.

En retrospectiva, se dio cuenta de que su miedo había sido casi cómico. Ni siquiera grabaron el interrogatorio. Al parecer esa era la política del FBI. Hammond le hizo varias preguntas y Washburn anotó sus respuestas con un bolígrafo y una libreta amarilla como si estuvieran en 1995. Cuando ella preguntó por la ausencia de una grabadora —joder, es que no usaban ni móvil— Washburn le había respondido que después lo escribiría todo en un formulario al que llamó FD-302.

Deseó haber sido un poco más concreta sobre el flirteo de Alex durante el interrogatorio, pero solo porque siempre cabía la posibilidad de que lo hubiera mencionado algún otro miembro de la tripulación. Sin embargo, Megan había insistido en que su interrogatorio también había sido superficial. La agente que había hablado con ella se llamaba Anne McConnell y Megan dijo que le había preguntado muy poco sobre el resto de la tripulación.

Probablemente los verdaderos sospechosos fueran los trabajadores del hotel. O tal vez los inversores que iba a ver en Dubái. O tal vez los desamparados desesperados que se arriesgaban a la justicia árabe para aprovecharse de las multitudes de extranjeros ricos que acudían diariamente a la ciudad. Este era el tipo de gente que probablemente más le interesara a la policía de Dubái.

Y, a decir verdad, probablemente un tipo así hubiera matado a Alex. Podría darle vueltas eternamente a por qué la habían perdonado a ella y era probable que nunca lo descubriera. Era mejor dejar de lado ese tipo de autoexamen. No era de ayuda.

Pero no podía respirar tranquilamente del todo porque todavía quedaba Miranda. Cassie temía que fuera el cabo suelto que la hiciera tropezar en algún momento. Por mucho que el fantasma de Alex la persiguiera, sabía que podía ahogar ese espectro con un chupito extra de ginebra Sipsmith o tequila José Cuervo. Pero ¿y Miranda? Se había presentado en la suite con una botella de Stoli cuyos fragmentos probablemente todavía estarían incrustados en la alfombra afelpada de la habitación del Royal Phoenician. A esas alturas estaba casi segura de que ya le habría dicho algo a la policía de Dubái y no había cantidad posible de ginebra o tequila que hiciera que Miranda se marchara.

Cassie dejó la maleta en el recibidor de su apartamento y colocó la tarjeta de Frank Hammond en la nevera de la cocina, sin ventanas, con un imán de la protectora de animales. No sabía qué más hacer con ella. A continuación se dirigió al dormitorio. Era un apartamento pequeño con una sola habitación, pero tenía un activo valioso: estaba en la planta número quince y tenía una vista despejada y maravillosa de la cumbre del New York Life Building y, un poco más lejos, del Empire State. Había recorrido un largo camino desde la litera de debajo de un tugurio en el condado de Queens. Se quitó los zapatos, se dejó caer sobre la cama y observó durante un momento los dos edificios. El sol comenzaba a ponerse. Se quedó dormida con el uniforme puesto cuando todavía había luz.

¡Tierra, tierra! ¡Levanta el vuelo! ¡Levanta el vuelo!
Era la voz femenina mecánica al otro lado de la puerta de la cabina de vuelo. Los restos de otro sueño. Conocía la voz de cientos, tal vez miles, de aterrizajes de cuando estaba en el asiento más cercano a la cabina del piloto en ciertos aviones. En algunos, aquellos en los que los pasajeros miraban directamente hacia ti, lo llamaban «el asiento de Sharon Stone». El banco de instinto básico.
Cuando se despertó, cuando comprendió que no estaban aterrizando ni estrellándose, ya era de noche y el pico del Empire State estaba teñido de rojo. Una vez que había ido de visita su hermana con su familia, Cassie había buscado en Internet de qué color estaría

el edificio esa noche esperando poder compartir la vista con ellos y explicar a sus sobrinos el motivo de la elección de esa noche, pero Rosemary había dejado claro que no irían a Murray Hill y que no quería dejar a Cassie sola con los niños.

No tenía hambre, pero pensó que debería comer algo y se dirigió a la cocina. Recordó de nuevo cómo Alex había pedido *blanquette* de ternera en el restaurante de Dubái. Se imaginó contándoles a los agentes del FBI que el difunto no tenía ningún inconveniente en comer ternera y que en la ducha era un amante tierno y exquisito. Leía y releía novelas de autores rusos que llevaban mucho tiempo muertos y que podían servir de pisapapeles. En su cabeza, se escuchó diciendo que, al menos por una noche, había bebido tanto como ella y había sido mucho, lo suficiente como para que ella sufriera uno de sus *blackouts*. ¿Qué habría respondido Frank Hammond a todo eso? Observó por un momento la parte de su tarjeta que asomaba por detrás del imán.

La nevera no estaba vacía, ni mucho menos, pero había poca cosa comestible. En su mayoría era comida india a domicilio que no se había acabado y se había puesto mala, condimentos, refrescos dietéticos y yogures que llevaban meses caducados. Encontró una lata de sopa de tomate en la despensa y galletas saladas un poco húmedas por todo el tiempo que llevaban allí, pero comestibles. Se preparó el tipo de comida que recordaba que le habría preparado su madre cuando volvía a casa desde el colegio con gripe.

Comió en silencio en el sofá del comedor contemplando la luna en lo alto del horizonte de Manhattan. Comió en la oscuridad excepto por la luz de la cocina. Pensó que podría buscar noticias sobre Sokolov en el móvil cuando terminara. Incluso podía encender el portátil que casi nunca usaba. Pero temía no poder dormir si lo hacía y ya sería bastante difícil volver a la cama después de haber dormido cinco horas esa noche.

Una frase se le pasó por la mente: *Me he despertado junto a un hombre muerto.*

Y luego otra: *Puede que me haya librado del cargo de asesinato.*

CHRIS BOHJALIAN • 71

Pero entonces negó con la cabeza porque, si bien era concebible que hubiera matado a Alex, en el fondo seguía convencida de que no lo había hecho. Había habido momentos en los que había perdido la fe y había sentido oleadas de un debilitante odio hacia sí misma: su cuerpo incluso había sufrido un ligero espasmo en el ascensor de su edificio. Pero normalmente podía convencerse a sí misma de que no lo había matado. No podía. No debía. Ni siquiera en defensa propia. Para bien o para mal, ella no funcionaba así.

También se recordó a sí misma que era altamente improbable que se hubiera librado de algo. Lo único que había hecho hasta el momento había sido volver a Estados Unidos, donde al menos tendría un abogado decente, suponiendo que pudiera encontrar alguno que trabajara por la miseria que podía pagar.

Su único crimen definitivo, literal y metafórico, había sido dejar al pobre chico en aquella habitación de Dubái. Y si no lo había matado, ahora se sentía aliviada porque hubiera tantas zonas horarias entre ella y quienquiera que lo hubiera hecho. O la habían juzgado mal y habían asumido que llamaría al hotel o a la policía y acabaría siendo sospechosa del asesinato —tal vez incluso lo confesara— o habían pensado que huiría y no les importaba. En este caso, quien hubiera matado a Alex sería un profesional en este tipo de cosas —un verdugo— que sabía que estaba en la cama equivocada, la noche equivocada y la había perdonado. Habían entendido que ella no estaba involucrada en cualquier maldad que hubiera cometido Alex y que había hecho que acabara casi decapitado.

Mientras colocaba el plato de sopa en el lavavajillas pensó en cómo habrían podido entrar en una habitación de hotel cerrada. Tal vez cuando tuviera el coraje de buscar a Alex Sokolov en Google buscara también información sobre la seguridad de las habitaciones de hotel. Si quien mató a Alex trabajaba en el Royal Phoenician le habría sido fácil abrir la puerta.

Tenía una botella de vino tinto sin abrir, un *chianti* que le gustaba bastante y reservaba para una ocasión especial, pero recordó su promesa de no volver a beber. No eran ni las once. Consideró ir a una farmacia nocturna y comprar un frasco de analgésicos que provocaran sueño o algún remedio contra la gripe con una formulación específicamente somnolienta para dejar fuera de combate a cualquiera.

Joder, a la mierda todo, no iba a poder dormir. Lo único que la esperaba si se quedaba en casa era la perspectiva de dar vueltas y más vueltas en la cama esperando a que se apagaran finalmente las luces del Empire State y ya a las dos o dos y media de la mañana, cuando estuviera desesperada, descorchar la botella de *chianti*. Estuvo cotilleando los hombres que le aparecían en su cuenta de Tinder, pero no vio ningún rostro que le interesara. Pensó en las diferentes mujeres que conocía a las que podía escribirles y ver dónde estaban y en qué líos andaban metidas; pensó primero en las amigas que toleraban su manera de beber —algunas de ellas apenas lo hacían— y luego en las que la aplaudían y bebían con ella. Tenía la misma cantidad de ambas y las necesitaba por igual en diferentes sentidos: las primeras para protegerla y disculparse con los anfitriones de las fiestas, los clientes de los restaurantes y los invitados a las bodas a los que horrorizaba con su comportamiento y sus palabras. A las segundas, las necesitaba para incitarla mientras se sacaba la parte de arriba del bikini o lanzaba un taco de billar como una jabalina. Esa noche sería una loba solitaria. A veces era lo mejor para todos.

Y así, no orgullosa de sí misma pero tampoco precisamente disgustada, se duchó, se puso un par de provocativos vaqueros ajustados y una blusa blanca que era perfecta para la última noche de sábado de julio y salió a la oscuridad. Llevaba el tono de pintalabios que la aerolínea prefería para ella, un escarlata oscuro que ayudaba a las personas con discapacidad auditiva a leerle los labios en caso de emergencia.

¿Era demasiado mayor para haberse quitado los tacones y haber bailado descalza sobre un suelo pegajoso por culpa de la cerveza derramada en un oscuro club del East Village, arriesgándose a perder la capacidad auditiva porque los amplificadores de la banda estaban conectados con un motor a reacción? Probablemente. Pero no era la única mujer que se había descalzado de repente. Simplemente era la mayor. Y no le importaban ni su edad ni sus pies porque lo estaba haciendo sobria y eso la complació inesperadamente. Era la tontería que ansiaba su corazón. Había encontrado un bar con una banda y una fiesta, estaban a mediados de verano y la gente estaba muy guapa. No estaba cerca de Dubái. El tipo con el que estaba bailando, un actor con el pelo de Gregg Allman, de color miel y exuberante, acababa de terminar seis semanas de Shakespeare en Virginia. Dijo que tenía treinta y cinco años y estaba allí porque uno de los que había en ese momento en el escenario había compartido espectáculo con él en Brooklyn la pasada primavera. El musical necesitaba a alguien que supiera tocar la guitarra además de actuar y cantar.

—¿Seguro que no quieres una cerveza? —le gritó al oído.

Se llamaba Buckley. Ella había comentado que era el mejor nombre para un actor que se dedicaba a interpretar obras de Shakespeare y él había estado de acuerdo, aunque era de Westport y era el nombre que le había tocado. No había sido un nombre adecuado cuando había estado en un musical sobre la escena punk de los setenta, el año anterior en el Public. Le recordó que Buck era aún peor, si eras actor y te llamabas Buck o eras cowboy o estrella porno.

—¡Sí, segura! —le repitió. Saltó y giró con ambas manos sobre la cabeza sintiendo el bajo que salía desde el escenario retumbar en su interior. Un instante después tenía los dedos de Buckley en la cintura, acercándola a él. Cassie bajó los brazos y los apoyó en su nuca. De repente, se estaban besando y notó un cosquilleo eléctrico.

Unos minutos después, cuando estaban recuperando el aliento junto a la barra, Cassie le pidió a una de las camareras, una joven con una camisa vaquera ajustada y el pelo negro y liso hasta la cintura, que le llevara a él un chupito de tequila.

—No debería —comentó Buckley riendo con las mejillas enrojecidas y tomando el pequeño vaso.

—Claro que sí —lo animó Cassie—. Hace rato que ha pasado la medianoche.

—¿Y eso qué tiene que ver?

—Es la hora de las brujas.

Él se recolocó un mechón de pelo detrás de la oreja.

—¿En serio?

Lo preguntó con sinceridad, como si esperara aprender algo. Era casi dulce.

Aun así, Cassie se sorprendió por su reticencia a pasar de achispado a borracho. Era un chupito de tequila. Un chupito. No estaban hablando de una cucharada de crack. Esperaba más de un actor, sobre todo de uno que había crecido en el condado de Fairfield, en Connecticut. Dejó sus tacones en un taburete vacío que había a su lado. Extendió la mano y le acarició un mechón de su magnífica melena. No le sorprendió lo suave que era. Con la otra mano, tomó el chupito de tequila que había pedido para él y se lo tomó de un trago. Sintió que le quemaba intensamente por dentro y parecía rezumar desde su pecho como una fuga de aceite. Fue celestial. Demasiado para no haber bebido esa noche.

—Y aun así has pasado de la cerveza —comentó él sonriendo. Tenía una sonrisa infantil y una mirada traviesa.

—Me gusta el tequila.

—Pero la cerveza no.

—Soy azafata, ¿recuerdas? El uniforme es implacable.

—¿Las aerolíneas todavía se preocupan por el peso? ¿Pueden hacer eso?

—Es algo vago. El peso debe ser proporcional a la altura. Pero no puedes hacer este trabajo si estás gorda. Mañana por la mañana iré al gimnasio.

—¿Porque vuelas?

—Porque soy vanidosa.

—Dime lo más descabellado que hayas visto.

—¿Como azafata?

—Sí. Se escuchan historias realmente increíbles.

Asintió. Sinceramente, no sabía si volar hacía a la gente rara o si la gente era rara de por sí y estar encerrados en una cabina de vuelo simplemente lo hacía más evidente.

—Tú las oyes, nosotros las vivimos.

—¡Lo sé! Cuéntame algunas. Cuenta aunque sea una.

Cerró los ojos y vio a Alex Sokolov a su lado en la cama. Visualizó de nuevo el corte húmedo y profundo de su cuello. Se vio a sí misma encogida contra las cortinas de la habitación del hotel de Dubái, desnuda, con el hombro y el pelo llenos de sangre.

—Primero deberías tomarte un chupito.

—¿Tan malas?

—Me tomaré otro contigo.

Se puso de nuevo los zapatos intentando no pensar en lo sucios que tenía los pies, lo agarró de la mano y lo condujo hasta la barra. No iba a compartir con él la historia del joven gestor de fondos de cobertura que había muerto en la cama a su lado en la península arábiga. No había suficiente tequila en el mundo para que le contara esa pesadilla. En cambio, mientras se desafiaban mutuamente a seguir tomando chupitos —el segundo, el tercero, el cuarto— le habló de los pasajeros que habían intentado abrir las puertas de salida a diez mil metros de altura y de las parejas que creían, sinceramente, que estaban siendo discretas cuando tenían las manos debajo de las mantas mientras el resto de la cabina dormía. Le habló del hombre que había intentado subirse al carrito de bebidas —llegó a poner una rodilla encima y el pie sobre la bolsa de hielo que había en el estante— porque quería ir al baño y no podía —o no quería— esperar.

Compartió con él su encuentro con una estrella del rock que había comprado toda la cabina de primera clase para él y para su séquito.

—No se me permitía hablar con él. Tenía que susurrar las opciones de comida y bebida al oído de su guardaespaldas. Ni siquiera se me permitía tener contacto visual con él. El vuelo, con destino a Berlín, duraba toda la noche y no pegó un ojo. A pesar de que las luces estaban atenuadas y sus acompañantes, también el guardaespaldas, estaban profundamente dormidos, fue al baño y se cambió de ropa tres veces, cada conjunto más estrafalario que el anterior. Durante una hora y media, llevó un mono de lentejuelas doradas y tacones de plataforma y yo era su única audiencia.

Luego le habló de Hugo Fournier. No estaba segura de si él conocería el nombre, pero seguro que se sabría la historia. Probablemente suponía que era una leyenda urbana. Pero no lo era. Ella había estado allí. Iba en ese vuelo.

—Volábamos de París al JFK. Es una ruta que ahora hago mucho. En aquel entonces era más joven y la conseguía con menos frecuencia. Fue hace ocho años. Y si la obtenía normalmente era en clase *business*.

—¿Eso es malo?

—No, es solo que a veces es una cabina difícil. En algunos aviones, en primera clase todos tienen una cama plana y normalmente se quedan como troncos muy pronto. Pero en *business* hay treinta y dos asientos y casi el mismo servicio en cabina que en primera. Y duermen menos. Así que algunos azafatos intentan evitarla, lo que significa que allí suelen trabajar los nuevos.

—Entiendo.

—Ese vuelo en particular iba lleno. Ni un asiento vacío. A una hora al oeste de Irlanda, cuando íbamos por el postre en *business*, este tipo que siempre había volado con la aerolínea me empujó para llegar hasta la comisaria de a bordo, que trabajaba en primera clase. Rezumaba adrenalina y se me pasó por la cabeza que había algún desastre mecánico. Literalmente, pensé que había un motor en llamas. En menos de treinta segundos, oí a la comisaria de a bordo preguntando por el intercomunicador si había algún médico o enfermero a bordo. Sonaba bastante tranquila, pero noté un estremecimiento de desesperación. Por supuesto, también me sentí aliviada por no estar a punto de caer al mar.

—Por supuesto.

—Había un médico. De hecho, había dos. Uno en clase turista y otra en *business* y ambos se dirigieron rápidamente al asiento 24E, donde Hugo Fournier, un hombre mayor diabético y obeso acababa de sufrir un infarto masivo. Los médicos, un hombre y una mujer, y los asistentes de vuelo lo tumbamos en el suelo frente al *galley* y la salida de emergencia porque es donde más espacio había. Sacaron el desfibrilador y trabajaron en él tratando de reanimarlo. Los médicos lo intentaron todo y no se rindieron hasta pasados cuarenta minutos. Todos los que estaban en la cabina sabían lo que estaba pasando. Su mujer estaba como loca, chillando, suplicando y llorando. No se la puede culpar, no es un comportamiento digno, pero es real.

—Madre mía…

—Sí. Pero después nosotros (es decir, la tripulación) teníamos que hacer algo con el cuerpo. No podíamos dejarlo donde estaba. Volaba en clase turista y, aunque son asientos baratos, la gente no espera sentarse al lado de un cadáver. Además estaba cubierto de vómito y aunque pudimos limpiarlo de su camisa y sus pantalones, no pudimos eliminar el hedor. Y el cuerpo había hecho lo que hacen los cuerpos cuando mueren, el pobre Hugo Fournier se había cagado en los pantalones.

Buckley se llevó las manos a la cara y negó con la cabeza.

—Me sé esa historia.

—Claro que te la sabes.

—Lo dejasteis en el baño el resto del vuelo.

—Bueno, yo no. Pero sí, lo hizo la tripulación. De hecho, presioné para intentar que uno de los pasajeros de primera clase renunciara a su cama, pero la comisaria de a bordo no lo permitió. Sugerí ponerlo en el A o en el L para que casi nadie lo viera o lo oliera, aunque no quiso ni preguntarlo. Así que, sí, uno de los médicos y dos asistentes de vuelo lo metieron en el baño de estribor en medio de la cabina. El médico (un tipo bastante crítico, en retrospectiva) dijo que era como meter un pie de talla cuarenta y dos en un zapato de talla treinta y ocho.

—Y no disteis la vuelta.

—¿El avión? No. Ya estábamos en mitad del Atlántico. No queríamos causar inconvenientes a doscientas cincuenta y ocho personas.

Así que solo le causamos inconvenientes a una, que resultó ser una viuda. Una viuda muy escandalosa.

—Increíble.

—O espantoso.

—Tienes algo de Scheherezade en ti.

—A la mayoría se nos da bien contar historias —admitió Cassie—. Somos los reyes y las reinas de la degradación.

—¿De dónde has dicho que acabas de volver? No me acuerdo.

—No lo he dicho.

—Vale, pues ¿de dónde?

Una pregunta muy simple. Requería una respuesta de una sola palabra. Dos sílabas. Sin embargo, no era capaz de decirlo en ese momento, sería como despertarse en mitad de la noche en una habitación oscura y encender un foco.

—De Berlín —mintió. Estaba dispuesta a embellecer el viaje si tenía que hacerlo. Si era necesario llegar a eso. Pero no fue así.

—¿Todavía te gusta el trabajo?

Echó la cabeza hacia atrás, repantigándose con el abatimiento que había llegado con el cuarto chupito. Tal vez porque acababa de mentir, sintió una intensa necesidad de admitir algo, de decirle algo real. La necesidad de confesar era irresistible.

—Cuando empiezas tan joven, como justo al acabar la universidad, suele ser porque estás huyendo de algo. Tienes que salir. Marcharte. No fue un cambio de carrera para mí. En cierto modo, ni siquiera fue una elección. Solo un camino a alguna parte.

—¿Una huida?

—Podría decirse que sí.

—¿De qué?

Estaban sentados y era la una menos cuarto. Se encontraban en taburetes a ambos lados de la barra, pero permanecieron uno frente al otro. Cassie se inclinó hacia él, metió los dedos en los bolsillos delanteros de los vaqueros de Buckley y lo miró juguetona. Sus ojos tenían esa mirada confusa y borracha que tanto le gustaba. No le habría sorprendido que los suyos también tuvieran una chispa de locura.

—Hay un pueblo al borde de las montañas Cumberland en Kentucky llamado Grover's Mill. Pintoresco, ¿verdad?

—¿Por dónde?

Ella negó con la cabeza y ronroneó.

—*Shhh*. —Su voz era como la brisa nocturna—. Soy Scheherezade. —Él asintió y Cassie continuó—: Es pequeño y silencioso. No pasan muchas cosas por allí. Imagínate a una niña de sexto de primaria con el pelo rubio fresa. Lleva un moño porque se cree bailarina y no hace nada con moderación. Nunca lo ha hecho y, por desgracia, nunca lo hará.

—Eres tú.

—Eso parece. Es su cumpleaños. Y aunque no hay mucho en Grover's Mill, hay una lechería en la que venden helados. Muy buenos helados, al menos eso cree esta niña de once años. Su madre tiene una gran idea para el cumpleaños porque no pueden permitirse gastar mucho en regalos y su cumpleaños ha caído en mitad de la semana, por lo que está claro que no tendrá ninguna fiesta. Por supuesto, lo más probable es que tampoco hubiera habido fiesta en caso de caer viernes o sábado porque no se atrevía a llevar niños a su casa durante el fin de semana, ya que era cuando más probabilidades había de que su padre se emborrachara de un modo impresionante. De todos modos, la madre va a la lechería y compra una tarrina del sabor preferido de su hija.

—¿Ron con pasas?

—Muy gracioso, pero no. Galletas con pepitas de chocolate. Una tarrina de siete kilos. ¿Sabes cuántas raciones hay ahí? Más de dieciséis. Se detiene en la lechería cuando vuelve a casa de trabajar, es recepcionista en una espeluznante fábrica de cableados eléctricos en un pueblo olvidado casi fantasma al lado de Grover's Mill, y compra esa tarrina del tamaño que utilizan los restaurantes. Solo para que lo sepas, el cumpleaños de esta niña es en septiembre y aquel fue un septiembre extremadamente caluroso. Puedes buscarlo.

—Me fío.

Hundió un poco más los dedos en los bolsillos de sus pantalones, masajeándole ligeramente los muslos.

—Mamá lleva todo ese helado en una bolsa, junto con algo más de comida, en el maletero del coche. Va a llegar a casa más o menos al mismo tiempo que su marido. Su hija de once años ya está en casa, es la típica niña déspota que pasa mucho tiempo en su hogar. Tiene una hermana de ocho años, pero aquel día estaba en su reunión semanal de las Girl Scouts. Su padre iba a recogerla de camino a casa desde el instituto en el que era profesor de Educación Física y profesor de autoescuela. Cuando la madre se acerca a la calle en la que vive la familia, ve un coche de policía. Está a unos cuatrocientos metros de su casa. Está aparcado, pero tiene las luces encendidas. Entonces ve a su hija.

—Tú. —Incluso en esa única sílaba, pudo escuchar el leve nudo de garganta que le producía el hecho de que ella tirara de la fina tela del interior del bolsillo de sus pantalones.

—No, tonto. Esa niña de once años está en casa, ¿recuerdas? Ve a la de ocho años. La niña todavía lleva la banda de Girl Scout con todas las coloridas insignias. Y luego ve el maldito Dodge Colt azul turquesa de su marido. El maletero. Envuelto alrededor de un poste de teléfono. Se detiene, absolutamente aterrorizada, con el corazón en un puño. Por suerte nadie ha salido herido. La pequeña está atónita, asustada, pero bien. Con un par de moretones en el brazo. ¿Y su marido? En el asiento trasero del coche patrulla. Esposado. Borracho. Así que sigue al coche de policía hasta la comisaría y usa todo el dinero de su patética cuenta de ahorros del patético banco para sacarlo de ese embrollo. Eso le lleva un tiempo.

—Claro.

—Y cuando vuelve a casa con su esposo borracho y su adorable hija Girl Scout… cuando llegan al camino de entrada y abren el maletero… todo el helado para el cumpleaños de la hija mayor ya no está.

Él se agachó, sacó los dedos de Cassie de sus bolsillos y los sostuvo con ternura entre sus manos.

—¿Alguien robó el helado? ¿En la comisaría?

—No. Se derritió. Se derritió a través de la tina de cartón y de la bolsa de papel. Una parte se filtró entre la tela del maletero y otra parte se derramó por la parte trasera del coche como el líquido que hay en una bola de nieve.

—Joder, qué triste.

Cassie arqueó una ceja. Compartir ese momento con él no la había puesto nada triste. De hecho, la había puesto bastante feliz. Era algo con lo que desahogarse. Era un recuerdo de un lugar que nunca volvería a ver. Miró al otro camarero, un joven con una cadena de piercings plateados por toda la oreja al otro lado de Buckley. Miró los letreros de neón de la cerveza y las luces blancas sobre las bandejas de hielo detrás del grueso mostrador de caoba y se encontró sonriendo.

—No —le dijo. Buckley le acariciaba suavemente la mano entre el pulgar y el índice—. Lo triste fue cuando el conejo de Pascua llegó un lunes. Eso fue mucho peor.

—¿Cómo es posible?

Ella vaciló. ¿Cuánto podía regodearse en eso antes de arruinar su entusiasmo? Pero decidió que no le importaba y siguió adelante.

—¿El conejito de Pascua llegando un día después? Un año, mi abuelo tuvo un derrame cerebral y mi madre tuvo que marcharse al hospital de Louisville. Se fue el viernes y el sábado anterior a Pascua, el día de Pascua y el lunes. Y mi padre... no pudo arreglárselas solo. ¿Lo bueno? Como el día después el chocolate y las chucherías están de oferta (ya sabes, con grandes descuentos) nos compró a mí y a mi hermana muchos más dulces de los que nos hubiera traído el conejito de Pascua. —Buckley levantó las manos y le besó las yemas de los dedos—. Entonces... ¿en mi casa o en la tuya?

Por la mañana se despertó y vio una franja del Empire State a través de las persianas verticales de la ventana de su habitación. Notó a

Buckley a su lado en la cama y contuvo la respiración durante un momento para escuchar. Recordó haber iniciado la retirada en el bar para ir a casa de él o a la suya y lo vio como una especie de desafío: independientemente de dónde acabaran, quería ver si se había convertido en una especie de asesina alcohólica al acercarse a los cuarenta y de repente mataba a los hombres con los que se acostaba. Había sido una especie de desafío privado, una provocación deliberada del alma.

Buckley exhaló y cuando Cassie notó que se movía sintió una pequeña oleada de alivio que la dejó momentáneamente mareada. Él le pasó el brazo sobre las caderas y el vientre, y la atrajo hacia él.

—Buenos días —murmuró—. Pero no te des la vuelta. Tengo la sensación de que no tengo un buen aliento matutino. Huelo a resaca.

—Probablemente, yo también. —Se levantó y fue a buscar ibuprofeno para los dos. Sabía que la estaba observando.

—Estás preciosa desnuda.

—Me alegro de que pienses eso.

En el espejo del baño se miró las líneas rojas de los ojos y las bolsas que tenía debajo. No se sentía guapa. Pero al menos esa resaca era un paseo en comparación con la que le había dado la bienvenida aquella mañana en Dubái. Se preguntó si a Buckley le apetecería ir a un *brunch*. Esperaba que no. Le gustaba, pero no tenía hambre. De hecho, casi nunca tenía hambre. Tras tantos años bebiendo, era como si su cuerpo ansiara las calorías del alcohol. Había una razón por la que era probable que cenara sopa de lata y galletas húmedas.

Consideró llevarle dos o tres píldoras rojas, pero luego se preguntó si sería como ella y se las tomaría como cacahuetes o si era de los que seguían las instrucciones de la caja y empezaba tomando solo una. Así que le llevó el bote entero junto con un vaso de agua. Abrió las persianas y entrecerró los ojos ante el modo en el que brillaba la cima del New York Life Building bajo el sol, y luego volvió a meterse entre las sábanas. Observó un avión que cruzaba el horizonte a través de su ventana, volando hacia el norte antes de girar al este hacia el aeropuerto de LaGuardia.

—¿Tienes hambre? —preguntó.

—No.

—Pareces triste.

—¿Una sola sílaba te ha dicho eso? No, simplemente es que no tengo hambre.

Lo escuchó dejando el vaso y el bote en la mesita de su lado de la cama.

—Cuando estás en Alemania, ¿empiezas el día comiendo huevos con salsa de mostaza?

—No. Nunca. ¿Por qué narices has pensado ahora en Alemania?

—Porque ayer estuviste en Berlín.

—Ah, sí.

—Me parece que no eres muy fan de los huevos.

—No con mostaza.

—Están duros. Y deliciosos —insistió—. Creo que me gusta tu apartamento.

Deseó poder dar vida a la mujer que había sido la noche anterior. La que bailó descalza e hizo feliz a ese actor tan agradable. La que no sentía desagrado ante la idea del *brunch* ni repugnancia al hablar de huevos y comida. Pero esa persona no existía por las mañanas. La mayor parte del tiempo, esa persona no existía sobria. Era casi fascinante lo rápido que podía disiparse su determinación de no beber; era como la fina capa de hielo en un estanque de Kentucky a finales de enero, un día estaba ahí y al siguiente había desaparecido. Sin embargo, en el fondo sabía que ese día no bebería. Era su modo de comportarse. Enviaría a Buckley a su casa, iría al refugio de animales, daría de comer a los gatos deprimidos —los recién llegados que acaban de ser abandonados por sus dueños por una u otra razón y están impactados por estar viviendo en una jaula en un mundo ruidoso— y luego acabaría el día en el gimnasio. Esa noche estaría dentro del capullo, con su reloj biológico felizmente ajustado una vez más al horario de verano del este. Leería y vería la televisión. No vería a nadie esa noche. Estaría bien. Tenía que estar allí hasta el martes. Entonces, con una tripulación llena de desconocidos —ni siquiera Megan y Shane irían en el avión— volaría a Italia. Para agosto había pedido las rutas de Roma y Estambul. Ambos eran vuelos directos desde el JFK. Nada de Dubái.

—¿Puedo contarte algo? —le preguntó a Buckley. Necesitaba asustarlo para continuar con su día y, lo que es más importante, con su vida.

—Claro. Pero esto tiene mala pinta, ¿es algo tan triste como la historia del helado derretido?

—No. Puede ser. No estoy segura. Todavía no sé qué voy a contarte.

—Vaya, parecía que tenías algo en mente. Normalmente cuando alguien empieza con «¿Puedo contarte algo?» está pensando en algo bastante específico o en una información determinada.

Ella todavía estaba en su lado de la cama. Se acercó las rodillas al estómago y descansó ambas manos bajo la almohada como si estuviera rezando.

—Estaba pensando en mi día y en lo que voy a hacer esta tarde. Lo principal es que voy a ir al refugio de animales. Me encanta el refugio. Voy cuando estoy en casa porque mi madre no me dejaba tener mascotas cuando era pequeña y ahora tengo una profesión en la que viajo demasiado para tener alguna, al menos manteniendo la buena conciencia.

Un momento antes, él se había sentado para tragarse el ibuprofeno y beber agua. Cassie supuso que si se daba la vuelta lo vería observándola. Tal vez estuviera apoyando un codo, contemplándola.

—Es decir, teníamos una mascota cuando era pequeña. Muy pequeña. Un perro. Mis padres lo adoptaron antes de que yo naciera. Años antes. Pero cuando yo tenía cinco años, mi padre lo atropelló. El perro era viejo y estaba durmiendo en el césped junto al camino de entrada y mi padre estaba tan borracho cuando volvió a casa aquella tarde que se salió del pavimento y (literalmente) pasó por encima de él. No solo lo golpeó. Lo aplastó. Y por eso no tuvimos más mascotas después. A mi madre le daba miedo que les pasara algo.

Recordó las peleas de sus padres por las mascotas, por perros y gatos. Ella y su hermana lloraban y su padre presionaba arrastrando las palabras en su nombre. Y fracasaba. ¿Su padre se sentía degradado? ¿Humillado? Ahora asumía que sí. Su madre dijo una vez que si su padre dejaba de beber, podrían considerar tener un gato o un perro, pero eso nunca iba a pasar. Incluso después de su multa por conducir bajo los efectos del alcohol y luego de que lo despidieran como profesor de instituto y como profesor de autoescuela. (Para sorpresa de todos, todavía se le permitía enseñar Educación Física). Cuando era niña, solo era consciente de la injusticia de la sentencia de su madre. Era como si Cassie y su hermana fueran castigadas por la conducta de su padre.

—Me parece muy dulce que vayas al refugio en tu día libre.

—Supongo que lo hago por mí.

—Y por ellos.

—Supongo que debería vestirme.

—¿Eso es una insinuación?

—Sí.

—Lo pillo. Si quieres que me marche, hay formas más fáciles que desenterrar un recuerdo horrible sobre un perro muerto. Soy bastante tranquilo, créeme.

Ella no se dio la vuelta.

—Ah, pero es que yo nunca hago las cosas del modo fácil.

—¿No?

—No. Seguro que hay algún sitio en el que deberías estar, ¿verdad?

Notó que balanceaba los pies sobre la cama. Esperaba que se pusiera de pie, pero no lo hizo. Permaneció sentado un largo rato y luego dijo en voz baja:

—Solo para que lo sepas, no hago esto normalmente. No me acuesto con desconocidas cuando estoy de gira o en algún teatro fuera del estado, ni tampoco lo hago cuando estoy en casa, en esta ciudad.

—Yo sí —suspiró ella.

—Vale, de todo lo que me has contado en las últimas doce horas, o las que sean, eso debe de ser lo más triste.

Tras decir eso, finalmente se levantó y recogió la ropa del suelo que había junto al armario. Su cuerpo era anguloso y musculado. Ella lo escuchó meterse en el baño y echarse un poco de agua en la cara antes de irse a casa, pero mantuvo las manos debajo de la almohada, las rodillas flexionadas e intentó quedarse allí tan quieta y fría como un cadáver.

Y por la noche, lloró. Intentó convencerse a sí misma de que era por los gatos. Siempre la afectaba. Los viejos gatos tricolores de trece años que habían vivido juntos toda su vida, descartados porque su propietario tenía una pareja nueva que insistía en que le daban alergia. El gato sin castrar, áspero y de un tono naranja rojizo, abandonado porque su familia se mudaba. Probablemente pesara diez kilos, era todo músculo y ya no estaba dispuesto a levantar la cabeza y salir de su jaula. Había gatos negros muy delgados de un acaparador chalado, una gatita a la que le faltaba media oreja por una pelea y todos estaban llenos de pulgas y garrapatas cuando llegaron.

Estaba demasiado deprimida para ir al gimnasio. En lugar de eso, fue a una librería y echó un vistazo a la sección de bolsillo de ficción deteniéndose en los pasillos en los que estaban Chéjov, Pushkin y Tolstói. Consideró una colección de Turguénev porque Alex lo había mencionado y ella no estaba familiarizada con su obra, pero la tienda solo tenía *Padres e hijos* y no era una relación que le apeteciera esa tarde. Finalmente, compró un libro pequeño de Tolstói —pequeño para ser de Tolstói, pero aun así tenía cuatrocientas páginas— porque la primera historia se llamaba *La felicidad conyugal*. Sospechó que el título sería probablemente irónico, pero tenía esperanzas.

Sin embargo, una vez en casa descubrió que el libro era posiblemente la peor elección que podía haber hecho (lo cual no debería sorprenderla, dada su predilección por las malas decisiones). Al menos la primera historia empezaba mal teniendo en cuenta su historia personal. En la primera página, la narradora, una mujer de diecisiete años llamada Masha, empieza llorando la muerte de su madre. Cassie también era adolescente cuando su madre había muerto. Masha también tenía una hermana pequeña. Cassie no pasó de la cuarta página. Dejó el libro y pasó un cepillo quitapelusas por su ropa para quitar las evidencias de su paso por el refugio. Pero no se cambió. Esa noche no bebió. Ni una gota.

Todavía estaba vestida cuando recibió una llamada de un tipo que se presentó como Derek Mayes. No le ponía cara al nombre y supuso que sería un amante o alguien de Tinder que no se había dado cuenta o no había entendido que no quería volver a verlo ni enfrentarse a lo que habían hecho, pero no había querido herir sus sentimientos.

—Soy del sindicato —explicó con acento entrecortado con un deje neoyorquino. Le dijo que otros dos miembros de la tripulación de cabina del vuelo a Dubái habían contactado con él y ya se había reunido con una: Megan Briscoe. Él, a su vez, había llamado al FBI y dejó claro que necesitaba verla y ponerse al día rápidamente de todo lo que ella supiera sobre el pasajero del 2C—. Quiero saber qué paso realmente entre vosotros dos durante el vuelo y lo que pasó en Dubái —añadió.

Notó un repentino zumbido en los oídos, le temblaron las piernas y se preguntó si *esto* —esto, no el hecho de despertarse junto al cuerpo frío y rígido de Alex Sokolov— era la demacración entre el antes y el después. Pensó, con una terrible certeza, que ese podía ser el momento, cuando mirara hacia atrás, en el que todo había empezado a desmoronarse.

PARTE DOS
QUEMA EL CARBONO

OFICINA FEDERAL DE INVESTIGACIÓN

FD-302 (redactado): MEGAN BRISCOE, AZAFATA

FECHA: 28 de julio de 2018

MEGAN BRISCOE, fecha de nacimiento __ / __ / ____, número de la Seguridad Social _____, teléfono (__) _____, fue interrogada por los agentes especiales debidamente identificados ANNE McCONNELL y BRUCE ZIMMERUSKI en el AEROPUERTO INTERNACIONAL JFK, inmediatamente después de la llegada de su vuelo a Estados Unidos.

McCONNELL condujo el interrogatorio, ZIMMERUSKI tomó estas notas.

Tras ser informada de la naturaleza del interrogatorio, BRISCOE proporcionó la siguiente información.

BRISCOE dijo que lleva 24 años en la aerolínea. Antes de eso, ha trabajado en servicio al cliente en los hoteles DOVER STAR en Washington D. C., Baltimore, MD y Pittsburgh, PA.

BRISCOE afirmó que tuvo poco contacto con ALEXANDER SOKOLOV durante el vuelo 4094. Lo atendía la azafata CASSANDRA BOWDEN. Le pareció que BOWDEN y SOKOLOV habían flirteado, pero sostuvo que BOWDEN «siempre había sido un poco ligona». Había visto a BOWDEN coqueteando con otros pasajeros en otros vuelos. BRISCOE explicó que BOWDEN y ella son amigas y a veces cuadran sus agendas para compartir ruta y poder volar juntas. Aunque ahora viva en Virginia, su base sigue siendo el JFK.

No sabía de qué habían hablado BOWDEN y SOKOLOV.

Cuando se le preguntó si ella y BOWDEN se habían visto en Dubái respondió que no, que no se habían visto. Dijo que había trece miembros de la tripulación en el vuelo y que se separaron en varios grupos, lo que es normal. Ella fue a cenar a un restaurante japonés con JADA MORRIS, SHANE HEBERT y VICTORIA MORGAN.

No explicó por qué no había cenado con su amiga, CASSANDRA BOWDEN.

CAPÍTULO SIETE

La madre de Elena siempre había tenido perros galeses. Actualmente tenía tres, uno de los cuales era descendiente de los perros que tenía cuando se divorció de su padre. Entrenaba a los animales con un silbato antiguo de plata modelado para imitar las cúpulas en forma de cebolla que adornaban la Catedral de San Basilio, en Moscú, o la Iglesia del Salvador sobre la Sangre Derramada en San Petersburgo. Este era anterior a la Primera Guerra Mundial y, por lo tanto, a la revolución. Según el vendedor del anticuario, podía haber pertenecido a los Romanov. (Elena suponía que estaba mintiendo y, probablemente, su madre también, pero eso no le impidió decirle a la gente que ese silbato había residido durante un tiempo en el Palacio de Invierno). Las uñas de las patas de los perros resonaban por el suelo de madera cuando corrían hacia ella por su lujoso apartamento cerca del Kremlim. Si su madre estaba sentada, se paraban sobre sus patas traseras y colocaban las delanteras en su regazo, justo como les había enseñado. Era su propio momento de dama con perrito faldero, pero jugaba con un exceso de oligarquía.

Estos animales viajaban con ella en el avión que compró tras el divorcio. Tenía arneses de seguridad especiales en los asientos creados para ellos para los vuelos. Las correas estaban forradas con la misma piel de visón que adornaba los cinturones de seguridad de los asientos del avión inspirados en el *art déco* de Manhattan que había diseñado para los humanos.

Su madre nunca se había vuelto a casar. Tampoco su padre. Elena a veces veía a su madre en las páginas de cotilleo y de sociedad con vestidos de noche y cascadas de joyas que le colgaban de las orejas y alrededor del cuello, con un barón ladrón del brazo. A veces veía en las redes sociales fotos suyas que había sacado alguien en el Bolshói o en el jardín botánico.

Sabía que uno de los amigos de su padre había sugerido envenenar a los perros tras el divorcio. Ahora ese caballero asesoraba al gobierno sirio en Damasco, había ayudado al Assad a esconder el sarín en 2013 cuando la supervisión internacional estaba destruyendo el resto de las existencias. Pero su padre se había negado a matar a los animales. A diferencia de algunos de sus amigos —y supuso que ahora de algunos de los de ella misma—, su padre no aprobaba el asesinato incidental ni la matanza de no combatientes.

Elena supuso que había heredado ese rasgo de él. Claramente, era uno de los motivos por los que la azafata seguía viva. En cierto modo, su madre tenía el instinto asesino mucho más arraigado que su padre. ¿La primera prueba? El acuerdo de divorcio. Había sido muy despiadada.

Y su madre se había dado cuenta pronto de que su hija era una niña de papá, aunque tal vez eso fuera inevitable teniendo en cuenta el desinterés de la mujer por la crianza de los hijos. O tal vez, ese había sido el plan desde el principio. Su madre la había visitado en Suiza solo una vez cuando era adolescente y no había ido nunca a Boston cuando Elena fue allí a la universidad. Lo cierto era que ella no había visto a su madre en años y tampoco la echaba de menos. Dudaba que su madre la echara de menos a ella.

Volvió a mirar el periódico de Moscú que había abierto unos minutos antes. Más violencia en Donetsk. El repunte continuo del rublo. Un ataque con drones estadounidenses en Yemen. Sabía que esta última historia era la que más probabilidades tenía de atraer el interés de Viktor: Estados Unidos y China seguían siendo los únicos países del mundo que habían convertido con éxito a los drones en armas, y Estados Unidos estaba mucho más avanzado que China.

Era uno de los motivos por los que los rusos tenían esa envidia patológica por los drones y por los que la inteligencia militar rusa estaba obsesionada con el programa estadounidense. Por eso Viktor pasaba tanto tiempo con el fabricante de drones de los Emiratos. El ISIS había usado drones de juguete como artefactos explosivos improvisados. Imagínate un dron furtivo o incluso drones a reacción con carga química.

Se terminó el té y recordó el samovar de su padre. Era único, de tombac, y le había pertenecido a su bisabuela. De algún modo, la familia lo había conservado tanto durante la revolución como durante la Primera Guerra Mundial. Durante Stalin, Malenkov y Jrushchov. Ahora residía con su madre. Por supuesto. De cierta forma, esa mujer había conseguido llevarse incluso eso, el samovar que ni los bolcheviques ni los nazis habían podido arrebatarle a los Orlov.

CAPÍTULO OCHO

Cassie se reunió con el representante sindical para desayunar en un restaurante en la esquina entre la calle 26 y la 3. Derek Mayes tenía las cejas parduscas bien pobladas y regordetas que le hacían sombra en la montura de las gafas. Su rostro empezaba a tener papada. Era prácticamente calvo y su chaqueta de rayas tenía motas de polvo urbano, pero el azul le hacía juego con los ojos. Su anillo de matrimonio era tan grueso como sus dedos. Ella calculó unos sesenta largos.

—He revisado tus registros. —Estaba comiendo huevos revueltos y patatas fritas caseras con beicon. Ella jugueteaba con su cuenco de avena porque no tenía mucha hambre y además la ansiedad la hacía sentir mareada—. Estuviste en el vuelo de Hugo Fournier. Infame.

—Supongo.

—Bueno, algunos estabais con el agua al cuello. ¿Meter a un muerto en el baño? La viuda estaba muy enfadada. Y, por Dios, qué pesadilla de relaciones públicas para la aerolínea. Para el sindicato. ¿Recuerdas *The Tonight Show*? ¿Conan? ¿El *New York Post*? Recuerdo todos los términos que sacaron a relucir los cómicos: el carrito ataúd. El descanso volador. El *muffin* aéreo. Es como si volviéramos a 1967 y todas fuerais aeromozas de nuevo, como si no hubiera azafatos hombres.

—Los términos femeninos siempre tienen que ver con el sexo. A los hombres se les degrada de otro modo. Muchos incluyen «chico».

Él asintió.

—El chico de los zumos. El chico del carrito.

—De todos modos, yo no me vi involucrada en la decisión de qué hacer con el cuerpo.

—Lo sé, nos habríamos conocido entonces si hubieras participado. Pero le cubrimos la espalda a la comisaria de a bordo y todo salió bien. No había ningún crimen.

—Como este.

—Sí, como este. Al menos, creo que lo es. Es típico del FBI. Muy típico. No llaman al sindicato, no te dicen que te busques un abogado. Es exasperante. Si iban a esperar al avión, deberían habérnoslo dicho para asegurarnos de que hubiera alguien en la sala con vosotros.

—¿Vas a reunirte con todos los trabajadores que íbamos en el avión?

—Ah, sí —contestó riéndose de la certeza con la que hablaba—. Mira, cualquier persona que lo vio en los últimos días es de interés ahora mismo. Alguien en Dubái o en Estados Unidos querrá hablar con cada botones, camarero o conserje y sí, con cualquier asistente de vuelo al que le pueda haber dicho «eh». Con todos y cada uno. Por supuesto, en realidad solo me preocupáis tú, Megan y Jada. Las tres.

—Porque...

—Porque sois las que estabais en primera clase y estuvisteis en contacto directo con Sokolov.

—¿Y dices que las dos te han llamado?

—Joder, claro que sí. Tú también deberías haberme llamado —añadió él y Cassie se sintió como si la estuviera regañando.

—¿Vives en la ciudad? —le preguntó. Después de hablar, se cuestionó si debería haberle pedido disculpas por no haberse puesto en contacto con él el sábado. Pero se había sentido tan aliviada cuando Frank Hammond del FBI no le había preguntado por su paradero en Dubái que ni se le había pasado por la mente ponerse en contacto con ellos. Estaba conmocionada porque pensaba que podía haber esquivado la bala.

Mayes asintió mientras masticaba y agregó:

—Vivo a unas diez manzanas de aquí. Mi esposa y yo siempre habíamos pensado que nos mudaríamos a Long Island en cuanto tuviéramos hijos, pero no los tuvimos, así que nos quedamos. Y nos gusta el barrio, hay muchos universitarios y eso nos hace sentir más jóvenes de lo que somos en realidad.

—A mí también me gusta esa zona. Sobre todo en septiembre, cuando llegan los estudiantes nuevos. Son tan jóvenes.

—Y cada año lo son aún más —comentó él con una sonrisa.

—Entonces, ¿qué te dijo Megan? ¿Y Jada? —Se sentía como si estuviera trazando su propio camino a la oscuridad. Hasta el momento, Derek y ella habían hablado de su camino hacia la aerolínea, pero lo más revelador que había compartido era que había entrado a la Universidad de Kentucky con ayuda financiera y compaginado los estudios con un trabajo en la centralita de la universidad. Se encargaba de la consola, algo que se convirtió en una antigualla con la llegada del siglo xxi, desde medianoche hasta las ocho de la mañana dos noches por semana. Casi nunca llamaba nadie. Sobre todo, alertaba a la seguridad del campus cuando los estudiantes se quedaban fuera de la habitación sin llave o cuando las mujeres querían un viaje seguro de regreso hasta sus dormitorios. Más que nada escribía artículos y se preocupaba por su hermana pequeña y el hogar de acogida en el que se alojaría Rosemary hasta que terminara la secundaria. Por aquel entonces, Cassie no bebía. Supuso que era una ironía, teniendo en cuenta el modo en el que muchos de sus compañeros parecían vivir de cerveza de barril y vino envasado.

Se secó la boca con la servilleta de papel y la usó para limpiarse los dedos.

—Dijeron que apenas habían hablado con él. Hola y adiós. Jada cree que pudo haberle llevado la canasta de pan a mitad del servicio del almuerzo para preguntarle si quería más. Es posible que le ofreciera un periódico y le preguntara si lo quería en inglés o en francés. Pero ambas me dijeron, cuando se lo pregunté, que tú hablaste mucho con él.

—¿Por qué lo preguntaste?

—Porque necesitaba saber quién se estaba encargando del chico y quién había hablado con él, ya que no habían sido ellas. Y ambas dijeron que tú. Jada dijo que habló contigo muy en serio.

Durante un momento, ella no dijo nada. Estaba agradecida porque Jada le hubiera dicho a Mayes que Alex había estado hablando con ella, ya que eso implicaba que le había prestado más atención a ella que a él. La verdad estaba en algún punto intermedio. Aun así se preguntó si era el momento de confesar y si debería decirle al representante sindical que necesitaba un abogado y la ayuda del sindicato. Se preguntó si decirle que había una mujer llamada Miranda que podía tener algo que ver con el fondo de cobertura de Alex y que la había visto en la suite del hotel en el Royal Phoenician aquella noche. Pero dejó pasar el momento, ya que tendría muchas más oportunidades de volver a empezar. Derek Mayes quería ayudarla, pero dudaba que hubiera alguna variante del privilegio abogado-clienta entre ellos dos que pudiera resistir un tribunal de justicia. Cualquier cosa que le dijera podría volverse en su contra.

—Les dije todo lo que sabía a los agentes del FBI cuando aterrizamos —indicó con firmeza—. Sé que no era gran cosa, pero era un pasajero más en un vuelo más.

—Sí y no.

Cassie esperó. Se controló para no volver a sentarse en el asiento y cruzar los brazos sobre el pecho. La camarera les volvió a llenar el café y Mayes vertió en su taza todo lo que quedaba de leche en la pequeña jarrita de hojalata.

—¿Qué quiere decir eso? —preguntó.

—Sí, para ti era solo un pasajero más y un vuelo más —comenzó él con cautela y Cassie empezó a relajarse. El modo en el que hablaba sugería que nadie sabía nada sobre su relación con el hombre—. Pero no creo que fuera un simple gestor de fondos de cobertura. Ayer estuve más ocupado de lo que me gustaría para un domingo de verano. Creo que el FBI querrá hablar contigo de nuevo.

—¿Conmigo o con toda la tripulación de cabina? —inquirió notando que le temblaba la voz. Tenía la boca seca.

—Con toda la tripulación de cabina.

—¿Te lo ha dicho el FBI?

—Sí.

—¿Por qué?

—No lo sé, eso no me lo dirán. —Se inclinó con complicidad—. Mira, fuiste la que más tiempo pasó con él en el avión y eso es un hecho.

—¿Y?

—Era parte de tu sección en primera clase. Tú eras la que le servía. No me malinterpretes, las otras azafatas no te están echando a los leones. Pero tanto Megan como Jada dijeron que parloteabais cada vez que le llevabas una copa de vino o una taza de café. Pasaste mucho más tiempo con el 2C que, yo qué sé, con 4C por ejemplo.

—Eso no es cierto.

—¿No estuvisteis charlando?

—No.

Él se encogió de hombros.

—Mira, aunque fuera cierto, ¿por qué iba a ser un problema?

—Solo fui educada con él.

—Lo digo en serio, Cassie. Aunque llegaras a coquetear con ese chico, ¿por qué iba a ser un problema?

—Porque sería poco profesional.

Él se rio entre dientes, pero fue una risa cruel.

—Sí, los azafatos nunca coquetean con los pasajeros ni con los pilotos. Nunca. —Puso los ojos en blanco—. Sabes lo alta que es la tasa de divorcios en tu profesión. Supongo que por eso los azafatos y los pilotos acaban casándose… entre ellos. Siempre estáis lejos de casa, coqueteáis todo el tiempo, pasáis mucho tiempo en hoteles. Y…

—¿Y qué?

—Y solo os entiende la gente que es como vosotros. Nadie comprende la rareza de ese estilo de vida. Nadie podría entenderlo.

Cassie suspiró.

—Es inevitable acabar juntos. Es simplemente porque trabajamos juntos. Seguro que los publicistas se casan con otros publicistas y los abogados con otros abogados. Todas las profesiones tienen romances de oficina.

—Sí, pero no todos vosotros trabajáis juntos. Eso es así. Es la clave. Casi nunca va la misma gente en la misma tripulación. Es decir, supongo que Megan y tú solicitáis los vuelos juntas, y Megan también lo hace con Shane. Pero ibais diez asistentes en ese vuelo a Dubái y siete nunca os habías visto antes de la conexión JFK–Dubái y puede que nunca os volváis a ver. O, si lo hacéis, habrán pasado años. Y eso solo teniendo en cuenta la tripulación de cabina. Añade a los de la cabina de pilotaje. ¿Cuándo volverás a volar con esos pilotos? ¿Dentro de un año? ¿En dos? ¿En diez? No, Cassie, lo siento, vosotros no trabajáis juntos.

—¿A dónde quieres llegar con todo esto? Creía que querías ayudarme.

—Y quiero, por eso necesito estar seguro de que el tal Sokolov no te dijo nada significativo y de que no te enteraste de algo que deberías compartir con un abogado o con el FBI.

—No.

—Porque ahora el FBI ya sabe que estuviste flirteando con él. Y también sabe que no cenaste aquella noche en Dubái con ningún miembro de la tripulación, incluyendo a tu amiga Megan. Si yo lo sé por mis conversaciones limitadas, ellos lo sabrán por los interrogatorios.

—¿Y eso qué importa?

—Puede que no importe. Pero, solo por si acaso, ¿hay algo que quieras contarme sobre aquella noche en Dubái?

—Me fui a dormir.

—¿En el hotel de la aerolínea?

—¡Sí!

—¿Saliste a comer?

—No —respondió, y se preguntó apenas esa sílaba salió por sus labios si había hablado demasiado rápido. Seguramente habría testigos en el restaurante. Pero también supo en el instante que su próxima pregunta sería sobre el servicio de habitaciones. Y así fue.

—¿Encargaste algo para la habitación?

—No.

—¿No comiste?

—No me encontraba muy bien, me comí unos cacahuetes del minibar y me quedé dormida. —Pensó que no podrían comprobar eso. ¿Hasta qué punto controlaba el hotel las existencias del minibar?

—¿Entonces no saliste?

—¿Alguien ha dicho lo contrario?

—No a mí.

—Bien, entonces.

—Pero según dos empleadas de la aerolínea que compartían cabina contigo, estuviste flirteando con Alex Sokolov. Y luego, al parecer, no saliste con nadie de la tripulación aquella noche. Con nadie. Simplemente desapareciste...

—¡En mi habitación del hotel! —espetó interrumpiéndolo. Vio por encima del hombro de Mayes que había hablado demasiado fuerte y los dos hombres mayores que desayunaban juntos en la mesa de al lado se volvieron girando la cabeza como búhos.

Mayes abrió las manos, con las palmas hacia arriba y se recostó en la silla.

—Lo pillo, lo pillo —la tranquilizó—. Pero, por lo que sabemos, el FBI hablará con los pasajeros que estaban sentados junto a Sokolov en el vuelo y es posible que al menos uno afirme que os tratasteis con confianza. Todavía no sé si Sokolov era de una familia adinerada y bien conectada o si simplemente no era lo que decía que era. No sé qué estaba haciendo realmente en Dubái. Puede que fuera solo a una reunión de inversores, pero esta historia tiene patas y quiero asegurarme de que hagas tres cosas, ¿de acuerdo?

—Vale, dime. —Esperaba que sus mentiras y sus temores se confundieran con irritación.

—Quiero que te busques un abogado.

—¡No puedo permitirme un abogado! —exclamó, a pesar de que recordaba vívidamente la promesa que se había hecho en la suite del hotel de Dubái acerca de que se buscaría uno si lograba regresar a Estados Unidos—. Apenas puedo pagar mi apartamento. Sabes a lo que me dedico. Estoy arruinada. Estamos todos arruinados. Necesitamos más dinero del que tenemos.

—Como todos, tranquila. Puedo ayudarte a buscar un abogado que puedas permitirte. No pasa nada, es lo que hacemos.

—No digo que sí porque no veo por qué iría a necesitarlo, pero ¿qué más?

—Dos, quiero que me mantengas informado de manera exacta de todo lo que está pasando. De nuevo, es para poder ayudarte.

—Vale.

—Y tres, quiero que me avises en cuanto te llame algún periodista.

No se había imaginado que algún periodista pudiera contactar con ella, pero se dio cuenta de que estaba siendo ingenua. Por supuesto que podría hacerlo alguien, sobre todo si Sokolov era de una familia prominente o si en realidad no era gestor de fondos de cobertura.

—Eso puedo hacerlo, por supuesto. —Y puede que debido a la imagen de una cámara de noticias en su rostro o a la proximidad del *New York Post* que estaba leyendo un tipo en la mesa de al lado, agregó—: Y si tienes el nombre de algún abogado, sería genial. Barato, pero bueno. Pero dime una cosa.

—Dispara.

—Si Sokolov no era una especie de administrador de dinero, ¿qué era? ¿Un espía?

—Tenía un trabajo que requería que viajara. Es una buena tapadera para muchas cosas.

—¿Eso es un sí? ¿Podía haber sido un espía estadounidense?

—O ruso. O alemán. O israelí. O sudafricano. No lo sé. Puede que fuera una especie de intermediario o mensajero.

Pensó en el libro de bolsillo que había comprado el día anterior.

—Estaba orgulloso de su *ADN* ruso, al menos en parte. —Cuando pronunció la palabra ADN notó otro pinchazo de recelo y miedo: su pintalabios. El pintalabios que había perdido en alguna parte de Dubái, el pintalabios que probablemente se hubiera dejado en la habitación 511 del hotel. Se imaginó a un técnico de la policía levantándolo con pinzas y metiéndolo en una bolsa de plástico transparente. Ahí estaba, aquello sería la pista definitiva.

Y había algo más: un bálsamo labial. Un bálsamo con el logo de la aerolínea. Era genérico, por supuesto, pero a ella le gustaba y lo utilizaba. Olía a coco. Tampoco lo había visto cuando había vaciado el bolso antes de tirarlo a la papelera en Dubái. A veces se humedecía los labios con ese bálsamo antes de aplicarse el pintalabios. ¿Lo había hecho en la habitación 511? ¿Había un bálsamo labial en algún lugar de esa habitación que contuviera tanto el logo de la aerolínea como su ADN?

—Tal vez sea así de simple —comentó Derek hablando de Sokolov—. Puede que sea del FSB.

—No sé qué es eso.

—Antes era el KGB. El Servicio Federal de Seguridad de la Federación de Rusia. Contraespionaje. Asuntos de espías. A menudo, asuntos de espías muy desagradables.

—Pero me parecía totalmente estadounidense —replicó ella esperando que Mayes no reparara en el temor de su voz.

—Eso no significa nada. Si vas de encubierto, quieres parecer estadounidense. Pero ¿qué sé yo? Con la misma facilidad podía ser de la CIA. O tal vez fuera un ladrón muy desagradable que vendía armas. O mujeres. O drogas. Puede que lo que estuviera haciendo no tuviera nada que ver con el espionaje. Solo digo que, teniendo en cuenta el modo en el que fue asesinado, puede que no fuera quien afirmaba ser.

—¿No dijo algo la policía de Dubái de que era un robo?

—No lo fue.

—¿De verdad?

—No robaron nada.

—¿Cómo lo sabes?

—He preguntado. —Se encogió de hombros—. He preguntado a la agente del FBI que interrogó a Megan. No me reveló mucho, pero sí me dijo que no habían robado nada. Al menos, no creen que robaran algo. Según el jefe del FBI en los Emiratos, su cartera, su reloj y sus tarjetas de crédito estaban ahí. Su ordenador también estaba en la habitación. Y el maletín seguía allí.

Quiso golpearse a sí misma por no haber robado la tarjeta y el reloj de Sokolov y haberlos lanzado en la misma papelera de Dubái en la que había tirado los paños, el jabón y los restos de la botella de Stoli. No se le pasó por la mente sugerir que la muerte del pobre chico fuera parte de un robo. Pero luego recordó una expresión que habían debatido hasta la saciedad en una clase de la universidad: no se puede probar lo negativo. Al final, toda la clase había decidido que sí, pero ella se había quedado con la expresión.

—Bueno, si hubieran robado algo no estaría en la habitación del hotel, así que no podría saberse si lo habían robado —afirmó.

—Estoy de acuerdo. Seguro que las autoridades de Dubái, las nuestras y las de ellos, elaborarán lo mejor que puedan un inventario de lo que había traído consigo. Seguro que hablarán con todos los del hotel. También con todos los que se suponía que iban a reunirse con él, asumiendo que de verdad tuviera una reunión. En cualquier caso, las vibraciones que me llegan son bastante claras: esto no es un robo en una habitación de hotel que salió mal. Es un asesinato.

La palabra se quedó en el aire. Cassie miró lo que quedaba de los huevos con la yema líquida y las migas de pan tostado en el plato del responsable sindical. Probablemente —casi seguro—, Mayes tuviera razón. Se había acordado montones de veces de lo fácil que habría sido para ese alguien cortarle la garganta también a ella. Y, sin embargo, no lo habían hecho. La habían perdonado. Aun así, nunca podría borrar el recuerdo de ese cuerpo frío y quieto en la cama. Nunca olvidaría toda esa sangre.

—¿Cassie? —Ella levantó la mirada—. Creía que te había perdido por un momento —comentó Mayes—. Iba a chasquear los dedos para despertarte del trance.

—Lo siento.

—¿Estás bien?

—Sí, estoy bien.

Él se recostó de nuevo en la silla y le sonrió. Cruzó los brazos frente al pecho.

—No estoy completamente seguro de que lo estés, pero ¿sabes qué? —Cassie esperó—. Tengo la sensación de que un pobre chico muerto que conociste en un avión es el menor de tus problemas.

—Creo que debería sentirme ofendida.

—No, hablo como viejo que quería ser padre y nunca lo consiguió. —Tomó la cuenta que la camarera había dejado en la mesa. Cassie se preguntó en qué momento había sucedido, porque no recordaba que la camarera hubiera vuelto y Mayes se dirigió a la barra para pagar.

Esa noche Cassie abrió el *chianti* sola en su apartamento, y lo removió suavemente en una copa de vino pintada a mano. Era una de las dos que le había regalado Rosemary años antes de darse cuenta de que probablemente no debería animar a beber a su hermana mayor. Las copas tenían orquídeas blancas que se elevaban desde la base del cuenco hasta el borde con pétalos eróticos y exuberantes. Mientras se tomaba el primer sorbo, le sonó el móvil y vio que tenía un mensaje de Buckley. Le preguntaba cómo estaba. Añadió que lamentaba no haber podido pasar más tiempo juntos antes de que se marchara el domingo por la mañana y que esperaba verla de nuevo cuando regresara a Nueva York. No le contestó, pero tampoco lo borró. Normalmente lo habría hecho. Por lo general, cuando acababa con un chico que había conocido de ese modo en un bar, había una laguna tan grande en su memoria —de una, dos o diez horas— que no quería ni oír hablar de una segunda cita. Pensó que quizá esa vez no había borrado el mensaje porque, aunque se había emborrachado con Buckley, no había acelerado la velocidad al empezar a beber y no había roto la barrera del *blackout* con un estruendo estremecedor que hiciera temblar las ventanas. Así que puede que el día siguiente le respondiera. O puede que no. Probablemente no. Aun sí, dejó el mensaje en el móvil y se dijo a sí misma que era un avance, algo supuestamente imposible a mediana edad cuando, en teoría, nadie cambiaba. Pensó que era muy amable por su parte sugerir que no habían podido pasar más tiempo juntos el domingo por la mañana. En realidad había sido ella la que lo había echado.

Esa era la ironía de los *blackouts*: tenías una tolerancia espectacular con el alcohol hasta el momento que sucedía. La mayoría de los bebedores aficionados se desmayaban mucho antes de que el hipocampo —esos pliegues de materia gris donde se forman los recuerdos— se durmiera. Ella era una profesional. Los *blackouts* parciales se producen cuando la tasa de alcohol en sangre alcanza el mágico 2,0 g/l y el *blackout* total ocurre cuando el número aumenta a un innegable e impresionante 3,0. El límite estadounidense para conducir en estado de ebriedad, en comparación, es una fracción de esos números, un mero 0,8 g/l.

Consideró llamar a Paula, una de las amigas que podía seguirle el ritmo a la hora de beber, daba igual que fuera vino, tequila o Drambuie. Paula tenía algo extraño con el Drambuie, era su magdalena de Proust de noveno y décimo cuando se emborracha en el MacKinnon de su padre. Cuando Cassie estaba con Paula, el aburrimiento desaparecía y era como si hicieran paracaidismo. Podrían ser un caos total para las mujeres y los hombres que las rodeaban —compartían demasiado, bailaban de manera agresiva, regañaban a algún anfitrión o camarero por la música que estaba sonando o porque estuviera lloviendo—, pero también aumentaban la energía del lugar, ¿no? Tal vez. Aunque en sus momentos de lucidez la mañana siguiente, se preguntaba si más bien solo absorbían la energía de la sala.

Por eso también tenía amigas como Gillian. Gillian bebía, pero como una persona razonable. No se emborrachaba, por lo que solía ser ella la que recogía el bolso de Cassie al final de la noche cuando esta lo dejaba colgando del respaldo de un taburete de la barra o le decía al tipo extraño con tatuajes en la cara que Cassie no se iría con él esa noche.

Sin embargo, al final no llamó ni le escribió a ninguna. No esa noche. En lugar de eso, colocó el portátil sobre la encimera de la cocina y se quedó ante él mientras bebía. Era el momento de descubrir todo lo que pudiera sobre el estadounidense muerto en Dubái. Era el momento de buscar a Miranda. Decidió empezar con las redes sociales. Allí podría leer sobre Alex Sokolov y tal vez encontrar a Miranda entre sus seguidores o amigos.

Alex había mencionado que tenía cuenta de Facebook, Twitter e Instagram, aunque apenas las usaba. Pronto averiguó que habían desaparecido, si es que alguna vez habían existido. No encontró rastros de él ni en LinkedIn, ni en Tinder. Supuso que su familia habría borrado las páginas, pero luego pensó que si Derek Mayes estaba en lo cierto y Sokolov era un espía, sería probablemente alguna agencia gubernamental —*de nuestro gobierno o del suyo*, pensó críticamente— la que habría hecho desaparecer las páginas.

Desafortunadamente, eso también significaba que no podía buscar a la otra mujer entre sus amigos de Facebook ni entre sus seguidores de Twitter. Requeriría una investigación más profunda. Entonces cambió su estrategia y comenzó a navegar por diferentes páginas de viajes y noticias en busca de historias sobre el asesinato. Había muchísimas, aunque ninguna muy extensa y apenas corroboraban lo que ya sabía de su familia: que era hijo único. Sus padres vivían en Virginia. Describían su trabajo en el fondo de cobertura. ¿Lo más raro de todos esos artículos? En ninguno se mencionaba a otra empleada o inversora de Unisphere llamada Miranda que hubiera visto a Alex con una mujer en su suite horas antes de su ejecución.

Recordó que mencionó que su madre se llamaba Harper y Cassie pudo encontrar rápidamente su perfil de Facebook. Casi esperaba ver una foto de Alex y un *in memoriam* desesperadamente triste de una madre sobre su hijo. Pero no fue así. Harper Sokolov no había publicado nada desde hacía una semana, cuando había publicado una foto de sí misma, su marido y otra pareja jugando al tenis en la terraza de un club de campo. Tenía un aspecto sano y atlético y le quedaba muy bien el vestido corto. Cassie pudo ver a Alex en su sonrisa. Buscó a Miranda entre los amigos de la mujer, aunque no estaba muy convencida de que estuviera allí: si aquella noche en Dubái había sido la primera vez que habían quedado Alex y Miranda, ¿por qué la iba a conocer su madre? Pero tenía que comprobarlo. Y tal y como esperaba, no había nadie llamado Miranda entre los amigos de Harper.

A continuación, Cassie visitó la página de Unisphere y escribió la palabra *Miranda* en el cuadro de búsqueda. No apareció nada. La empresa era demasiado grande para incluir un directorio de empleados. Pero había una lista de sus oficinas por todo el mundo y, aunque no tenían páginas individuales, sí había una lista de números de teléfono. Miró el reloj del horno y vio que incluso aunque estaba ocho zonas horarias al este, todavía no habría nadie en la oficina de Dubái. Pero podría llamar más tarde y preguntar por Miranda. Averiguar lo que había pasado.

Se rellenó la copa por tercera vez y colocó la tarjeta de Mayes justo al lado de la de Frank Hammond en la nevera. Le había escrito el número de una abogada que le había recomendado, una mujer con el melodioso nombre de Ani Mouradian. Todavía no había tenido noticias de ningún periodista. El FBI no había vuelto a contactar con ella. Intentó convencerse a sí misma de que Derek Mayes estaba equivocado y de que nunca volvería a tener noticias del FBI, por lo que no sería necesario llamar a esa abogada. Pero supuso que tendría que estar bastante borracha para creer eso, así que se preparó un baño y se llevó la botella, la copa y el móvil a la bañera. No tenía por qué estar sobria: estaba sola y no había tocado el alcohol desde la madrugada del domingo. Cuarenta y dos horas. Hacía casi dos días.

Cuando estuvo acomodada bajo las burbujas, cerró los ojos y trató de perderse en sus abluciones; aclarar la mente era mucho más importante para ella esa noche que limpiar su cuerpo, pero era imposible. Siguió pensando en Alex y siguió preguntándose qué habría pasado si hubiera llamado a la recepción del hotel. Pero lo sabía. Al menos pensaba que lo sabía. Todos habrían creído que ella había matado al pobre desgraciado —lo cual, tenía que admitir, sería muy complicado de refutar— y estaría en una cárcel en Dubái. Conocería muy bien a alguien de la embajada estadounidense, se habrían ido conociendo a través de los barrotes.

Se agachó, dejó la copa de vino en el suelo junto a la bañera y agarró el móvil. Decidió buscar en Twitter noticias sobre Sokolov, ver si había alguna que se le hubiera pasado y repasar las que habían aparecido durante el día y había analizado unos minutos antes en la cocina. Pero entonces vio un tuit de una agencia de noticias de Dubái que acababa de publicar hacía unos segundos. Entró directamente en el enlace y notó que se le revolvía el estómago como si estuviera en un avión que acababa de caer trescientos metros de altura. Ahí estaba ella. De hecho, ahí estaba ella dos veces. Había dos imágenes suyas. Era totalmente irreconocible, o al menos, casi imposible de reconocer porque las dos eran fotos granuladas sacadas de imágenes de la cámara de vigilancia del hotel de Dubái y porque en ambas llevaba gafas de sol y el pañuelo que se había comprado en el aeropuerto cuando habían aterrizado. En la primera estaba en el vestíbulo, reuniéndose con Sokolov antes de salir a cenar, estaban cerca de la entrada y ella le había rodeado el codo con el brazo. Estaba sonriendo, ambos lo hacían. En la segunda, estaba sola saliendo del hotel el día siguiente. En esa tenía la mandíbula tensa. Probablemente había sido el pañuelo lo que había ayudado a los investigadores a encontrarla la segunda vez.

Las gafas eran unas Ray-Ban bastante comunes con sus clásicas monturas negras.

Pero ¿el pañuelo? Era bastante peculiar. Tenía un estampado arabesco rojo y azul con rizos y palmetas en el centro y una serie de versiones más pequeñas alrededor de los cuatro lados. Además, tenía una hilera de pequeñas borlas rojas. Las imágenes eran en blanco y negro, pero el patrón era vívido.

Estaba con Megan y Jada cuando lo compró. Lo llevaba puesto cuando volvió al hotel de la aerolínea. Lo llevaba el viernes por la mañana cuando había ido en la camioneta con toda la tripulación.

El artículo decía que la mujer no era sospechosa, que solo la buscaban para interrogarla. ¿Que no era sospechosa? Qué ridiculez. Por supuesto que lo era. Había una imagen suya con Sokolov en el hotel por la noche y otra de ella saliendo del hotel sola la mañana siguiente.

Casi desesperada, alargó el brazo para agarrar la botella de vino y con las prisas, mientras se pasaba la copa de la mano izquierda a la derecha, la golpeó contra la jabonera empotrada en la pared de azulejos, rompiendo la copa y derramando el vino en el agua. Las pompas de jabón se habían desvanecido ya, por lo que observó, absolutamente inmóvil, cómo se esparcía y se disipaba el vino, dejando el agua y los fragmentos de vidrio —algunos sobre sus muslos, otros sobre su abdomen, otros hundidos en el fondo por lo que sentía los bordes como pequeños pinchazos o arena áspera— de un color rosa suave; era casi relajante.

Solo cuando empezó a quitar con cuidado los fragmentos de cristal de su cuerpo, vio los dos cortes que se había hecho al lado de la mano.

CAPÍTULO NUEVE

Elena vio a media docena de marineros estadounidenses riendo y bromeando en la acera desde la ventana de Viktor en el quinto piso —el último— del anodino edificio de oficinas y supo de inmediato que estaban perdidos. En ese vecindario había un templo sij, una iglesia copta ortodoxa, una parroquia ortodoxa griega y el centro evangélico de Dubái. También contaba con dentistas y contables. No tenía las tiendas de oro, joyas o electrónica que normalmente atraían a los marineros al norte desde el puerto de Jebel Ali. El grupo de batalla de portaaviones debía llegar el día siguiente, por lo que dentro de dos días la ciudad estaría inundada de marineros y marineras estadounidenses.

Se apartó de la ventana y se apoyó en el aparador de Viktor. Su despacho era una amalgama de los siglos XIX y XXI. Había paneles de madera oscura en las paredes y una bandeja plateada con copas de cristal de coñac adornadas con un águila de dos cabezas a un lado de la mesa, pero también había un panel desplegable para videoconferencias y un ordenador de pantalla táctil incrustado en un escritorio de cromo y nogal.

—No estaba allí, barrí la habitación —explicó intentando no sonar a la defensiva. Solo estaba exponiendo los hechos. Desafortunadamente, las cosas se estaban poniendo complicadas y tenían el potencial para terminar fuera de control. La visión de uno mismo siempre era más crítica en retrospectiva, pero ahora Elena sabía que había cometido un error. Habría sido terrible, pero tal vez debería haber matado a la azafata que estaba con Alex cuando tuvo la oportunidad, cuando entró a la habitación y descubrió que él se había traído a un caramelito de la aerolínea. Si quería, podía haber hecho que pareciera un asesinato y después un suicidio. Un crimen pasional. Podía haber dejado allí el cuchillo.

Pero no lo había hecho porque esa azafata no era su juego habitual. No mataba a civiles. No mataba a gente inocente.

Y ahora Viktor estaba enfadado. Conocía esa mirada. Era como la que ponía su padre cuando sentía que alguien le había fallado; no despotricaba, no se desahogaba, no tenía rabietas. Echaba humo, lo cual era mucho más inquietante. Pero ¿y las consecuencias para el que la había cagado? Igual de mortales.

—Te creo. Creo que barriste la habitación. Pero las imágenes de seguridad que han aparecido en los sitios de noticias están bien claras. Las has visto, Elena. Definitivamente, esa mujer estaba en el hotel por la mañana y llevaba exactamente la misma ropa que la noche anterior —le recordó Viktor—. ¿Alex no te dijo que tenía compañía cuando llamaste?

—No. No habría ido a su habitación si la hubiera tenido.

Viktor pareció reflexionar sobre eso.

—¿Había hecho este tipo de cosas en el pasado?

—Si las había hecho, nadie me informó. Nunca ha sido un gran seductor.

—Eso es cierto.

Oyó a los marineros fuera de la calle riendo escandalosamente. Si el pestillo de las ventanas no hubiera sido tan complicado, las habría abierto y les habría indicado la dirección correcta para encontrar el tipo de tiendas que buscaban.

—Mira, estuve a punto de cumplir el encargo antes, cuando estábamos bebiendo. Pero no quería arriesgarme a montar una escena. No quería arriesgarme a hacer ruido. ¿Dos personas? Quién sabe lo que podría haber salido mal. La mujer dijo algo sobre volver a su propio hotel porque tenía un vuelo al día siguiente, así que salí y esperé a que se marchara.

—Y entonces volviste a la suite de Alex —murmuró Viktor.

—Sí.

Suspiró y notó una punzada de inquietud. Se hizo más pronunciada cuando él añadió:

—Obviamente, hubiera sido mejor si hubieras corrido ese riesgo, Elena. Si estaba tan borracho como dices, quién sabe lo que le diría. Quién sabe lo que sabe ella ahora.

—No creo que debamos preocuparnos —intentó tranquilizarlo, aunque podía notar su desaprobación. Sabía que se había metido en problemas.

—Sí que me preocupo. Y francamente, estoy... —Hizo una pausa y dejó que el momento se volviera ominoso mientras fingía simplemente estar buscando la palabra correcta—. Molesto por el hecho de que no me dijeras en un primer momento que había alguien con él.

—Tendría que haberlo hecho —admitió—. Lo sé.

—Sí, tendrías que haberlo hecho.

—Lo siento.

—¿Y qué te encontraste cuando volviste a la habitación del hotel? —preguntó.

—Alex ya estaba desmayado en la cama. Apagado como una luz. La suite estaba incluso peor que cuando me pasé al principio de la noche. Ambas estancias. La verdad es que era algo sórdido. O él o esa idiota habían roto la botella de vodka que les llevé y una de las copas del hotel.

—Eso fue después de que te marcharas.

—Correcto.

—Pero ella no estaba presente cuando te encargaste del señor Sokolov.

—Por supuesto.

—Entonces parece que volvió después a la habitación y lo encontró muerto —dijo Viktor.

—Pero no llamó ni a recepción ni a la embajada. Solo... ¿qué? ¿Encontró el cuerpo y no hizo nada? ¿Pasó la noche con un cadáver?

Viktor le dedicó una sonrisa oscura y retorcida, pero permaneció en silencio.

—La suite era bastante grande —indicó Elena, pero sabía que se estaba agarrando desesperadamente a un clavo ardiendo—. Tal vez solo volviera al salón. Puede que se olvidara algo allí y ni siquiera entrara a la habitación.

Viktor cruzó los brazos sobre el pecho con desdén y se reclinó en la silla.

—No es posible que creas eso. Las cámaras de vigilancia sugieren que estuvo allí toda la noche. Sabe que estaba muerto. Vio el cuerpo.

—En ese caso, ¿crees que es posible que pensara que lo había matado ella? —preguntó Elena pensando en voz alta.

—Vamos, venga.

—Lo digo en serio. Esa azafata me pareció una fiestera de mucho cuidado. Piensa en *Chandelier*.

—¿Es un club de drogas?

—Es una canción de pop. De Sia. No me sorprendería que tuviera graves problemas de memoria cuando bebe.

—Supongo que es posible —admitió él juntando los dedos.

—Así que puede que esto juegue a nuestro favor. La policía no tardará mucho en darse cuenta de que estaba en la habitación con Alex y la culpará a ella del asesinato. Esa mujer me dio la impresión de que era un desastre, carece de sentido común.

—Tal vez. Pero es complicado. He hablado con nuestro abogado —informó Viktor. Elena esperó—. Alex no era ciudadano de los Emiratos Árabes Unidos —continuó—. Era estadounidense. Se necesitará mucho trabajo para volver a traer a esa mujer a Dubái y llevarla a juicio y las autoridades de aquí no tienen especial interés en este caso.

Fuera, uno de los marineros gritó algo, frustrado, por lo perdido que estaba y porque su móvil no le estaba siendo de ayuda. Ella se dio cuenta de que también había estado bebiendo. ¿Por qué eran los rusos los que tenían la reputación de borrachos?

—¿Hay alguna posibilidad de que se intente en Estados Unidos?

—Solo si alguien piensa que la muerte de Alex es un acto terrorista —respondió él y luego bromeó—: ¿Te lo imaginas? Una aeromoza terrorista.

—Azafata —lo corrigió reflexivamente.

Hubo un silencio mientras él levantó una ceja.

—Azafata —repitió finalmente.

—Nadie verá su muerte como un acto terrorista —afirmó ella—. Nadie verá a esta azafata como a una terrorista.

—Estoy de acuerdo. Y eso está bien. Francamente, un juicio no le hará ningún bien a nadie. Tampoco a nosotros. Ni a ellos. Y, francamente hablando, tampoco a ti, Elena.

—Lo pillo. —Ya no podía soportar el alboroto de la calle ni un minuto más. Juró que cuando terminara su reunión, bajaría y les diría a los marineros exactamente a dónde ir.

—No estoy seguro de eso. El problema, como has dejado claro por el tiempo que pasaste con Sokolov, es que estaba muy borracho. Un puto borracho. El informe de toxicología lo confirmará, estoy seguro. Solo Dios sabe lo que pudo haber compartido. Creo que debemos avanzar suponiendo que ha revelado algo, que se lo ha revelado a ella. Tú misma has dicho que también es una bebedora muy irresponsable.

Sabía a dónde se dirigía la conversación, pero aun así se le encogió el corazón.

—¿Tiene familia? —preguntó.

—¿Ahora tienes conciencia, Elena Orlov?

—Simplemente quiero entender lo que tenemos que contener —se defendió.

—No. No tiene hijos ni marido. Ni siquiera tiene exmarido. Deberías poder arreglar esto con facilidad. Debería tener un accidente. Un accidente terrible, imprevisto, pero muy realista.

—Yo solo...

—¿Tú solo qué?

—Me siento mal. Ella no ha hecho nada malo. Solo es una patética borracha que se acostó con el hombre equivocado la noche equivocada.

—Es peligrosa —le recordó Viktor.

—Puede ser.

—¿Puede ser? Tendrías que haberte ocupado de ambos cuando te los encontraste juntos. Lo sabes. Lo sé. Además...

—¿Además?

—Te vio, Elena. Te vio. Sé realista: una de las dos tiene que morir. —Se encogió de hombros—. Creo que es tu elección.

CAPÍTULO DIEZ

Los cortes parecían mucho más graves de lo que realmente eran. Cassie pensó que no necesitaría puntos. Al final, se paró desnuda frente al lavabo del baño, sobria por las fotos que había visto de sí misma en el móvil y presionó un paño frío y húmedo en la herida hasta que la sangre dejó de fluir. Luego presionó un par de bolitas de algodón sobre las heridas y las sujetó con una cinta adhesiva con la que se envolvió la mano como si fuera una momia. Parecía que un niño de guardería hubiera intentado aplicarle los primeros auxilios. Al día siguiente tendría que comprar tiritas.

Se puso la camiseta de dormir y trató de convencerse a sí misma de que el resto de la tripulación no estaba buscando noticias sobre Alex Sokolov como hacía ella, por lo que puede que nunca vieran sus imágenes en el Royal Phoenician en Dubái. Pero no podía ser. Por supuesto que lo buscarían en Google, había estado en su vuelo. Había estado en la cabina con ella, con Megan y con Jada. Se tumbó en la cama esperando a que se apagaran las luces del Empire State, esa noche la torre estaba blanca. Al final, alguien de la tripulación acabaría viendo las fotos. A esas alturas, sin duda las imágenes granuladas se habrían compartido con el FBI estadounidense y era inevitable que finalmente los investigadores intentaran averiguar si la mujer que había estado con Sokolov había viajado en el avión. Primero descartarían a amigos, conocidos, clientes y empleados del hotel, pero luego volverían a buscar en el vuelo. ¿Quién se había sentado con él? ¿A quién había visto? Preguntarían a la tripulación

—¡le preguntarían a ella!— si reconocía a la persona que aparecía en las imágenes junto al muerto. ¿Qué acabaría delatándola al final? ¿El pañuelo? ¿Las gafas? ¿La pronunciada inclinación de su nariz aguileña?

Se dijo a sí misma que por la mañana llamaría a Derek Mayes y le diría que sí, que necesitaba a esa abogada llamada Ani, que iba a llamarla pero que no estaría de más si Derek también lo hacía. Demasiado para la manicura. Se compraría tiritas y contrataría a una abogada. Había llegado el momento.

Por la mañana, llamó a la oficina de Unisphere en Dubái. Eran las siete de la mañana en Nueva York, las tres allí. En su mente vio todos esos vestíbulos de hoteles y pasillos de aeropuertos que utilizaban esos relojes antiguos para dar la hora en, por ejemplo, Tokio, Moscú y Los Ángeles. Su plan, todo el que tenía, era averiguar en primer lugar si la mujer trabajaba en realidad allí. Si era así, Cassie pediría hablar con ella afirmando ser una expatriada estadounidense que estaba pensando en trasladar algunos activos allí y quería concertar una cita. La empleada o bien aceptaría reunirse con ella si era una especie de administradora de dinero, o bien la dirigiría a la persona correcta si no lo era. Planeó presentarse como Jane Brown porque de niña un día había buscado el apellido de su familia en la guía telefónica de Kentucky, deseosa de verlo impreso, y había encontrado columnas y columnas de Brown.

La recepcionista hablaba inglés sin rastro de acento alguno y Cassie preguntó por Miranda.

—Miranda —repitió la mujer claramente esperando a que Cassie le diera un apellido. No lo hizo. Se lo esperaba. La recepcionista continuó—: ¿Y cuál es el apellido de Miranda, por favor?

—Sinceramente, no estoy segura. Nos conocimos en una cena el pasado fin de semana.

—Esta es una oficina pequeña, creo que no tenemos a ninguna Miranda aquí —continuó—. ¿Es posible que trabaje para otra empresa?

—Puede ser —afirmó Cassie y luego colgó el teléfono lo más rápido que pudo.

Mientras Ani Mouradian la acompañaba desde el vestíbulo hasta una sala de reuniones, Cassie se preguntó cómo diablos pensaba Derek Mayes que podía permitirse una abogada como esa. Estaba en mitad del edificio Seagram, un ícono de Park Avenue entre la 52 y la 53. No sabía si reír o llorar. Una parte de ella veía la ubicación de la empresa de Ani como otra horrible broma que le estaba gastando el universo: mandar a la hija de un borracho, la cual también bebía mucho, a un edificio que llevaba el nombre de un reconocido destilador. El área de la recepción no tenía ventanas, pero los sofás eran mullidos y lujosos y los paneles de madera eran de un oscuro color caoba que pertenecía a una biblioteca británica o a un club universitario. Casi podía verse reflejada en el barniz. La empresa tenía la esquina noroeste; sin embargo, la mayoría de las oficinas junto a las paredes exteriores estaban inundadas por la luz de la mañana veraniega.

—¿Cuánta gente trabaja aquí? —le preguntó a Ani.

—No somos muy grandes. Creo que, contando a los asistentes legales y jurídicos, seremos unos sesenta.

—Sabes que yo soy solo una azafata.

—¿Qué quieres decir con eso?

—Que probablemente no pueda permitirme contratarte. No sé qué estaba pensando Derek.

—Todos piensan que tu vida es muy glamurosa —comentó la abogada mientras la llevaba a una pequeña sala de conferencias y cerraba la puerta tras ella. La mesa era redonda y moderna y cabrían unas cuatro personas. Las paredes tenían estanterías blancas llenas de libros de derecho—. Pero yo sé la verdad. Derek Mayes es mi tío. Por favor, siéntate.

Lo hizo. Ani tomó la silla que había a su lado. Cassie supuso que Ani tendría unos diez años menos que ella. Parte de ella se sintió aliviada porque supuso que una persona joven tendría una tarifa horaria más reducida, sin embargo, otra parte de ella se preocupó porque pensó que necesitaría toda la ayuda y experiencia que pudiera conseguir. Sabía que prefería los pilotos mayores a los más jóvenes. Un piloto nuevo era tan competente como uno experimentado cuando un vuelo transcurría sin incidentes. Pero cuando algo salía terriblemente mal —cuando los motores se paraban mientras descendías durante una tormenta de nieve, cuando los pájaros obstruían los motores al despegar— querías toda la experiencia posible. Todos los que habían ido en el vuelo 1549 de US Airways sabían que si habían aterrizado de manera segura en el río Hudson una tarde de enero de 2009 había sido porque el piloto, Sully Sullenberger, era un impávido expiloto de combate que estaba a punto de cumplir cincuenta y ocho años cuando el impacto de un pájaro inutilizó los dos motores del avión. El tipo tenía el pelo blanco. Llevaba años y años —y años— en el aire.

—¿Seguro que no quieres un café? —le preguntó Ani.

—Seguro. Tu recepcionista ya me lo ha ofrecido. Estoy bien.

—¿Qué te ha pasado en la mano?

—Se me cayó una copa, no es gran cosa.

Ani sonrió enigmáticamente y Cassie no pudo leer la expresión de su rostro. ¿Acaso no le creía? La abogada tenía el pelo castaño oscuro hasta los hombros, los ojos oscuros y las cejas también oscuras y finas como si se las hubiera dibujado con un lápiz. Era esbelta —casi delgada— y vestía con un impecable traje gris hecho a medida. Llevaba una blusa de un conservador tono rosa.

—Pues aquí hacemos muchas cosas. Algunos nos especializamos en legislación laboral. Derechos laborales y negociación colectiva.

—Tenéis una buena oficina para ser un grupo de abogados sindicales.

Ani rio entre dientes.

—¿Qué te hace pensar que representamos a los sindicatos?

—Bueno, tu tío...

—Te estoy tomando el pelo —la interrumpió Ani—. Pero, sí, la empresa gana considerablemente mucho más dinero representando a las quinientas empresas que aparecen en la revista *Fortune*. Una gran parte de mis horas facturables vienen de una empresa petrolífera. También hacemos a veces de abogados criminalistas, sobre todo para delitos de guante blanco. Tengo entendido que mi tío cree que podrías necesitar un poco de ayuda.

Cassie se preguntó cuánto sabría realmente su tío. Tenía la sensación de que sospechaba algo más de lo que le había dicho en el desayuno.

—Pues sí.

—Continúa.

—Tengo curiosidad, ¿qué área de tu experiencia pensó que necesitaba?

—No tengo ni idea —contestó ella negando con la cabeza—. Mi tío reparte mis tarjetas de presentación como si fuera el conejito de Pascua repartiendo chucherías. Soy la hija que nunca tuvo. Me has llamado esta mañana, empecemos por ahí.

Cassie se miró las tiritas que tenía en la mano izquierda. Tenía cinco repartidas entre los dos cortes. ¿La hacían parecer desgraciada o inepta?

—Probablemente asumes que tengo algún problema laboral con la aerolínea.

—No asumo nada.

—¿Tu tío te ha hablado del FBI?

—Me ha dicho que se reunieron con todos los tripulantes cuando aterrizó el vuelo en el que ibas. Eso es todo.

Miró los libros por encima del hombro de Ani. Eran preciosos, encuadernados con el color de una silla de montar, con letras doradas con charreteras de general. Sabía que en su interior habría páginas y páginas que probablemente podrían sustituir las pastillas de melatonina que se tomaba ocasionalmente cuando tenía que combatir el *jet lag*. Tras ella, al otro lado de la puerta, era consciente de que se estaba produciendo una conversación aparentemente lejana. Escuchó lo que ceyó que era una fotocopiadora. Pensó en las dos fotos que había publicadas y se acordó una vez más del cuerpo de Sokolov en la cama. Lo vio desde el punto de vista de las cortinas del hotel mientras se hundía, con toda la resaca, en el suelo alfombrado. Esta era probablemente su última oportunidad. Entonces empezó a hablar:

—Te he llamado porque el otro día me desperté en una habitación de hotel muy lejos de aquí y el hombre que estaba a mi lado estaba muerto. —Así de sencillo.

Ani enarcó una de sus inmaculadas cejas, pero no dijo nada. Cassie volvió al principio, empezando por el vuelo de París a Dubái la semana anterior cuando conoció a Sokolov y acabó con la copa de vino rota de la noche anterior en una bañera de Murray Hill. Le habló de Miranda. Le mostró las dos imágenes de la cámara de seguridad que había encontrado en una noticia de Dubái con el móvil. Admitió que intentó limpiar sus huellas de la suite lo mejor que pudo antes de marcharse, pero le dijo que se había dejado el pintalabios y un bálsamo labial en una de las habitaciones. De vez en cuando, Ani la interrumpía con alguna pregunta, aunque ninguna de ellas parecía emitir ningún juicio y a veces le pedía que hiciera una pausa mientras anotaba algo más largo en el bloc de notas amarillo que tenía en el regazo. Cuando Cassie terminó, le dijo:

—Honestamente, no sabría decirte en cuántos problemas estás metida ahora mismo. Y trabajo suponiendo que no mataste a este hombre.

—Correcto. Bueno, prácticamente correcto. Estoy bastante segura de que no lo maté, pero no al cien por cien.

—¿No estás al cien por cien segura? —preguntó Ani con una evidente expresión de sorpresa en el rostro.

—Eso es. No puedo estar completamente segura —admitió Cassie. Luego le explicó su tendencia a beber e, incluso, en ocasiones, a sucumbir (o probablemente a cortejar) la tierra de nadie en la que la memoria no existía—. Y luego estaba la botella —añadió cuando terminó.

—¿La botella?

—Por la mañana encontré una botella rota de vodka Stolichnaya. Recuerdo vagamente cuando la rompimos la noche anterior. Era el vodka que había traído Miranda. Alex tenía problemas con el tapón. De cualquier modo, los hombros (ya sabes, está el cuello de la botella y después los hombros) estaban intactos. Más o menos. La parte de arriba de la botella era como un arma y estaba junto a la cama. Recogí todos los fragmentos que encontré y los tiré después, lejos del hotel.

—¿Me estás diciendo que puede que podrías haberlo matado tú? ¿Que es posible que usaras la botella como arma y le cortaras el cuello? —Hablaba con la voz plana, sin ningún tono en especial.

—Ese es el tema —murmuró Cassie. Recordó que cuando la gente tenía algo completamente ridículo que explicar, solía comenzar con «es complicado». Se consoló con el hecho de no haber empezado con esas dos palabras—. No soy violenta cuando tengo un *blackout*. Nunca me han dicho que le haya hecho daño a nadie. Puede que haga estupideces y ponga en riesgo mi propia vida, pero no ataco a la gente. Si en algún momento de la noche Alex hubiera intentado practicar sexo conmigo de nuevo, no creo que lo hubiera detenido. Probablemente, me haya pasado antes. Es decir, sé que me ha pasado.

—¿Que algún hombre practique sexo contigo sin tu consentimiento?

Cassie asintió.

—Mira, sé que no es una zona gris. Solo sé que, cuando estoy muy borracha, no soy muy propensa a decir que no. O, lamento decirlo, no me importa.

—Tienes razón, no es una zona gris. Es violación.

—Pero no creo que Alex hubiera intentado violarme. O estaba tan borracha que no me di ni cuenta...

—¡Eso no es consentimiento, Cassie!

—Déjame terminar. Por favor. O bien estaba tan borracha que no me di ni cuenta o bien estaba feliz con lo que fuera que estuviera pasando. Pero si le hubiera pedido a Alex que parara, creo que lo hubiera hecho, créeme. Era un tipo muy amable, es decir, me lavó el pelo en la ducha. ¿Por qué iba a agarrar la botella rota y pelearme con él?

—¿Es posible que lo mataras mientras dormía? ¿Ahí es adonde quieres llegar con todo esto?

—Es posible, pero...

—Pero...

—Pero no lo creo —afirmó Cassie—. Yo no soy así. He pensado mucho en esto desde que sucedió. Y...

—Continúa.

—Y pensé que me marchaba. Tengo bastante vívido el recuerdo de marcharme.

—¿De salir de la habitación del hotel?

—Sí, de la suite.

—Pero te despertaste a su lado en la cama.

—Cuando tengo un *blackout*, hay lagunas. Al principio pensé en marcharme con Miranda. Volver al hotel de la aerolínea. Es decir, yo estaba vestida cuando Miranda estaba allí, evidentemente.

—Evidentemente —repitió Ani, aunque su voz estaba teñida de sarcasmo.

—Pero no me marché. Miranda se fue y yo no me fui con ella. Me quedé. Y Alex y yo nos metimos en el dormitorio e hicimos el amor de nuevo. Sin embargo, después de eso, me volví a vestir. Sé que lo hice. O estoy casi segura de haberlo hecho. Tengo el recuerdo de estar en la puerta de la habitación del hotel despidiéndome de él. De verdad.

—Solo para confirmar, ¿estabas allí cuando él rompió la botella de vodka?

—Sí.

—Entonces, ¿crees que podría haber sido esa tal Miranda?

—¿La que lo mató? Se me ha pasado por la cabeza —admitió Cassie—. Es la primera vez que cuento todo esto, así que prácticamente estoy pensando en voz alta. Supongo que es posible. Me marché, Miranda volvió a entrar y luego yo volví.

—¿Y estabas tan borracha que no te diste cuenta de que Alex estaba muerto?

—Es posible. La habitación estaba a oscuras.

—Cuando Miranda llegó a la suite, ¿llamó a la puerta?

—Sí. ¿Por qué?

—Me preguntaba si tenía llave. Pero aunque no la tuviera, podría haberla robado mientras estabais los tres bebiendo juntos.

Cassie no había pensado en eso, pero sin duda explicaría cómo alguien podría haber entrado en la habitación.

—Pero —continuó Ani—, si Alex sabe que es Miranda, no la necesita. Simplemente la deja entrar. ¿Cuánto tiempo crees que estuviste fuera?

—Ni idea. Y eso en caso de que me marchara.

—¿Por qué ibas a volver?

—Probablemente se me olvidó algo en la habitación y fui a recuperarlo. Me ha pasado antes.

Ani miró sus notas y añadió:

—También es posible que fuera un trabajador del hotel, o alguien que conociera a un trabajador del hotel.

—Sí, estoy de acuerdo en esa posibilidad.

—Y aunque personalmente no tengo ni idea de cómo entrar en una habitación de hotel cerrada con llave, seguro que hay algún modo de hacerlo.

—Supongo.

—El chico te contó que antes trabajaba para Goldman Sachs y ahora tenía un fondo de cobertura. ¿Qué más te contó sobre su trabajo?

—Nada.

—¿Por qué estaba en Dubái?

—Tenía reuniones —respondió Cassie.

—¿Sobre qué?

—No lo dijo. Lo único que sé es lo que he leído en Internet, y tampoco ha sido gran cosa.

La abogada se inclinó.

—Era un chico. Un chico joven. De mi edad. Cuando los chicos de mi edad intentan ligar conmigo siempre hablan de trabajo. Se hacen los machos alfa para demostrar lo importantes que son. Piensa bien, seguro que te dijo algo.

—La verdad es que no.

—¿Y no le preguntaste?

—No.

—Bueno, el hecho de que no hablara de su trabajo también es revelador. Tal vez sugiere que tenía algo que ocultar.

—Puede ser, tu tío creía que era espía de algún país.

Ani sonrió.

—A mi tío le encantan las historias de espías. Entonces, dime, ¿de qué hablasteis?

—Hablamos de mi trabajo. Parecía muy interesado en lo que hacía. En volar. La locura de los pasajeros. Parecía disfrutar de las historias.

—¿Qué más?

—Hablamos de crecer en Kentucky y en Virginia. Hablamos de comida. Hablamos de bebida. Pero...

—Sigue.

—Nos emborrachamos los dos bastante pronto. No es que no fuéramos resistentes al alcohol, es que bebimos muchísimo —explicó Cassie. Sonaba tan escuálida y confesional como siempre.

—¿Y qué hay de cuando llegó Miranda? ¿De qué hablasteis los tres?

—No lo recuerdo demasiado. Ya era tarde.

—¿Por qué crees que fue allí?

—¿Cuando vino la primera vez? Supuse que ella y Alex trabajarían juntos o que Alex gestionaba su dinero. Supuse que eran amigos.

—Disculpa, pero ¿qué tipo de amigos? ¿Amantes? ¿Examantes?

Cassie bajó la mirada a la mesa durante un momento mientras respondía, porque cada vez era más difícil mantener el contacto visual con la abogada.

—Eso pensé al principio. Creía que había venido para practicar sexo con nosotros.

—Los tres —dijo Ani tranquilamente.

—Supongo.

—Pero no lo hicisteis.

—No, no surgió. Trajo aquella botella de vodka, todos bebimos un poco y sobre todo estuvieron hablando ellos dos. Yo no presté mucha atención.

—¿Hablaron de su trabajo? ¿Del trabajo de Miranda?

—Recuerdo algo sobre una reunión que tenían los dos la mañana siguiente. Eso es todo. A última hora de la mañana, creo. Habría más gente en la reunión.

—¿Quiénes?

—Los inversores dubaitíes del fondo, supongo. Creo que era en el centro, pero también tuve la sensación de que realmente no se conocían muy bien. Es posible que fuera la primera vez que se vieran. Creo que era la hija de alguien.

—Alguien que él conocía.

—O alguien importante en su vida en alguna parte. Pero puedo decirte que esta mañana he descubierto que, si trabaja para Unisphere, no es en la oficina de Dubái.

—¿Y eso cómo lo sabes?

—He llamado.

—A Dubái.

—Sí —respondió Cassie y relató su breve conversación con la recepcionista.

Ani suspiró profunda, épicamente. Cassie conocía bien esa exhalación, era el suspiro del juicio.

—Vale —dijo finalmente—. La buena noticia es que el crimen ocurrió en los Emiratos Árabes Unidos y que Estados Unidos no tiene tratado de extradición con ellos. Los Emiratos tendrían que llevarte de vuelta con una citación judicial, una comisión rogatoria o el equivalente de los Emiratos a una comisión rogatoria. Y eso tiene que pasar por los tribunales y puede llevar años.

Cassie sintió una oleada de alivio y la emoción debió reflejarse en su cara porque instantáneamente Ani levantó un dedo para evitar que se emocionara demasiado.

—Pero eso no significa que estés libre en casa. Existe una enmienda a la ley estadounidense que permite extraditar a una persona que haya cometido un delito contra un ciudadano estadounidense en el extranjero. Quiero comprobar si un ciudadano estadounidense está exento de la extradición.

—Si ese es el caso, ¿estoy bien?

—Puede, pero hay otras cuestiones en juego. Incluso aunque Estados Unidos no te enviara de vuelta a Dubái, la familia de Sokolov podría perseguirte en un tribunal civil, podrían demandarte por homicidio involuntario. Piensa en O. J. Simpson. El tribunal penal lo absolvió. El tribunal civil lo responsabilizó y tuvo que pagar una sentencia de más de treinta millones de dólares.

—¡Madre mía!

—Las familias no consiguieron acercarse a eso. He escuchado que acabaron tal vez con medio millón.

—Aun así, no tengo nada. Lo único que tengo es mi apartamento.

—Ya es algo. Pero puede que nada de esto importe. Por otra parte, en cuanto a esas fotos tuyas, cualquier día aparecerán en los medios estadounidenses. Y poco después, estarás, por decirlo de algún modo, expuesta.

—¿Tanto se me reconoce en las fotos?

—No lo sé. Tendría que ver una ampliación. Tendría que ver las originales. Pero, por lo que me has contado, alguien de los que iba en el avión contigo, algún miembro de la tripulación, hará la conexión de que podrías ser tú. También lo hará el FBI. ¿Qué planes tienes para hoy y para mañana?

—Se supone que he de volar a Roma esta noche.

—¿A Dubái no?

—No.

—Bien, no vuelvas nunca allí.

—No tenía pensado hacerlo.

—Lo digo en serio.

—Lo entiendo.

—¿Y después de Roma? —preguntó Ani.

—Vuelo aquí de nuevo. Llegamos a Italia mañana por la mañana, martes, pasamos la noche en la ciudad y volvemos a Estados Unidos el miércoles, justo antes del almuerzo. Estaremos allí poco más de veinticuatro horas.

—Es bastante cómodo en comparación con lo que soportan algunos azafatos.

Cassie se encogió de hombros.

—Ya estuve un tiempo en regionales. Llevo muchos años en esto.

—Sí, conozco las costumbres, sé cómo funciona.

—Todavía no hemos hablado de cómo voy a pagarte.

Ani dejó la libreta amarilla sobre la mesa y se inclinó hacia adelante. Miró a Cassie con amabilidad y le dijo:

—Mira, sé que todavía no es el momento de quemar el carbono...

—¿Quemar el carbono? —preguntó Cassie interrumpiendo a la abogada.

—Es solo una expresión. ¿Sabes lo que es el papel carbón?

—Claro.

—En realidad nunca lo he visto. Pero trabajo con extranjeros en servicios exteriores o en la CIA y tienen un dicho: cuando el mundo se estaba desmoronando por completo y la embajada estaba siendo invadida, era el momento de quemar el carbono. Para asegurarse de que los soviéticos o los yihadistas o quienquiera que fuera no obtuviera los secretos de Estado. De todos modos, todavía no ha llegado el momento de quemar el carbono, ¿vale? Así que, respira.

—¿Y cómo te pago?

—Tengo la sensación de que el miércoles cuando llegues a casa puede lloverte mierda por todas partes. No la mierda que requiere quemar el carbono, pero podría ser... preocupante. Por lo tanto, quiero que sigas adelante y vueles a Roma porque quiero asegurarme de que sigues a buenas con la aerolínea y porque quiero asegurarme de que no te comportas de algún modo que sugiera culpa. Lo siento, no hay otro modo. La existencia de esas imágenes de las cámaras de vigilancia ayudarán a que esta historia aparezca en los medios sensacionalistas estadounidenses. Estate atenta. Puede ser ya mañana o pasado. La policía de Dubái conseguirá mejores fotos tuyas (fotos en la que se te vea bien) del Royal Phoenician y preguntará por ahí. Les enseñarán las fotos a los botones, los azafatos y todos los que trabajan en las tiendas de regalos y les preguntarán si vieron a esa mujer con Alex Sokolov. No tengo ni idea de si este Sokolov podría haber sido un espía de la CIA o un espía ruso o lo que sea. No importa. Puede que simplemente su familia esté muy bien relacionada. Aun así, estoy bastante segura de que el FBI querrá volver a hablar contigo y de que esta historia tiene para largo.

—Ya veo.

—Pero aquí van las buenas noticias. Estoy bastante segura de que mi bufete te representará pro bono. Eres atractiva y tienes un trabajo que la mayoría todavía considera (sé que erróneamente) que es sexy. No me gusta decir que somos unos morbosos con los medios, pero lo somos. Lo somos de verdad. Hace tiempo este sitio tenía mucha clase, pero ya no. Podemos ayudarte a prevenir la extradición, si es que llegamos a eso, que lo dudo. Podemos ayudar incluso si es un caso civil, lo cual es un poco más probable, pero aun así no es algo por lo que obsesionarse de momento. Y podemos ayudarte si alguna vez la aerolínea te causa inconvenientes.

—No había pensado en eso.

—¿En la aerolínea? Podría ser un gran problema, pero tengo la sensación de que el sindicato te respaldará si eso llega a suceder. Y nosotros también.

—¿Y lo haríais solo por la prensa?

—Por la prensa gratuita. *Gratis* es la palabra clave. Puede que ya no seamos tan selectos, pero tampoco vamos a pagar por poner publicidad en el metro.

Cuando acabaron, Ani la acompañó hasta el ascensor. Casi fue a estrecharle la mano a la abogada, pero en lugar de eso, ella la abrazó y Cassie quiso llorar de gratitud por dentro.

La mayoría de las veces, las aerolíneas reservaban las noches que pasaban en los aeropuertos de Long Island en los hoteles de Long Island. Si solo tenían doce horas, no tenía sentido ir a Manhattan, sobre todo porque el alojamiento allí rara vez venía con la furgoneta de cortesía; los aeropuertos estaban muy lejos y el tráfico era demasiado impredecible.

Pero no siempre. Si la noche era lo bastante larga, incluso las empresas de transporte estadounidenses enviaban a sus tripulaciones al centro de la ciudad y les proporcionaban una furgoneta para ir y volver del aeropuerto. La mayoría de los transportistas extranjeros lo hacían. Era un beneficio civilizado para la tripulación el hecho de pasar la noche a pocas manzanas de Times Square o a un viaje en metro de Greenwich Village en lugar de dormir en una habitación con vistas a la pista número cuatro.

Cassie se sabía de memoria las salidas de la mayoría de los vuelos del JFK al extranjero, sabía incluso qué secuencias nacionales eran más probables que tuvieran una escala lo bastante larga como para quedarse en el centro de la ciudad. Y sabía que, a menudo, la aerolínea usaba el Dickinson, en Lexington y la 49. Así que siempre que podía, tomaba el metro desde su apartamento a tres paradas al norte para llegar hasta el hotel e ir con la tripulación de algún vuelo al aeropuerto. ¿La alternativa? Bajarse en Grand Central y tomar el bus hasta el aeropuerto. El bus del aeropuerto solo le costaba diez dólares con el descuento de la aerolínea, que era más o menos lo que podía pagar. Pero en verano sudaba como si corriera un maratón

—el uniforme de poliéster no ayudaba nada— y el maquillaje se le derretía de camino al aeropuerto. En invierno, se congelaba o se le mojaba la maleta o la ropa con sal y nieve a medio derretir. Había otros azafatos que pensaban que estaba loca por vivir en Manhattan cuando tenía la base en JFK, pero Manhattan era todo lo que no era la casa de su niñez en Kentucky. Nunca renunciaría a ese apartamento. Nunca. Además, conocía a muchos azafatos que desperdiciarían un valioso día libre o se levantarían pronto para viajar desde Búfalo, Boston o Detroit hasta su base —incluyendo a Megan que vivía en D. C.— y luego pasar la mitad del día o toda la noche en un sórdido colchón cerca del aeropuerto. Una vez había vivido en una cama así, en la litera de debajo de un dormitorio en una casa destartalada en Ozone Park, en Queens. Había al menos otra docena de asistentes de vuelo viviendo allí o, para ser precisos, más que vivir se dejaban caer algunas noches, días u horas al mes.

Ese día no perdió el tiempo en la manicura, después de haber pasado gran parte de la mañana con la abogada. Pero el metro se retrasó y la multitud en el andén aumentó mientras esperaba allí, con la maleta en una mano y el móvil en la otra. No era hora punta, por lo que todavía no habían descendido a los túneles las hordas de personas que salían del New York Life Building, pero aun así había mucha gente porque era Manhattan. Y cuando llevaba allí casi diez minutos, la claustrofobia fue reemplazada por algo más profundo: ansiedad. Empezó a hacer un inventario de la gente que la rodeaba. Había madres jóvenes con sus hijos pequeños, estudiantes de secundaria y universitarios, oficinistas, obreros y todo tipo de hombres y mujeres. Era solo otra amalgama veraniega de jóvenes y ancianos, un conjunto de rostros sin sonrisas con polos y vestidos de verano cubiertos por blazers, sudaderas y camisetas de equipos deportivos locales.

Pero ella tenía la sensación, real o imaginaria, de que entre esa multitud había alguien que estaba allí solo por ella. De que había alguien vigilándola. Podía decirse a sí misma que era mera paranoia, algo absolutamente comprensible después de lo que había visto en Dubái. Tal vez fuera un truco mental inevitable y mezquino.

Aun así, no podía evitar tener esa sensación. Era una mujer y había pasado bastante tiempo sola en las plataformas del metro o en las calles a altas horas de la noche como para saber cuándo algo iba mal. Cuándo se acercaba alguien sospechoso. Cuándo era el momento de moverse y de hacerlo rápido.

Y así lo hizo. Se guardó el móvil en el bolso, agarró el asa de la maleta y comenzó a abrirse paso entre la multitud, con la cabeza en alto y alerta, buscando a esa persona que la vigilaba y la conocía y....

¿Y qué? ¿De verdad alguien iba a atacarla?

No podía decirlo con seguridad. Quizá solo la estuvieran observando. Quizá se estaba montando una película en su cabeza. Pero no iba a arriesgarse.

Mientras se esforzaba por pasar con la maleta por las barras giratorias, miró hacia atrás para ver si alguien más trataba de abrirse camino por la plataforma. Lo comprobó de nuevo mientras subía la maleta por las escaleras. Pero no había llegado ningún tren a la estación por lo que estuvo sola mientras se dirigía de nuevo a la luz de la calle. Había un taxi cruzando Park Avenue en dirección norte y reduciendo la velocidad por el semáforo en rojo de la esquina. No tenía pasajeros, así que corrió hacia él y se subió por el lado de la calle.

—Al Dickinson, por favor —le dijo al conductor y miró hacia la entrada del metro mientras la luz cambiaba y el vehículo se dirigía hacia el norte. Entonces, saliendo a la calle, vio a una figura solitaria con gafas de sol y una gorra de béisbol negra con la visera bajada. Un hombre. No pudo verle la cara, ya estaban demasiado lejos. Pero parecía estar buscando por la acera y luego su mirada se detuvo en el taxi.

Se dijo a sí misma que no era nada, que era casualidad que alguien más hubiera perdido la paciencia y hubiera decidido ir andando o en taxi en lugar de esperar al próximo tren.

Pero no se lo creyó.

En cuanto llegó al Dickinson, la furgoneta de su aerolínea se había marchado. No habían pasado ni cinco minutos.

Por suerte, los de la aerolínea Lufthansa también usaban el Dickinson. Entonces, como ya había hecho tres o cuatro veces en el pasado, le dio un billete al conductor de la furgoneta y se paseó entre la tripulación alemana que estaba a punto de salir.

Fue bastante incómodo. Los pilotos la ignoraron y los azafatos se susurraron gracietas a su costa, pero a nadie le importó realmente. La mayoría lo entendió porque sus salarios eran tan escasos como el de ella. ¿Llevar al aeropuerto a una compañera de profesión? En realidad no era gran cosa. Aun así, miró por la ventana, en parte esperando ver a un hombre sin rostro con una gorra de béisbol en la acera sacándole fotos con el móvil en la camioneta. Cuando salieron del intermitente tráfico de Manhattan, se puso a leer el libro de Tolstói que había traído con ella e intentó no sentir demasiada envidia por no ser parte del grupo. Trató de no tener pensamientos paranoicos, pero estaba segura de que había oído a una mujer decirle a otra algo sobre Dubái. Escuchó múltiples veces la sílaba *mord* y cuando lo buscó con el móvil en el traductor de Google vio lo que significaba; lo que había sospechado: *asesinato*. Pero se dijo a sí misma que era poco probable que hubiera escuchado bien la palabra. ¿Por qué iban a estar al tanto de la muerte de Sokolov? Eso significaría que alguien de la furgoneta había volado recientemente a Dubái o que iba a hacerlo pronto.

Lo cual, por desgracia, era posible. Muy posible.

Antes de salir de su apartamento, había revisado por última vez el ordenador para ver si sus fotos del Royal Phoenician se habían vuelto virales. Al parecer, ese día, lo había comprobado cada veinte minutos mientras estaba en casa. No lo habían hecho. Al menos, no todavía. Pero sabía que Ani estaba en lo cierto y que acabarían viralizándose. Sabía que en cualquier momento recibiría un mensaje de

Megan o de Jada porque ellas también estaban siguiendo la historia, aunque, por supuesto, no por interés personal.

Respiró lenta y profundamente y consiguió convencerse de que no había nadie vigilándola en el andén del metro. Casi. Se consoló con el hecho de que ahora tenía una abogada. Definitivamente, eso hizo que se sintiera mejor. Pero mientras la camioneta avanzaba poco a poco a lo largo de la autopista de Long Island, estaba segura de que no se encontraba nada bien.

Durante un momento, se detuvo frente a la ventana y observó la luz parpadeante al borde del ala, el clásico destello de los aviones. Sacudió la cabeza para volver en sí misma antes de perderse en la lenta y rítmica luz estroboscópica. En ese vuelo le había tocado clase turista porque todavía no tenía la suficiente antigüedad como para que le tocara siempre primera clase o clase *business* para la ruta a la Ciudad Eterna. Por supuesto, muchos asistentes de vuelo preferían clase turista. Durante esos días, nadie se sentía con derecho a nada en esa clase, porque los pasajeros, sobre todo en un vuelo nocturno a Europa, eran bastante dóciles; las aerolíneas les habían quitado la idea de que tenían derechos. Además, la mayoría de la gente facturaba las maletas en vuelos internacionales, a diferencia de lo que ocurría con los nacionales, por lo que había mucho menos estrés a la hora de correr y pelearse por el espacio de los compartimentos superiores. ¿El único problema de la clase turista? No se podía ligar. Había demasiada gente, los pasillos eran demasiado estrechos y había demasiadas familias. Por supuesto, tampoco estaba de humor para coquetear. No esa noche. Quería una bebida, necesitaba una. Cuando la mayor parte de la cabina estuvo durmiendo, leyendo o viendo películas en sus portátiles y tabletas y tuvo un momento a solas en el *galley* trasero, hizo algo que casi nunca hacía: se tomó un *whisky* Cutty Sark individual vaciándolo de un trago. Después se llenó la boca de caramelos de menta, triturándolos en pedazos y usando la lengua para pasarse los fragmentos por los dientes.

Cuando aterrizaron en Roma, todavía era medianoche en Estados Unidos y no tenía correos ni mensajes alarmantes. En su mayoría tenía correos de marcas de ropa y lencería. El mundo había permanecido tranquilo.

En la furgoneta, mientras viajaba desde el aeropuerto Fiumicino hasta Roma, algunos de los miembros de la tripulación estaban haciendo planes para reunirse en el vestíbulo y caminar hasta la Plaza de España. Al parecer, esta plaza no estaba lejos del hotel y estaba cerca de una bonita zona de compras. El extra, un joven azafato al que nunca habían llamado de reserva para trabajar en esa ruta, no había estado nunca en Roma y estaba tan emocionado por estar allí que estaba organizando una visita grupal al Vaticano. Estaba tan entusiasmado y tenía tanto carisma que incluso uno de los pilotos dijo que igual se apuntaba.

—Madre mía, hace años que no voy al Vaticano —comentó el capitán. Era un hombre mayor que iba a trabajar desde West Palm Beach. Tenía el pelo plateado, como le gustaba a Cassie en los pilotos, y la piel oscura y curtida por tantos años bajo el sol de Florida—. Apúntame.

—Propongo ir también al museo —continuó el joven que había planeado el viaje. Se llamaba Jackson y había estado con ella en clase turista. Era de un pueblo pequeño de Oklahoma, cerca de la península de Texas. «Solo hay elevadores de granos, predicadores desequilibrados y gente buscando la Ruta 66», le había explicado. Tendría solo veinticuatro o veinticinco años. Era un bebé. Por sus conversaciones en el *galley* y por cómo jugaba al Apalabrados con el móvil mientras iba sentado en el asiento plegable, supuso que su infancia había sido mejor que la de ella pero, en ciertos aspectos, igual de provinciana.

—¿Sabías que hay una sala secreta en el museo que solo contiene penes de estatuas? —añadió el capitán—. Mi hija estudió en Roma durante un semestre y me ha dicho que no es una leyenda urbana.

—Sí. Creo que fue un papa el que los rompió y cubrió las estatuas con hojas de higuera —comentó otra azafata que había estado trabajando en la cabina de clase *business*. Se llamaba Erica y era abuela, pero eso era todo lo que Cassie sabía sobre ella—. Pero ¿de verdad los guardaron? Eso no lo había oído. Vaya. ¿Quién iba a decirlo?

—Vale, tengo una misión en la vida. Probablemente devolverles a los hombres de mármol sus partes íntimas esté por encima de mi salario, pero algún día veré esa sala.

—Imaginad: el Vaticano tiene secretos —comentó Cassie. Llevaba un rato sin hablar y el buen humor de la camioneta le pareció contagioso. Aunque su alegría duró poco.

—Sí, imagináoslo —añadió Erica—. Por Dios, todo el mundo tiene secretos. Todos tenemos secretos. ¿Por qué el Vaticano habría de ser diferente? Una amiga mía trabajó en un vuelo de París a Dubái la semana pasada, cuando aterrizaron en el JFK al final de la secuencia, el FBI estaba esperando a la tripulación. ¿Por qué? ¡Porque un chico que iba en el avión hacia Dubái había sido asesinado en su puta habitación de hotel!

—No lo entiendo —intervino Jackson—. Si al pasajero lo mataron en Dubái, ¿por qué el FBI quería hablar con la tripulación?

—Bueno, se dice que fue solo un robo que salió mal, pero mi amiga no lo cree así. Ni por asomo. El FBI le preguntó a los azafatos si habían visto algo raro en su portátil o si se habían fijado en algún papel que tuviera sobre la mesa o si había dicho algo que pudiera serles útil. Ella cree que el tipo podría ser un espía o que alguno de los otros azafatos lo es. De la CIA, el KGB o algo así. A eso me refiero cuando digo que hay gente con secretos bastante serios.

—Una aerolínea es una gran tapadera para un espía —comentó el piloto—. Siempre lo ha sido y siempre lo será. Tienes un motivo para viajar. Es fácil (o al menos más fácil que para los demás) pasar de contrabando todo lo que has robado del Pentágono o del Kremlin de un lado a otro del planeta.

Cassie observó desde su asiento en la camioneta mientras varios miembros de la tripulación comenzaban a buscar en los móviles noticias sobre un hombre asesinado en Dubái. Se sacó las gafas de sol del bolso. Miró por la ventana deseando tener una excusa en Italia para esconderse tras un pañuelo.

Cassie decidió no unirse a la tripulación en ninguna de sus excursiones. Murmuró que no se encontraba muy bien esa tarde, pero le dijo al grupo que iría a comprar cerca del hotel para que le dijeran dónde iban a cenar por si más tarde se unía a ellos.

En el hotel no configuró ninguna alarma en el móvil ni pidió a recepción que la llamaran para despertarla, por lo que a las once de la mañana todavía estaba completamente dormida. Abrió los ojos un poco antes de las dos de la tarde, despertando con una satisfacción casi felina. Nunca dormía mejor que en las largas siestas matutinas que se echaba en Europa. Durante largo rato miró el cuadro abstracto del Coliseo que había en la pared junto a la cama y luego observó la delgada franja de luz similar a un rayo láser que salía entre las cortinas. Finalmente, su mente la llevó de vuelta a la última vez que se había despertado en una cama de hotel y empezó a sentirse mareada. Sabía que tenía que alcanzar el móvil que descansaba en la mesita de noche.

Aun así se permitió demorarse un momento más. Pensó en los gatos del refugio. Pensó en su sobrino y en su sobrina. Quería obsesionarse con aquello que amaba y con los momentos en los que no era un completo desastre.

Finalmente, estiró el brazo y agarró el teléfono. Se volvió a cubrir la cabeza con la sábana y miró la pantalla. ¿Era peor de lo que había esperado? Tal vez sí. Tal vez no. Vio que mientras había estado dormida la había llamado Frank Hammond, del FBI, y que tenía tres mensajes de Megan. Los mensajes le dijeron todo lo que necesitaba saber:

No sé dónde estás, pero he visto dos fotos en Internet. ¿Las has visto?

Llámame cuando puedas. Todavía estoy en Estados Unidos. No vuelo hasta la noche. Yo te cubro.

Supongo que estás en Europa. Llámame. Jada y Shane también han visto las fotos.

Dejó el teléfono bajo la almohada y cerró los ojos. Era interesante que Megan hubiera tenido la precaución de no enviar ningún mensaje incriminatorio o, al menos, irrevocablemente condenatorio. Lo de «yo te cubro» era lo único de todo lo que había escrito que podía ser problemático, pero Cassie había visto suficientes series legales en la televisión para saber —o al menos, para poder tranquilizarse— que un comentario así se podía interpretar de mil maneras.

Pero su implicación era clara para Cassie: Megan creía que ella era la mujer de las imágenes de la cámara de vigilancia y que probablemente hubiera pasado la noche con Sokolov, y estaba dispuesta a cubrirle las espaldas a su amiga. Estaba dispuesta a guardar el secreto de que Cassie había regresado a su hotel en Dubái pocos minutos antes de la hora en la que se suponía que debían reunirse en el vestíbulo para partir hacia el aeropuerto. Tal vez estuviera preparada para hacer incluso algo más que eso, puede que estuviera lista para ser parte de una coartada.

De cualquier modo, Cassie sabía que tenía que devolverle la llamada a Megan. Pero no estaba segura de qué hacer con Hammond. Probablemente debería llamar a Ani en su lugar. ¿No estaban para eso los abogados?

De todas formas, primero necesitaba un trago. También comer algo.

Se bajó de la cama sorprendida por lo fría que estaba su habitación y vio que la neverita de la habitación estaba vacía. No había minibar, lo que significaba que tendría que bajar. Y aunque supuso que era posible encontrarse a alguien del vuelo, pensó que sería improbable. Cuando se duchara, se vistiera y tomara el ascensor para llegar al vestíbulo se habrían marchado, si es que no lo habían hecho ya.

Cuando estuvo vestida, con el pelo seco y maquillada, se sentó en el borde de la cama y examinó la habitación del hotel. Nunca había robado nada de un hotel para quedárselo, pero a lo largo de los años se había llevado varias cosas para su hermana, su sobrino y su sobrina. A veces trataba de racionalizar los robos: el hotel era excesivamente caro, aquello era todo basura y —por supuesto— todos los demás se llevaban el jabón. Recordó haberle llevado a su hermana un precioso albornoz negro de Francia —que en realidad había robado de la cesta de la ropa sucia del carrito de la limpieza cuando estaba en el pasillo—, exóticos cojines de Vietnam, elegantes perchas de madera de San Francisco, un juego azul de café Wedgwood de Italia —que estaba en el pasillo delante de la habitación de otro huésped—, unas toallas muy mullidas de Miami y un revistero de latón de Alemania. Para los niños era más probable que robara pequeñas esculturas o cuadros o fotos, objetos pequeños pero interesantes que no estuvieran atornillados a la pared. (Cuando se llevaba una foto o una ilustración siempre la robaba en cuanto se registraba y llamaba de inmediato a recepción para informar del espacio en blanco que había sobre la cama o junto al armario). Les llevaba imágenes de faros y rascacielos y de los emblemáticos monumentos arquitectónicos de París, Sídney y Roma. En las habitaciones de hotel encontraba baratijas y pisapapeles de dragones (Hanoi), vikingos (Estocolmo) y bailarinas (Moscú).

¿Su hermana sospechaba que los regalos eran robados? Tal vez. Pero Cassie siempre insistía en que había pagado por ellos, en algunos casos juraba que esos objetos se vendían en la tienda de regalos del hotel. Siempre los limpiaba, los empaquetaba y los envolvía cuando volvía a Nueva York.

En ese momento no buscaba regalos para nadie en particular, pero vio una réplica de una famosa estatua de los gemelos Rómulo y Remo de niños alimentando al lobo que los había salvado. Estaba a un lado de la mesa, sobre el directorio de huéspedes encuadernado y una revista para turistas sobre Roma. Se dio cuenta de que una vez había sido la mitad de una pareja de sujetalibros. Se puso de pie y lo levantó. Medía unos quince centímetros de alto y quince de ancho y estaba hecho de cobre. Estaba hueco, pero lleno de arena. Su sobrino iba a entrar a sexto curso y recordaba vagamente haber estudiado mitología griega y romana a esa edad. Asociaba a Diana, la diosa romana de la caza, con la joven profesora que tenía en sexto: Diana Dezzerides. Pensó que Tim sacaría provecho de la escultura cuando le hubieran hablado correctamente de los grandes mitos. Sería un regalo de Navidad. Le diría a Rosemary que lo había descubierto en una tienda de antigüedades y que, como faltaba la mitad del juego, le había costado muy barato. La clave sería encontrar algo igual de idiosincrático para su sobrina.

La idea de meter el sujetalibros de cobre en la maleta la alteró. Lo cierto era que no robaba así para castigar al hotel o porque fuera el único modo que tenía para llevarle regalos a su familia, ni siquiera trató de convencerse a sí misma de que no era tan diferente de robar el jabón, porque sabía que lo era. Como casi todo lo que hacía, cruzaba una línea que no atravesaría la mayoría de la gente. Lo hacía porque la entusiasmaba. Era así de simple. Lo hacía porque, como tantas otras cosas que le proporcionaban felicidad, era peligroso, autodestructivo y un poco enfermizo.

El bar del hotel estaba muy tranquilo a primera hora de la tarde de un día entre semana, pero era acogedor, oscuro y cálido, sin pasarse de caluroso. La mayoría de la gente prefería beber en una *piazza* al aire libre bajo el sol, por lo que Cassie estaba prácticamente sola. Llevaba el libro con ella, aunque no era de esas mujeres solteras a las que les importaba comer o beber —sobre todo beber— sola. No llevaba el libro como accesorio o defensa contra las intrusiones. Pensó que tal vez podría ver si *La muerte de Iván Ilich* le ofrecía alguna idea espiritual sobre la muerte de Alex Sokolov. Lo dudaba, pero había leído un poco más de *La felicidad conyugal* en la habitación del hotel y había descubierto que la historia era una desviación bienvenida de la vorágine de su vida real. Empezaba a caerle bien Masha, empezaba a caerle realmente bien.

El camarero era un joven delgado con el pelo recortado y de un castaño rojizo peinado hacia atrás. Sus ojos eran como piedras lunares y el uniforme era una camisa blanca con un chaleco azul que combinaba a la perfección con sus ojos. Le sonrió y ella pidió un Negroni y se lo llevó a un reservado de cuero en la parte de atrás, en donde eligió la mesa que estaba al lado de una réplica de una escultura clásica de Mercurio y bajo una lámpara Tiffany con vidrieras. Se aseguró de que hubiera cobertura antes de acomodarse. Tomó un largo trago, saboreando el ardor de la ginebra y chupó bastante rato la cáscara de naranja. Cuando la copa estuvo medio vacía, se recostó en la silla y llamó a Megan. Su amiga respondió rápidamente.

—Mi tarifa en el extranjero está bien para enviar mensajes, pero no para hablar —le dijo a Megan—, así que hay que ir directamente al grano.

—Si tuvieras hijos pequeños tendrías una buena tarifa para hablar, pero si tuvieras adolescentes como yo, no; lo último que quieres es lidiar con los dramas de tus hijas desde el extranjero. Estamos en el mismo barco.

—Tus hijas son fantásticas.

—Son bestias hormonadas que un día me aman locamente y al siguiente quieren que me encierre en el ático.

—He leído tus mensajes. ¿Estás sola? ¿Puedes hablar?

—Sí, ahora me va bien, las bestias han salido —explicó Megan—. Mira, he visto las fotos, todos las hemos visto. Eres tú, ¿verdad?

E instantáneamente Cassie comprendió su error, no tendría que haber llamado a Megan. Solo tendría que haber llamado a Ani. Sí, ella y Megan se conocían desde hacía años, pero, al fin y al cabo, Cassie tendría que pedirle a Megan que cometiera perjurio. Sin embargo, todavía no habían llegado a ese punto, todavía estaba demasiado sobria. Pero el meollo del problema era muy simple: a Megan le había dicho una cosa en Dubái y a Derek Mayes le había dicho otra en el restaurante de Nueva York. Hasta el momento no le había dicho nada al FBI. Si iba a lograr algo en ese momento, debería ser la forma de encontrar si había algún modo de cuadrar sus dos historias y tener a Megan y a Derek en la misma página. Se tomó lo que le quedaba de Negroni y el camarero, como si tuviera telepatía, emergió de detrás de la gran y maravillosa balaustrada del bar y se quedó a su lado preguntándole si quería otra copa. Ella asintió con entusiasmo.

—¿Qué fotos? —le preguntó a Megan intentando ganar tiempo haciéndose la tonta.

—¿No las has visto? ¿De verdad que no las has visto?

—No sé de qué me estás hablando.

Cassie pudo oír su suspiro de exasperación a través del teléfono.

—En un sitio web hay dos fotos de una mujer que se parece a ti y lleva un pañuelo que podría ser el que compraste cuando aterrizamos en Dubái. En el aeropuerto. Las fotos son de aquel hotel en el que mataron al tipo del 2C. El de los fondos de cobertura. En una foto está con el chico, en la otra está sola. Jada está convencida de que eres tú. Shane no tiene ninguna duda.

—¿Y tú? —preguntó Cassie. Deseó que Alex Sokolov fuera algo más que el tipo del 2C o el chico de los fondos de cobertura. Se merecía algo mejor—. ¿Qué piensas?

—Dime, ¿estuviste con él? Sé que no lo mataste, pero ¿estuviste con él? Solo dime eso. El FBI ha estado llamando. Se supone que tengo que verlos hoy y necesito saber qué quieres que diga.

Qué quieres que diga. Las palabras resonaron en la mente de Cassie.

—Supongo que el FBI también me llamará a mí cuando vuelva —dijo en lugar de mencionar que ya tenía un mensaje de un agente. Observó al camarero preparar su bebida e intentó darle prisas. Necesitaba aumentar los analgésicos.

—Sí, supongo —afirmó Megan. Su tono mostraba tanto frustración como mofa.

—Me alegro de estar en Italia. ¿Tú dónde estás este mes?

—En Berlín. Salgo en el vuelo de las siete y media de esta noche.

—Me gusta ese vuelo.

—No estás respondiendo a mis preguntas. ¿Debo suponer algo?

—No. Por supuesto que no.

—Entonces, ¿qué pasa? ¿Qué está pasando realmente?

El camarero volvió con su bebida y cuando la dejó sobre la mesa, Cassie sintió la necesidad de extender la mano y tocarle los largos y hermosos dedos. En cambio, murmuró las gracias y quitó la rodaja de naranja del borde, dejándola sin ceremonias sobre la mesa junto a su libro de bolsillo. Se bebió casi cuatro centímetros de golpe.

—Eso es lo que quiero que hagas —dijo.

—Dime.

—Quiero que olvides que te conté que quedé con un chico en el bar del hotel de Dubái. Quiero que olvides que hablamos esa mañana en mi habitación antes de marcharnos. Hasta donde todos saben, no salí de mi habitación aquella noche. Ni siquiera pedí nada al servicio de habitaciones. Eso es todo.

Hubo una larga pausa y Cassie aprovechó la oportunidad para beber más. Tenía el estómago vacío. Sabía que pronto se encontraría mejor.

—Así que quieres que mienta —dijo Megan.

—Dudo que se llegue a ese punto.

—Se llegará.

—Entonces, sí. Por favor.

—¿Puedes decirme algo más?

—Ay, Megan, no quiero que la gente se haga una idea equivocada. Simplemente no quiero que te veas involucrada en esto. Piensa
que sí, que estuve con un chico de nuestro hotel. ¿Por qué no creer
eso?

—Porque eres una espía.

—Estás de broma, ¿no?

—No lo sé.

—Una cosa más —agregó Cassie—. No les has contado nada a
Jada ni a Shane sobre nuestra conversación en mi habitación del hotel de Dubái aquella mañana ni sobre lo que dije, ¿verdad?

—Así es.

—Vale, bien.

—Envíame tu agenda de agosto y así sabré cuándo estamos en la
misma zona horaria —le pidió Megan—. Tenemos mucho que hablar. Sería genial que pudiéramos hacerlo en persona.

—Estoy de acuerdo —aceptó Cassie—. Te enviaré mi horario.
Puede que coincidamos algún día en el JFK.

Luego le dio las gracias, profunda y sinceramente, y se llevó lo
que le quedaba de Negroni a la barra. Sabía que debería llamar a Ani
enseguida, pero no podía enfrentarse a eso. Simplemente no podía.
El camarero estaba recostado y mirando algo en su teléfono. Tenía
una insignia dorada con su nombre: Enrico.

—¿Otro? —le preguntó cuando la vio. Tenía un ligero acento
italiano.

—Sí, por favor. Lo preparas muy bien.

No recordaba la última vez que había practicado sexo estando
sobria y se preguntó cuál sería la conexión sináptica entre su cuerpo
—su imagen corporal— y el alcohol. Entre la intimidad y la intoxi-
cación. Se pasó los dedos por el pelo. Necesitaba otra copa para que
desapareciera esa gimnasia mental. Algunas vidas, incluyendo la
suya, eran mejor no examinarlas. Estaba lo bastante mareada para
desear un poco de vergüenza. Anhelaba al joven camarero.

—El Campari es un gusto adquirido —comentó él.

—Yo lo adquirí hace mucho.

—No puede ser hacer tanto.

—Te sorprenderías —contestó Cassie encogiéndose de hombros y añadió—: Tu inglés es muy bueno.

—Mi abuela es estadounidense. Y vienen muchos huéspedes de Estados Unidos.

—Dime algo, Enrico.

—Vale.

—¿Eligieron estos chalecos por tus ojos?

Él le sonrió y una esquina del labio se le elevó más que la otra. Si no hubiera sido tan joven, le habría parecido libertino. Esperó que solo trabajara hasta la cena para poder llevárselo a su habitación y aun así dormir lo suficiente por la noche.

OFICINA FEDERAL DE INVESTIGACIÓN

FD-302: MEGAN BRISCOE, AZAFATA

FECHA: 1 de agosto de 2018

MEGAN BRISCOE fue interrogada por los agentes especiales debidamente identificados NANCY SAUNDERS y EMORY LEARY en la oficina del FBI en Washington D. C.

SAUNDERS condujo el interrogatorio, LEARY tomó estas notas.

BRISCOE dijo en su primer interrogatorio (ver el FD-302 del 28 de julio en el aeropuerto JFK) que no había visto a CASSANDRA BOWDEN en Dubái más que en el trayecto en furgoneta del aeropuerto al hotel de la aerolínea. Dijo que asumía que BOWDEN había pasado la noche sola en la habitación de su hotel.

Cuando se le mostraron las dos imágenes de la cámara de vigilancia de la mujer con gafas y pañuelo en el HOTEL ROYAL PHOENICIAN contestó que sí, que podría ser BOWDEN. Corroboró lo que la azafata JADA MORRIS había dicho: que el pañuelo que llevaba la mujer de la foto se parecía al que había comprado BOWDEN cuando aterrizaron en Dubái el jueves 26 de julio.

Luego recordó haber visto a BOWDEN en el hotel de la aerolínea la mañana del viernes 27 de julio. La vio volviendo a su habitación y hablaron brevemente. En su recuerdo, BOWDEN dijo algo que le sugirió a BRISCOE que había pasado la noche con un hombre en otro hotel de Dubái.

BRISCOE afirmó que no era la primera vez que BOWDEN desaparecía cuando viajaba por trabajo. Según BRISCOE, lo hace a menudo cuando está en el extranjero. Y si bien podrían ser relaciones sexuales, BRISCOE reconoció que podría haber algo más, ya que ella nunca había conocido a ninguno de los hombres con los que supuestamente se veía BOWDEN.

Agregó que la mujer estaba distraída y molesta en la furgoneta de camino al aeropuerto de Dubái aquel viernes por la mañana y que se echó a llorar poco después de despegar. También dijo que BOWDEN había perdido el bolso en los Emiratos Árabes, pero no el pasaporte ni la cartera.

CAPÍTULO ONCE

Elena no creía seriamente que ella hubiera matado a su padre, pero de vez en cuando, sobre todo a primeras horas de la noche, se preguntaba si había sido ella la gota que colmó el vaso. Años antes, justo cuando estaba acabando el segundo curso de la universidad, su padre había sufrido lo que todos asumían que era un derrame cerebral. Sobrevivió, pero era el frágil envoltorio de lo que una vez había sido. Caminaba despacio y cojeando, el lado izquierdo del rostro se le hundía como cortinas mal amontonadas y sus palabras —cuando era capaz de encontrarlas— eran apenas comprensibles. Había volado hasta Sochi para hacerle una visita —la construcción olímpica ya había empezado, pero su finca veraniega estaba junto a un pequeño lago lejos de toda la locura— y lo había ayudado a bajar del asiento del pasajero de un BMW que él ya no podía conducir. O bien había perdido el equilibrio o bien había tropezado donde el asfalto se encontraba con el escalón de la primera losa, pero de repente estaba cayendo sobre el camino de entrada. Consiguió amortiguarle la cabeza justo antes de que se golpeara con el pavimento y, por un momento, se sintió aliviada por haber reaccionado con tanta rapidez. Pero su frágil cerebro había sufrido una sacudida dentro de su endeble cráneo. Lo supo entonces y lo confirmó a medida que avanzaba la noche. Parecía estar bien en la cena —o al menos, tan bien como lo podía estar en esa etapa de su vida, lo que significaba que hablaba en susurros babeantes y comía muy poco— pero esa misma noche, un poco más tarde, lo encontraron inconsciente en el suelo del salón. Fue su enfermero residente, un georgiano que casualmente compartía nombre con un equipo de fútbol que le gustaba a su padre. El enfermero oyó la caída, lo descubrió y llamó al piso de arriba para despertarla. Este era un amable gigantón con barba de cortina llamado Spartak. Elena había estado cabeceando en esa misma habitación en la que había vivido de adolescente durante las semanas o los fines de semana en los que la enviaban a verlo tras el divorcio de sus padres. (*Las veces* que conseguía verlo, porque lo echaba muchísimo de menos desde que sus padres se habían divorciado). Murió en el hospital unas horas después. ¿La causa de la muerte? Una hemorragia cerebral. Un vaso sanguíneo reventado. Otro. Esa vez su cerebro se había ahogado en su propia sangre.

Podría haber ocurrido momentos antes de que se desplomara en el salón. Era lo más probable. Pero tal vez no. Tal vez había sido un sangrado lento que había empezado cuando casi se había golpeado la cabeza en el camino de entrada.

Siempre había sido un padre mayor, tenía cincuenta y seis años cuando nació Elena; su madre tenía treinta y cinco. Era hija única. Sus padres se divorciaron cuando tenía ocho años y fue bastante desagradable. Su matrimonio no pudo sobrevivir a las descabelladas cantidades de dinero que había ganado cuando, como exoficial de la KGB con cajas de archivos de vigilancia a su disposición, se le había permitido comprar miles de acciones del conglomerado petrolero Yukos a una fracción de su valor real. Luego había invertido en bienes raíces en San Petersburgo, Nueva York, Doha y Dubái. Allí estaba el fondo, parte del cual había sido alimentado por bienes inmobiliarios y parte —y esto no lo creía ella— había sido robado del tesoro ruso en una compleja estafa fiscal. No lo creía porque sabía lo cerca que estaba su padre del presidente de la Federación de Rusia. Este había sido un protegido de su padre cuando ambos habían estado en el KGB. Pero había quienes insinuaban que el presidente también estaba involucrado.

Incluso años después, cuando dejó el internado suizo para ir a la universidad en Estados Unidos, sus padres todavía hablaban principalmente a través de sus pocos amigos en común. Ninguno de los dos se había vuelto a casar. Así que ella fue la única encargada de decidir qué hacer con él cuando sufrió el derrame cuando ella tenía veinte años y había quedado claro que él ya no podía vivir solo en su apartamento de Moscú ni en su dacha de Sochi. Había vuelto a casa de la escuela y se había quedado allí casi seis meses. Había traído a Spartak y él había sido maravilloso. Tal vez fuera una década mayor que ella, pero había llorado y llorado en el pequeño monumento conmemorativo para su padre junto al mar Negro que habían organizado sus conocidos en el bosque de detrás de su casa. (El funeral se celebró en Moscú y fue considerablemente más grande. No había asistido el propio presidente ruso, pero habían enviado a su personal). Spartak había llorado de un modo en el que Elena no lo había hecho. Solo lloró estando sola, en público sintió la necesidad de representar la fuerza de los Orlov. Pero sola sí que había llorado. Lo había querido tanto como una niña podía querer a su padre y a su abuelo. Lo había hecho porque él la había consentido como hija única y porque siempre había respetado su ingenio y su intelecto. Siempre había visto algo de él en ella y siempre, sin importar el motivo, hacía que se sintiera orgulloso.

Elena supo al instante por qué estaba pensando en su padre aquella noche sola en su cama en Dubái. En parte era por la situación sin salida en la que se había metido cuando había acudido por primera vez a la habitación de hotel de Sokolov. Sí, podría haber matado a él y a la azafata juntos cuando tuvo la oportunidad. Tendría que haber cogido su veintidós y haber acabado con todo. El problema había sido que, aunque Sokolov tenía que morir, la azafata no. Había mucho en juego y probablemente habría sido más racional un asesinato doble. Pero estaba claro que también habría tenido consecuencias matar a Bowden. En retrospectiva, no había ninguna solución adecuada al dilema.

Aun así, si Bowden no hubiera vuelto ahora no estaría enfrentándose a ese fiasco. Eso era un hecho. Sinceramente, no estaba segura de cuánto podría anticiparse a lo inevitable.

Además, Elena sabía que también habría consecuencias para ella —los errores rara vez se perdonaban en su línea de trabajo— y al final, la azafata podría acabar muerta de todos modos.

«Sé realista: una de las dos tiene que morir. Creo que es tu elección».

¿Su padre había sido tan despiadado como Viktor? Sin duda alguna. Es solo que ella nunca había visto esa faceta suya. Veía al padre cariñoso incapaz de negarle nada.

Aquella tarde había estado viendo noticias con el móvil y se había encontrado con el asesinato de un destacado líder de la oposición rusa en Kiev. Sabía que eso pasaría. La víctima había sido miembro del parlamento ruso antes de desertar. El asesino era un poco más joven que ella: veintisiete años. Le había disparado al político y a su guardaespaldas en medio de la calle y había desaparecido. Pero lo había reconocido un político cercano y un portavoz del Ministerio del Interior de Ucrania había alegado que era un agente ruso. El presidente ruso afirmó que eso era absurdo.

No lo era. Conocía al asesino.

Giró la almohada para colocarla del lado frío y se dio la vuelta. Ansiaba desesperadamente el refugio del sueño. Pero cada vez que la azafata se le pasaba por la mente, aterrizaba de nuevo en su padre. Lo echaba de menos. Lo extrañaba tanto como extrañaba a cualquiera. Siempre parecía pensar en él cuando le asignaban un encargo como ese. Era la primera persona a la que podía haber matado.

No, ella solo había acabado con él. Quizá ni siquiera eso.

Sabía la verdad del primer derrame. Por eso hizo lo que hizo. Por eso era quien era.

Sin embargo, los recuerdos de su padre y lo que había hecho por el hecho de ser su hija la mantuvieron dando vueltas hasta altas horas de la madrugada.

CAPÍTULO DOCE

Cassie se despertó poco antes de las cuatro de la mañana, recordó donde estaba y se acercó al lado de la cama en el que había estado Enrico. Sabía que solo encontraría sábanas vacías; hacía siete horas que se había marchado. Era poco antes de las nueve de la noche cuando estaba descansando la cabeza sobre su pecho y le dijo que estaba exhausta y que debería dormir un poco. Era tan joven que al principio no había entendido que era su forma de echarlo amablemente. Él la había atraído más hacia él. A Cassie le había tocado explicarle que prefería dormir sola (que no siempre era el caso, pero esa noche sí). Lo tranquilizó diciéndole que volvería a verlo en una semana más o menos, cuando volviera a Roma, pero en el fondo dudaba que lo hiciera. Lo más probable era que la aerolínea utilizara el mismo hotel, pero ella se mantendría alejada del bar. Ahora que estaba sobria, se preguntó qué diablos habría estado pensando al llevarse a su habitación al camarero del hotel en el que se hospedaba, pero sabía la respuesta: no estaba pensando. Iba por el tercer Negroni. En cuanto él terminó el turno y subieron a su habitación, se había tomado cinco.

Negronis en Roma. Akvavit en Estocolmo. Arak en Dubái. Su vida era una gira mundial por el alcohol.

Ojalá se hubiera llevado a Sokolov a su hotel y lo hubiera echado después. Ojalá hubiera seguido las intenciones que tenía de marcharse. En lugar de eso, había sufrido otro *blackout*. A ese punto había llegado la semana anterior.

Y había sido la semana anterior a esa. Por Dios. En algún lugar, las hienas estaban dando vueltas...

Comprendía perfectamente su reloj biológico como para saber que probablemente no se volvería a dormir, pero tardaría horas en bajar al vestíbulo. Así que se bajó de la cama, encendió la luz y sacó el albornoz del armario. No le importaba ver su cuerpo desnudo en los espejos —y esa habitación de hotel tenía muchos— pero la habitación estaba fría. El termostato digital estaba configurado en grados Celsius, así que lo subió un poco esperando no asarse.

Vio que tenía mensajes nuevos. Otra vez la abogada. Otra vez el FBI. Su hermana. Solo escuchó el de Rosemary para asegurarse de que no les hubiera pasado nada malo a sus sobrinos. No había pasado nada. Su hermana la llamaba para saludarla y recordarle que ella y su familia irían a Nueva York ese fin de semana. Quería saber si Cassie iría con ellos el sábado al zoo del Bronx y a cenar a Chinatown.

No se atrevió a escuchar los mensajes de Ani y de Frank Hammond. Pero tampoco los borró. Tal vez debería derrochar un poco y pedir que le subieran a la habitación gachas y un café irlandés. La cocina estaba abierta las veinticuatro horas. Incluso aunque no tuvieran a nadie en la cocina a esa hora que pudiera prepararle la bebida adecuadamente —la crema espesa era su parte favorita— podrían echarle un chorrito de whisky Jameson en el café. Luego, cuando hubiera reunido fuerzas, podría escuchar lo que tenían que decirle Ani y Frank y evaluar su situación.

———

Busco en Google la palabra *trauma* con la tableta, mientras comía las gachas a pequeñas cucharadas y tomaba un sorbo de café alcoholizado. Se preguntó si la gente que se despertaba junto a un cadáver seguía marcada de por vida, aunque suponía que, en el mejor de los casos, habría pocas pruebas como para sacar deducciones. Durante unos minutos, se consoló con los ensayos y trabajos de investigación que encontró que sugerían que las familias de las víctimas de asesinato a menudo necesitaban asesoramiento y medicación para superar la pérdida; se comparó con esas pobres almas, pero luego recordó a los padres de Alex e intentó imaginarse lo que estarían experimentando.

Finalmente, respiró profundo y escuchó los mensajes de Ani y de Frank Hammond. Su abogada le decía que tenía información sobre las leyes de extradición que quería compartir con ella. Por la voz de la mujer, Cassie no supo si se trataba de buenas o malas noticias. El agente del FBI le decía que estaba tirando de algunos hilos y tenía un par de preguntas rápidas; le preguntaba si podría ir al centro a la oficina de la agencia. Sonaba casual, pero ella tenía la sensación —una punzada de temor— de que se estaba haciendo el tonto. Estaba jugando con ella. Por supuesto que sospechaba que era ella la que aparecía en las imágenes de la cámara de seguridad. Y si era un seguimiento menor, ¿por qué le pedía que acudiera a la oficina en Manhattan?

Recordó aquel momento en el andén del metro el día anterior, el miedo a que alguien la estuviera siguiendo y la figura que había visto en la acera mientras su taxi se marchaba. Tal vez no hubiera sido una reacción exagerada. Puede que la vigilancia del FBI fuera así, que siempre hubiera alguien más allá de tu visión periférica. Por otra parte, el FBI sabía lo que estaba haciendo. ¿Sabía que estaba siendo observada? Probablemente no. Tal vez eso fuera la paranoia.

Aunque el sol estaba saliendo allí, todavía eran altas horas de la noche en Nueva York. Aún no podía devolverles las llamadas ni a Ani ni a Hammond. Y dado que el vuelo salía de Fiumicino a las once y cinco de la mañana, no podría llamar a ninguno hasta que el avión aterrizara en el JFK. Cuando los pasajeros desembarcaran y estuviera libre, serían alrededor de las tres y media de la tarde en la Costa Este. Así sería.

Le escribió a Ani para decirle que había escuchado el mensaje y que se pondría en contacto con ella en cuanto aterrizara en Nueva York. Añadió que Frank Hammond la había llamado dos veces, pero

que no le devolvería la llamada hasta que hablaran. Corrió las cortinas y miró por la ventana. Pudo ver a pocas manzanas de distancia
los campanarios gemelos de Trinità dei Monti, la iglesia que estaba
en lo alto de la Plaza de España. Se dio cuenta de que en cualquier
momento enterrarían a Alex Sokolov. A esas alturas su cuerpo ya debía estar de vuelta en Estados Unidos. Se preguntó quién era, quién
era realmente. Recordó la delicadeza con la que le había lavado el
pelo, masajeándole hábilmente el cuero cabelludo mientras ella se
sentaba en su regazo en aquel banco de mármol del elegante baño y
cómo esa noche le había seguido el ritmo con la bebida. Había pocos hombres que pudieran hacer eso.

Asimismo, visualizó a Miranda con aquella sonrisa serena, el recogido francés y la botella de Stoli de regalo. ¿Quién era?

Cassie se bebió lo que le quedaba de café y fantaseó con viajar a
Virginia para decirles algo a los padres de Alex. Para contarles lo mucho que lamentaba que su hijo hubiera muerto y que ella lo hubiera
dejado en la cama. También para preguntarles qué sabían sobre una
mujer llamada Miranda. Pero comprendió que no podía o, mejor
dicho, no debía. Y eso solo la hizo sentirse peor. Se dijo a sí misma
que la tristeza era parte del trauma.

Su culpa. Sí. La culpa.

Se preguntó si la gente —personas comunes, no asesinos en serie ni Tony Soprano— que se libraba de un asesinato hacía prome-
sas para ser mejor persona. ¿Prometían trabajar bien en el futuro?
¿Buscaban activamente y encontraban a Dios? ¿Acaso... expiaban
sus pecados? No estaba convencida de tener algo así en su interior.
Deseó tenerlo. Pero tampoco estaba segura de que eso importara,
porque no se había librado del cargo de asesinato: seguía creyendo,
aunque se estuviera engañando patéticamente a sí misma, que no
le había hecho nada a Alex Sokolov. Puede que nadie más se lo creyera, pero ella sí. Además, hasta el momento no se había librado de
nada. El FBI todavía quería verla. Sus fotos en el Royal Phoenician
estaban por toda Internet. Pronto sería expuesta, total e irrevocablemente.

Por la calle de debajo vio pasar una Vespa azul que conducía una joven de cabello rubio y vaqueros azules. Vio a una mujer mayor por la acera con una bolsa de lona llena; entre otros artículos, había una gran barra de pan. También observó a un camión de reparto aparcado junto a una tienda que vendía artículos de iluminación y dos hombres descargaban grandes cajas de cartón. En el edificio de apartamentos que tenía enfrente, miró a los inquilinos a través de las ventanas. Un hombre de su edad se metió la corbata en la camisa antes de tomar un sorbo de su expreso en una tacita pequeña y contempló algo que había en la encimera de la cocina. Una mujer con un blazer negro y falda se estaba secando el pelo en lo que parecía una sala de estar bastante pequeña. Otra mujer pasaba la aspiradora.

Se quitó el albornoz y se quedó largo rato desnuda frente a la ventana. Honestamente, no estaba segura de por qué. No hizo contacto visual con ninguna de las personas que había detrás de las ventanas al otro lado de la calle, y no tenía ni idea de si la habían visto o de si les importaba. Era un hotel. Probablemente presenciaban citas y exhibiciones todo el tiempo. Entonces se metió en la ducha, se secó las lágrimas de las mejillas y se limpió el cuerpo de un camarero llamado Enrico.

Más tarde, esa mañana, cuando ella y Jackson, el joven azafato de Oklahoma, estaban en la entrada del avión saludando a todos los pasajeros mientras embarcaban, él se volvió hacia ella y le dijo en voz baja:

—Tengo una gran idea.

—Soy toda oídos.

—Creo que deberíamos darles a todos los pasajeros de clase turista un alprazolam. Debería ser la política de la aerolínea. ¿Te imaginas lo fácil que sería nuestro trabajo si medicáramos a la gente adecuadamente antes de apretujarlos en esos asientos?

Cassie oyó gritar a algunos pasajeros, un grupito en las filas treinta y tres y treinta y cuatro de la sección de clase turista que tenía cuatro asientos rodeados por dos pasillos y, durante un momento, temió que alguien pudiera tener un cúter o una pistola. El pánico tenía lo que siempre había especulado que sería el terror de «el avión está descendiendo». Pero entonces, casi al mismo tiempo, sonaron los botones de llamada y vio los puntos rojos en el techo iluminándose como la rama de un árbol de Navidad y la simple sensatez de los pasajeros presionando los botones de llamada la calmó. Dejó en el suelo la gran bolsa de plástico con los artículos de servicio —el modo en que tenía la aerolínea de llamar a la basura— y corrió siete filas hacia adelante desde el *galley* trasero hasta el follón. Estaban por debajo de los tres mil metros y se suponía que todos debían abrocharse el cinturón al acercarse al JFK. A ella misma le quedaban pocos instantes antes de tener que estar atada. Jackson corría por el pasillo paralelo a ella y los dos llegaron a la fila treinta y cuatro casi al mismo tiempo. No sabía qué esperar, pero se alegró de que fueran dos y de que uno de ellos fuera un hombre.

—¡No! ¡Para! ¡Para!

Era la única frase que pudo registrar en su mente entre el griterío. Durante un momento, pensó *¿para, qué?* Pero entonces lo vio y lo supo. Allí, en el asiento D, uno de los dos asientos del medio en la sección del centro, había una señora sosteniendo a su nieto o, para ser precisos, el pequeño pene de su nieto. Lo sujetaba entre los dedos como si fuera un porro —a Cassie le pareció más una colilla—, el niño llevaba los vaqueros azules y la ropa interior por los tobillos y estaba de pie orinando en la bolsa para vómitos que ella sostenía con la otra mano.

No, no solo estaba *tratando* de orinar en la bolsa. La mayoría se salía. Sobre todo estaba rociando el respaldo del asiento 33D y el espacio entre los asientos, salpicando los brazos y las piernas de otros pasajeros. El niño parecía un camello. Tanto Cassie como Jackson le ordenaron a la mujer que detuviera al niño y luego le gritaron al niño que parara, pero era un tsunami. La abuela o no hablaba inglés o fingía no hablarlo y no le subió los pantalones al niño hasta que, sin duda alguna, hubo terminado. Los pasajeros emitieron una cacofonía de maldiciones y gruñidos, un lamento coral de disgusto. La adolescente del 33E lloraba mientras intentaba quitarse una sudadera naranja húmeda.

—¡*Puaj!* —exclamaba cada vez que exhalaba en un gemido quejumbroso, casi bíblico.

Cassie reprendió a la abuela, y le dijo que lo que había hecho era totalmente inaceptable. La anciana la ignoró, cerró la parte superior de la bolsa para el vómito y se la entregó sonriendo, como si le estuviera ofreciendo a Cassie una bolsa de panadería llena de galletas.

Cassie sabía que los periódicos publicaban las noticias en Internet mucho antes de que el propio periódico se imprimiera, así que supuso que no debería haberse sorprendido cuando vio su foto en el sitio web del *New York Post* mientras iba en el bus hacia Grand Central. Pero se sorprendió. Quería vomitar y, por un momento, temió llegar a hacerlo. Ella era la mujer misteriosa, la «viuda negra» anónima que pudo haber asesinado a un joven apuesto gestor de fondos estadounidense en Dubái. Además, alguien había hablado con los empleados del hotel y del restaurante y todos afirmaban que la mujer que habían visto con Sokolov era probablemente estadounidense. De momento, todos parecían asumir que era una estadounidense que vivía en los Emiratos Árabes Unidos. Es lo que había dicho la camarera del restaurante. Le había dicho a la policía de Dubái que Alex había dicho algo que dejaba claro que, si bien él estaba de visita en los Emiratos, la mujer que estaba con él no. Cassie no se imaginaba qué podía haber sido, pero supuso que habría sido un comentario entre ellos sobre lo bien que conocía la ciudad. Ella

CHRIS BOHJALIAN • 161

lo comentó porque llevaba un año y medio haciendo esa ruta. En cualquier caso, las autoridades de Dubái estaban rastreando a la comunidad estadounidense de la ciudad para ver quién podría haberse encontrado con él en el hotel.

Deseó que Ani le devolviera la llamada. Llamó a la abogada en cuanto entró en la terminal y le dejó un mensaje.

Pensó que ese implacable goteo era como la tortura de la gota china. Las autoridades tendrían que trabajar hacia atrás para llegar hasta ella, tendrían que detectar a todas las mujeres que ya era posible que conocieran en la ciudad y a todas las mujeres que vivían allí con las que Alex pudo haberse encontrado. Tendrían que mostrarles esas fotos a todos sus amigos y socios comerciales. Probablemente, se las enseñarían a la gente que trabajaba en Unisphere en Estados Unidos. Así que sintió que les llevaría una eternidad centrarse solamente en ella.

Pero sabía que, fuera lo que fuera, se estaba acercando.

Cuando llegó a casa, se puso en contacto finalmente con Ani. Metió la maleta en el dormitorio y se dejó caer en el sofá mirando al Empire State a través de las ventanas salpicadas de suciedad urbana y arena veraniega. Sin embargo, el cielo estaba totalmente despejado y, aunque era agosto y los días eran notablemente más cortos que un mes antes, el sol todavía estaba en lo alto.

—¿Cómo ha ido en Roma?

—Nada glamuroso. Me quedé en el hotel, no me apetecía salir. —Respiró profundamente y añadió—: He visto las fotos en la página del *New York Post*.

—Sí. Todavía no estaban en Internet cuando te llamé, pero yo también las he visto. Dudo que sea una noticia de primera plana en la edición impresa, al fin y al cabo, ocurrió en Dubái.

—Ese es el lado bueno.

—Sí, pero tengo buenas noticias.

Instantáneamente, supo lo que Ani iba a decir, cerró los ojos y se dio cuenta de que estaba llorando. De nuevo. Y no le importó. Era como si acabara de recibir una llamada del médico con los resultados de una biopsia y fuera negativa y el médico le estuviera explicando que no tenía cáncer.

—Dime.

—Es muy poco probable que te extraditen. ¿La enmienda de la que te hablé? Sí que están exentos los ciudadanos estadounidenses.

—¿Eso significa que solo podrían extraditarme a Dubái si no fuera estadounidense?

—Correcto.

—¿Y ahora qué?

—Vuelve a llamar al FBI, pero no les digas nada. Nada. Di cosas como «no me acuerdo». «Déjame que lo piense». Si insisten en verte (y puede que lo hagan) te acompañaré y entraré contigo a la reunión.

—¿Por qué iban a hacer eso?

—¿Querer verte? Creo que depende mucho de quién fuera Alex Sokolov en realidad y de lo bien conectada que esté su familia. Francamente, me sorprende bastante que el FBI parezca estar tan involucrado. He hecho los deberes y he descubierto que Dubái no necesita al FBI. No son aficionados. Saben lo que hacen.

—Vale.

—También he investigado un poco más sobre Sokolov.

Cassie sostuvo el móvil junto a la oreja con el hombro y se sonó la nariz en silencio.

—¿Y?

—Y todo sugiere que realmente era gestor de fondos de cobertura. Sí, tiene su sede en Nueva York, pero todo su dinero corre por el Caribe.

—¿Qué significa eso?

—Podría no significar nada. Podría significar cualquier cosa. Siempre que el dinero pasa por un lugar como el Gran Caimán, hay que dudar. Estados Unidos no puede rastrearlo con facilidad, o no puede rastrearlo directamente. El Departamento del Tesoro tiene algo llamado *la lista OFAC*. Es un conjunto de ciudadanos o grupos extranjeros sospechosos. Los bancos y los fondos estadounidenses no pueden aceptar dinero de ellos. Así que, si quieres trabajar con esa gente, tienes que hacerlo a través del Caribe.

—¿Así que estaba metido en algo turbio? —preguntó Cassie—. ¿El FBI cree que estaba relacionado con gente de esa lista?

—Puede ser.

—¿Por eso lo mataron?

—Bueno, no lo habrían matado por eso. Si estaba haciendo algo ilegal, creo que simplemente lo habrían arrestado.

—Entonces... ¿por qué lo mataron?

—Puede que estuviera robando —respondió Ani, y Cassie se sintió aliviada porque la abogada no hubiera empezado su respuesta, ni siquiera bromeando con la frase «asumiendo que no lo hiciste tú»—. Ya sabes... para quitárselo de en medio. O tal vez estuviera preparando algún esquema Ponzi y fue demasiado lejos. Se involucró demasiado.

—Madre mía, si nadie le cortó el cuello a Bernie Madoff, ¿por qué los inversores acabarían con el pobre Alex? En comparación, lo que él haría sería una chorrada.

—No sabemos si era una chorrada. No tenemos ni idea. Podría haber mucho dinero ruso en ese fondo. No se le roba a los rusos. Confía en mí, soy armenia. Pueden ser muy agresivos.

—Es solo que no parecía de esos.

—Cuando la gente necesita dinero o le encanta el dinero, a veces toma muy malas decisiones —le recordó a Cassie—. La familia ha publicado el primer obituario completo. Lo puedes ver en Internet. Está en el *Charlottesville Progress*. Cosas de las que me he enterado que no están en el obituario: su abuelo emigró hasta aquí desde la Unión Soviética cuando Stalin todavía era Stalin, en 1951. No estoy segura de cómo. Era soldado en la Segunda Guerra Mundial. Se labró su vida aquí. Se estableció en Virginia, se convirtió en abogado y se casó con una buena chica sureña adinerada. Ya tengo a un investigador privado trabajando, le pediré que profundice un poco más.

—¿Puedo permitirme eso?

—No, pero tampoco se pasará. Solo quiero saber un poco más sobre Alex y su familia. Ver qué tipo de intereses tenía.

—¿Intereses de negocios?

—Sí. Puede resultarnos útil descubrir exactamente lo que hay en el fondo. Pero también estaba pensando en intereses personales.

—¿Puedes decirme algo más? —preguntó Cassie.

—No, pero solo porque no hay nada más que contar en este momento.

—¿Y qué hay de Miranda?

—¿Qué pasa con ella?

—¿Has descubierto algo más sobre ella?

—¿Del tipo si trabaja realmente con Alex o si ella o su familia tienen dinero en ese fondo mágico?

—Sí.

—Unisphere Asset Management tiene unos seiscientos o setecientos empleados en Nueva York, Washington, Moscú y Dubái. No hay nadie llamado Miranda.

—¿Lo has comprobado?

—Sí, lo ha hecho mi investigador.

—¿Puede averiguar si es inversora?

—Puede, pero no confío en ello.

—¿Es posible que se inventara el nombre?

—¿Si lo mató ella? Totalmente —respondió Ani con tono decisivo—. Deberías llamar a Frank Hammond. Y después me llamas otra vez a mí. Quedemos para mañana, independientemente de si quiere volver a verte.

El día siguiente era viernes. Tenía algo el viernes. Tal vez. Repasó mentalmente su agenda intentando recordar qué era. Luego se acordó: Rosemary. Sus sobrinos. Tenía que llamar a su hermana porque ella y su familia iban a ir a Nueva York. Ella le había dicho algo sobre ir al zoo el sábado, por lo que supuso que no los vería el viernes.

—Claro —le dijo a Ani—. ¿A qué hora?

—Pásate por mi despacho a las doce y cuarto. Hay un puesto de falafel muy bueno a la vuelta de la esquina en la calle 53 y se supone que hará buen día. ¿Te gusta el falafel? Podemos comer al aire libre.

—Me parece bien —accedió sin responder realmente a la pregunta.

—Vale, pero llámame después de hablar con el FBI.

—El agente federal aéreo dijo que usted y Sokolov estuvieron hablando bastante. Se dio cuenta. —Le dijo Frank Hammond a través del teléfono.

—No me acuerdo —contestó Cassie mientras habría la maleta y empezaba a desempacar. Parte de ella sabía que no debería estar haciendo varias tareas a la vez, debería tener toda la atención puesta en el agente del FBI, pero deshacer la maleta la calmaba.

—Y los otros miembros de la tripulación han dicho que era suyo.

—¿Mío?

—Que estaba en su sección.

—Sí, eso es cierto.

—Y que ustedes dos interactuaron mucho.

—Dudo haber tenido más «interacción» con él que con cualquier otro pasajero al que estuve atendiendo —replicó. Era mentira, pero *interacción* le parecía una palabra vaga y ridícula, imposible de cuantificar. Se preguntó si la tripulación habría dado su nombre con tanto entusiasmo o si habría sido el agente federal aéreo.

Supuso que también era posible que Hammond hubiera formulado la frase de ese modo porque se estaba marcando un farol, intentaba asustarla haciéndole creer que sabía más de lo que en realidad sabía.

—Sabe a lo que me refiero —replicó él—. Hablaron. Mucho. No solo de la carta de vinos.

—Fui educada. Y él fue educado.

—Usted estaba coqueteando. Y él estaba coqueteando.

—Puede que él coqueteara un poco conmigo, pero es lo que hacen los pasajeros. Se aburren. Flirtean con nosotras durante los vuelos largos.

—Entiendo. De todos modos, me gustaría que nos reuniéramos para hablar un poco. Quiero ver si Sokolov pudo haber dicho algo que nos permita ayudar a las autoridades de Dubái. Eso es todo.

—¿Puedo llevar a mi abogada? —preguntó. Al momento deseó no haberlo hecho. ¿Y si le decía que no? Pero no lo hizo. Lanzó una blusa a la cesta de la ropa sucia.

—Está en su derecho —respondió simplemente.

—Está bien, déjeme averiguar cuándo puede mi abogada.

—Pero queremos verla mañana.

No habló precisamente con tono agresivo, pero, por primera vez, no sonó tan casual. Ya no parecía tan despreocupado. De repente, dejó de parecer una tarea rutinaria para él. Así que volvió a llamar a Ani y luego llamó de nuevo al agente y acordaron reunirse al día siguiente en las oficinas del FBI en Broadway y Worth. Dijo que estaría allí a las dos en punto.

Leyó el obituario en el periódico, y relacionó al hombre del que se hablaba con el que le había hecho el amor en Dubái.

CHARLOTTESVILLE, Alexander Peter Sokolov, de 32 años, falleció el pasado 27 de julio de 2018 mientras estaba en un viaje de negocios en Dubái, en los Emiratos Árabes Unidos. Nació el 15 de marzo de 1986 en Alexandria, Virginia. Alex, como le gustaba que lo llamaran, se graduó con la insignia Phi Beta Kappa en la Universidad de Virginia, con una doble especialización en Matemáticas y Asuntos Exteriores y luego obtuvo un Máster en Gestión Cuantitativa en la Escuela de Negocios Fuqua en la Universidad de Duke.

Ayudaba a administrar el fondo Stalwarts para Unisphere Asset Management desde su oficina de Manhattan. Le encantaba su trabajo porque le gustaban mucho los datos, pero también estaba maravillado con que su trabajo lo llevara a menudo a Rusia, a Medio Oriente y al Lejano Oriente. Era intrépido, ya fuera jugando al squash que tanto le gustaba como explorando el mundo. Pero también era un amigo y un hijo bondadoso y generoso. Le encantaban el cine y los libros, sobre todo la literatura rusa, pero más que nada le gustaba todo lo nuevo y sorprendente. Ha dejado atrás a un padre y a una madre afligidos, Gregory y Harper, así como una extensa familia de tíos y primos que lo echarán muchísimo de menos.

El funeral tendría lugar dos días después, el sábado, en una iglesia presbiteriana de Charlottesville. Se la imaginó abarrotada con los compañeros de clase de Alex de la Universidad de Virginia, sus amigos de la infancia y al menos algunos de los compañeros con los que trabajaba en Unisphere. Parte de ella quería ir, pero sabía que no debería. No podía.

El obituario era breve y revelaba muy poco. En realidad, eso tampoco la sorprendió.

Se quedó mirando el mensaje que le había enviado Buckley, el actor. Le decía que tenía una audición el viernes para un piloto que se rodaría en Nueva York en otoño y que tenía que ir a cortarse el pelo a primera hora de la mañana. Quería saber en qué país estaba, pero esperaba que dondequiera que fuera, estuviera bailando descalza. Recordó cómo le había hecho sonreír su historia sobre el pasajero muerto en el baño. No había respondido a su último mensaje, pero decidió responder a este. Le dijo que acababa de volver de Roma, que sus pies la estaban matando y que lo último que había hecho antes de abrocharse el cinturón para aterrizar había sido vaciar una bolsa llena de pis de un niño en el baño. Agregó que la bolsa no estaba llena porque la mayoría de la orina había acabado en los pasajeros de la fila de delante y que debería tomarse un momento para leer todo el veneno que estaban soltando en las redes sobre el vuelo y sobre la aerolínea. El *hashtag*, que ya tenía vida propia, era #ElPeorVueloQueNoSeHaEstrellado. En realidad, a medida que el *hashtag* ganaba fuerza, pensó que el listón estaba alto.

Él le propuso comer tarde el día siguiente, después de su audición y ella se preguntó qué habría pensado si le dijera que a esas horas estaría reuniéndose con su abogada y con el FBI. Pensó en la forma en la que se habían separado el domingo anterior por la mañana y suspiró. Sabía que la mayoría de los hombres la deseaban porque era atractiva e inteligente, pero también porque era una borracha y era fácil. ¿Y este? Esperaba por su bien que no fuera tan diferente como parecía porque siempre acababa decepcionando a ese tipo de hombres rápidamente o les rompía el corazón con el tiempo.

Le respondió que estaba ocupada el viernes y que el sábado iría al zoo con sus sobrinos. Pensó que eso la haría parecer saludable, mucho más saludable de lo que era en realidad. Sugirió cenar la noche siguiente y él aceptó.

No podía imaginarse en qué condición se encontraría tras un segundo interrogatorio del FBI y después de que la edición impresa del *New York Post* llegara a los quioscos. Se preguntó si él vería la foto y la reconocería.

En algún momento, se había quitado los zapatos y las medias, pero, sinceramente, no recordaba cuándo. Había sacado el sujetalibros de Rómulo y Remo de la maleta y lo había dejado sobre la mesa de café de cristal. Tampoco recordaba haber hecho eso. Habría sido mientras hablaba con el FBI por teléfono. Estiró los dedos de los pies, era cierto que sus pies la estaban matando. No había llegado a hacerse la manicura y ahora también necesitaba una pedicura. Es lo que haría esa noche de agosto. Sería su emocionante noche de jueves. No llamaría ni a Paula y su amor por el Drambuie ni a Gillian con su disposición para recoger los pedazos que dejaba detrás. (Momentáneamente le sorprendió la irónica revelación de que todas sus amigas siempre esperaban lo peor de ella. Pero rodeada como estaba de realidades mucho más inquietes, se le pasó la idea). No llamaría a nadie. Se mantendría alejada de los bares y estaría fresca y racional la mañana siguiente cuando recogiera el *New York Post,* cuando se reuniera con Ani y con Frank y cuando, una vez más, tuviera que enfrentarse al fantasma del pobre Alex Sokolov.

Eran más de las cinco de la tarde de un jueves de verano, pero se recordó a sí misma que todavía había gente trabajando. Podía haber gente en la oficina.

Así, esa parte de ella que hacía que incluso estando sobria cruzara líneas que la mayoría de los adultos tenían el sentido común de no traspasar, la llevó hasta un edificio de oficinas en la Avenida de las Américas. Ahí estaba la sede de Unisphere de Manhattan y era donde había trabajado Alex Sokolov. La idea se le ocurrió cuando se estaba quitando el uniforme y pensaba ponerse un vestido informal de verano para ir a hacerse la manicura y la pedicura y pasar la noche tranquila en casa. En lugar de eso, se puso una blusa, una falda y medias y tomó un taxi hasta el edificio de la calle 49. Simplemente tenía que saber más de lo que había podido averiguar en Internet, sobre todo teniendo al día siguiente un nuevo encuentro cara a cara con el FBI.

Le dijo a uno de los tipos uniformados que había detrás del alto mostrador de mármol que tenía una reunión a las cinco y media con Alex Sokolov, les mostró su permiso de conducir y se registró. Sin embargo, cuando le pidieron que escribiera su nombre en el libro garabateó algo que se parecía más a Alessandra y un apellido indescifrable.

Como esperaba, tras unos pocos minutos, una mujer esbelta e imponente con un blazer negro salió del ascensor. Tenía los ojos grises y el cabello plateado y se presentó como Jean Miller, de Recursos Humanos.

—¿Y tú eres Cassandra?

—Alessandra —corrigió Cassie encogiéndose de hombros—. Suena parecido.

—¿Alessandra qué más?

—Ricci. Alessandra Ricci.

La ejecutiva señaló un bando de mármol lejos de los ascensores y llevó a Cassie hasta allí.

—Sentémonos.

—¿Va todo bien? —preguntó Cassie—. Pensaba que serías la asistente de Alex y que me acompañarías hasta arriba, pero has dicho que te encargas de Recursos Humanos. ¿Ha pasado algo?

Jean asintió.

—Sí. Ha pasado algo. Lamento mucho que no te hayas enterado y tener que ser yo la que te lo diga. —Respiró hondo—. A Alex lo asesinaron la semana pasada en Dubái.

Cassie se llevó las manos al pecho y miró a Jean esperando no estar exagerando.

—Qué fuerte. ¿Asesinado? ¿Cómo?

—Lo apuñalaron. O, bueno, supongo que le cortaron el cuello. En la habitación del hotel.

—Es horrible. Espantoso —murmuró mirándose los zapatos y negando con la cabeza—. ¿Por qué? ¿Han atrapado al culpable? ¿O a los culpables?

—No, no lo han hecho. Y no sabemos por qué. El móvil fue probablemente un robo.

—¿En Dubái? Se supone que es una ciudad muy segura.

—Supongo que estas cosas pueden pasar en cualquier parte —añadió Jean.

—Era tan amable. ¿Lo conocías bien?

—Lo conocía mejor que a otros gestores.

—¿Y eso?

—Era de Virginia. Yo soy de Carolina del Norte. No somos muchos sureños en la oficina. Así que, aunque no era probable que nuestros caminos se cruzaran a menudo en el trabajo, a veces nos tomábamos el café juntos. Charlábamos de vez en cuando. Pasábamos el rato.

Cassie estuvo a punto de decir que era de Kentucky como reflejo. Se detuvo justo a tiempo. En cambio le dijo:

—Él me introdujo en la literatura rusa. No había leído a Tolstói, ni siquiera en la universidad, hasta que nos conocimos.

—Era extrañamente amante de los libros. —Sonrió Jean.

—¿Extrañamente?

—El tipo de hombre que dirige un fondo de cobertura no suele ser el tipo de hombre que te imaginas acurrucado junto a un libro.

—¿De qué libros te habló?

—Ya sabes...

Cassie hizo una pausa, esperando a que Jean se explicara, pero permaneció en silencio. Finalmente, Cassie añadió:

—Le encantaban Tolstói y Pushkin. Turguénev. Hablamos todo el tiempo sobre lo que se llevaba para leer en los aviones.

—Me alegro de que compartierais eso.

—Tenía una novia en Dubái, una chica que era amiga suya. Se llamaba Miranda. ¿Tienes idea de quién podría ser? ¿Alguna vez la mencionó cuando... charlabais?

—¿Por qué?

—Me dijo que iba a cenar con ella allí. Que lo esperaba con ansias. Eran solo amigos, pero esperaba convertirse en algo más. Estaba enamorado de ella. Dices que lo conocías un poco. ¿Alguna vez te habló de ella? ¿De Miranda?

—¿Cómo se apellida? —Jean la miró con más intensidad.

—No lo sé.

—Yo tampoco —admitió—. Pero me aseguraré de hablarle a la policía sobre ella. Al FBI, en realidad. Creo que tú también deberías hablar con ellos.

—Sí, claro, por supuesto.

—Y dime, ¿por qué tenías hoy una reunión con Alex? Su asistente no tenía nada en su agenda para esta tarde. Se supone que ni siquiera tenía que estar hoy en Estados Unidos. Lo he preguntado mientras bajaba las escaleras.

—¿Se supone que todavía tenía que estar en Dubái?

—En Moscú.

—Viajaba mucho.

—Lo cierto es que sí. ¿La reunión de hoy era personal, Alessandra? ¿Por eso no se lo dijo a su asistente?

Cassie se encogió de hombros.

—Somos amigos, sí. Éramos amigos. Lo siento, pero también era cliente suya. Vuestra. —Recordó el obituario—. He invertido en el fondo Stalwarts.

Jean pareció asimilar lo que le decía, absorber la información. Cassie consideró la posibilidad de no lucir lo suficientemente rica como para parecer inversionista. Pero, sacudiendo la cabeza ligeramente, Jean agregó:

—Es un fondo de hombres mayores. Muy de hombres mayores. ¿Por qué inviertes en él?

—Me lo recomendó Alex.

—Creía que habíamos llamado a todos sus clientes para contarles lo que le había pasado al pobre Alex —suspiró Jean.

—Puede que no haya visto que tenía algún mensaje de voz.

—Es posible, pero hemos sido persistentes. —Por primera vez, Jean sonó dubitativa—. En realidad, tenía la impresión de que habíamos hablado con todos. Con todo el mundo.

—Te lo agradezco.

—¿Quieres que te programe una reunión para la semana que viene con alguien para hablar de tu cuenta? ¿O para mañana por teléfono? —Se sacó el móvil del bolsillo del blazer y abrió la aplicación del calendario—. Podemos programarla ya mismo.

—Sí, claro. ¿Con quién sería?

—Tenemos a dos gestores en esta área. Dime cuándo te viene bien.

—De acuerdo. —Le sugirió el martes o el miércoles por la tarde a cualquier hora y le dio un número de teléfono y una dirección de correo falsos. Cuando Jean se puso de pie, Cassie se levantó al mismo tiempo y salió de nuevo al calor veraniego, consciente de que probablemente la ejecutiva hubiera memorizado todos los datos que podía sobre ella. Supuso que la mujer estaría hablando por teléfono con el FBI antes de que pudiera cruzar la calle.

Mientras se dirigía hacia el sur, hizo un inventario en su mente de lo que había descubierto: Alex iba a ir a Moscú desde Dubái y nunca le había mencionado a una persona llamada Miranda a esta compañera de Unisphere. Gestionaba un fondo que, al menos según la opinión de esta mujer de Recursos Humanos, tenía un grupo selecto de inversores: hombres mayores. No sabía lo que eso significaba, pero tenía la sensación de que se refería a rusos. Rusos viejos. Visualizó mentalmente un retrato de Politburó de 1967. Un grupo de hombres blancos calvos con horribles cortes de pelo.

No era gran cosa, pero era algo y se alegró de haber ido.

Lo notó mientras cruzaba la Quinta Avenida a la altura de la biblioteca: una punzada de inquietud le recorrió toda la piel. Un escalofrío desde la nuca. Conocía la palabra científica de un curso de Psicología al que se había apuntado en la universidad: *escopaestesia*. La idea era que podías notar cuándo estabas siendo observado. Estaba relacionado con la escopofobia: el miedo a ser observado. Notaba exactamente la misma sensación que aquel día que había huido del metro. Miró a su derecha y vio al otro lado de la calle, también dirigiéndose al este, a un tipo con gafas de sol y gorra negra. No tenía un aspecto peculiar, para nada, pero ¿acaso el tipo que la había estado vigilando en el andén del metro —posiblemente— no llevaba una gorra y unas gafas parecidas? Por supuesto que sí. Intentó captar el color del pelo, pero no pudo. Trató de adivinar su edad, pero tampoco logró hacerlo. Podía tener veinte como podía tener cincuenta.

Continuó caminando y consideró enfrentarse a él. Si había un lugar seguro para ese tipo de encuentro, sería a última hora de la tarde en verano en el centro de Manhattan. Intentó imaginarse su respuesta y supuso que el tipo de negación que recibiría de un agente del FBI sería diferente del de…

¿Qué? ¿Un asesino? ¿La persona que mató a Alex Sokolov?

Se detuvo en la esquina de Madison, y planeó cruzar a su lado de la calle. Al menos se acercaría lo suficiente para ver quién era. La idea de que podía no ser un agente del FBI le había dado que pensar y cada vez se sentía menos segura de preguntarle por qué la estaba siguiendo. Pero su visita a Unisphere la había envalentonado. Había ido hasta allí y ahora sabía un poco más. No había ocurrido ningún cataclismo.

Pero cuando cruzó al otro lado de la calle, él se había ido, si es que alguna vez había estado allí.

OFICINA FEDERAL DE INVESTIGACIÓN

FD-302: JADA MORRIS, AZAFATA

FECHA: 2 de agosto de 2018

JADA MORRIS, fecha de nacimiento __ / __ / ____, número de la Seguridad Social _____, teléfono (__) _____, fue interrogada por segunda vez por los agentes especiales debidamente identificados AMARA LINDOR y JON NEWHOUSE en la oficina del FBI en Melville, Nueva York.

LINDOR condujo el interrogatorio, NEWHOUSE tomó estas notas.

MORRIS dijo que estaba convencida de que la mujer que aparece en las imágenes de la cámara de seguridad del HOTEL ROYAL PHOENICIAN era CASSANDRA BOWDEN. Afirmó que se enteró de que el cuñado de BOWDEN «tiene algo que ver con armas químicas» la mañana del 27 de julio cuando la discusión entre la tripulación en la furgoneta de la aerolínea se desvió hacia ese tema.

Reiteró que había conocido a ALEX SOKOLOV el 26 de julio en el vuelo de París a Dubái.

MORRIS afirmó que había solicitado la ruta de Moscú cuatro veces el último año (y la había conseguido dos veces) simplemente porque nunca había ido a Rusia. Dijo no conocer a nadie allí.

Su viaje a Dubái del 26 y 27 de julio era su cuarta visita ese mes con la aerolínea, pero este julio ha sido la primera vez que ha conseguido la ruta. Pudo dar cuenta de su paradero todo el tiempo, incluyendo la cena del jueves 26 de julio por la noche en el restaurante japonés KAGAYA junto con otros tres azafatos.

Relató que había perdido el contacto con ELIZA REDMOND HOUGH, una compañera de clase de la Universidad Estatal de Michigan que se casó con el piloto CAPITÁN DEVIN HOUGH. Dijo que no sabe casi nada de su primo ISAIAH BELL, que trabaja con tecnología secreta en WELKIN AEROSPACE SYSTEMS en Nashua, Nuevo Hampshire.

Afirmó no haber oído hablar del diseñador de drones de los Emiratos Árabes Unidos NOVASKIES.

CAPÍTULO TRECE

El restaurante de Dubái daba al puerto y tenía ventanas abatibles del suelo al techo, abiertas para dar paso a la brisa matutina del golfo. Había inmaculados manteles de lino blanco, igual que los bancos de cuero blanco sobre los que se sentaban los comensales. Era parte de un hotel con puerto deportivo. El buffet de dulces, quesos y frutas y verduras exóticas estaba presentado en platos blancos para servirse sobre un mármol del mismo color salpicado con rayas negras. A Elena le parecían cuadrados gigantes de helado de stracciatella. Ella y Viktor habían compartido un yogur y una ensalada de verdolaga, pero ahora él estaba esperando a los huevos fritos y la salchicha turca que había pedido además de eso. Había insistido en desayunar antes de que ella siguiera a la azafata de vuelta a Estados Unidos.

—Me dicen que la memoria USB era inútil —le dijo a Elena—. No tiene nada de valor. Nada que NovaSkies no pueda hacer ya y nada que ayude con un nuevo tipo de... carga.

No la estaba regañando, pero había algo más que una mera decepción en su tono de voz. Un pensamiento se le pasó por la mente, pero se dijo a sí misma que estaba siendo paranoica y que no debería permitir que echara raíces: ¿Viktor sospechaba que había manipulado la memoria USB que le habían dado a Sokolov? ¿Creía que Elena había borrado la información que esperaban encontrar?

—¿De verdad? ¿Nada?

—Nada.

—Lo siento —respondió en voz baja.

—Esperábamos más. —Viktor miró a su alrededor y Elena comprendió por qué. La anfitriona estaba a punto de sentar a un par de hombres de negocios occidentales en la mesa que había a su lado. Al instante, se puso en pie y le preguntó a la mujer en árabe si podía hacerles el favor de sentarlos un poco más lejos, ya que estaba hablando de asuntos familiares muy personales con su hija y agradecería tener un poco de privacidad. La joven, que Elena supuso que sería india o pakistaní, sonrió y le hizo caso. A los hombres de negocios no pareció importarles.

—¿Ahora soy tu hija? —le preguntó a Viktor cuando volvió a sentarse.

—Estaría orgulloso de tenerte como hija —respondió él encogiéndose de hombros.

Ella no le creyó y puso los ojos en blanco. Elena y su padre se habían soportado, nada más. Después de todo, sabía lo que le había hecho Viktor a él.

—¿Incluso después de este fiasco?

—Sí, incluso después de esto. Hasta los más exitosos del mundo cometen errores. A menudo, simplemente se les da mejor corregirlos y seguir avanzando. —Llegaron sus huevos y su salchicha y le sonrió felizmente a la camarera. Cuando los dejó ante él y se retiró, continuó—: Nuestro trabajo es anticiparnos, y, en este caso, te anticipaste mal. Ahora estás respondiendo en consecuencia.

—Sí, por supuesto.

—Madre mía, esto está buenísimo. Deberías probarlo —comentó señalándole el plato. A pesar de su aparente entusiasmo por lo que tenía ante él, cortó casi con delicadeza una fina lámina de la salchicha, se la llevó a la boca, la masticó y sonrió con demasiada intensidad para el gusto de Elena. Si podía hacerlo tan feliz en un desayuno, se estremeció al pensar cómo podría ser en la cama—. He hablado con la policía —informó cuando terminó de masticar—. Nos han interrogado a casi todos.

—¿Y?

—Fue bien. Ninguno somos mujeres estadounidenses. Pero podría haber sido incómodo. Otro motivo por el que tendrías que haberme dicho de inmediato lo de la azafata.

—Entiendo.

—Seguro que sí.

—¿Cuánto tiempo tengo? —preguntó.

—Cuánto tiempo tenemos —la corrigió él—. No te sientas sola ahí fuera.

—Estaré sola ahí fuera.

—Esa mujer es impredecible o algo mucho peor.

—Impredecible —repitió Elena reflexionando sobre eso. Consideró insistirle para que le dijera a qué se refería con «algo mucho peor», pero recordó su comentario sobre que la memoria USB había sido inútil. Si Viktor no confiaba en ella, si realmente dudaba de ella, lo último que quería era obligarlo a decir involuntariamente algo así en voz alta. Verbalizarlo haría que fuera demasiado real, una acusación irrevocable.

—Sí, impredecible. Es una borracha y, según creo, un poco autodestructiva.

—¿Quieres decir además del alcoholismo?

Él dejó el tenedor y la miró intensamente.

—No estoy seguro de lo que quiero decir. Solo sé que la quiero fuera. No debería ser muy difícil.

—Probablemente no —añadió Elena, aunque no estaba segura de estar del todo de acuerdo. No sería difícil desde el punto de vista operativo, pero cabrearía a gente y seguro que se cobraría un precio muy alto por su alma. Matar a Bowden no sería como matar a Sokolov, un cabrón oportunista que había accedido a traficar con datos estadounidenses porque sabía que tenía la mierda hasta el cuello por robar y ahora había servido a su propósito. No se podía confiar en él. Tampoco sería como matar a ese despreciable coronel de Incirlik que jugaba a dos bandas y se enriquecía. El muy capullo se acababa de follar a una pobre chica yazidí que no tendría más de catorce o quince años cuando le disparó. Era un cerdo. Pero ¿la azafata? No era su presa habitual. Sería como ahogar a un gatito, pero Elena estaba en modo supervivencia, así que agregó—: Es sobre todo el viaje lo que me molesta.

—¿No te gusta viajar?

—Tenía muchas ganas de pasar un tiempo aquí. De volver a Sochi, a casa, una breve temporada.

Viktor pareció relajarse un poco. Tomó el tenedor y miró su desayuno.

—Lo harás. Todo a su debido tiempo. Esto es un bache, nada más. No, es un desvío. Un desvío a Estados Unidos. Te gusta ese país —dijo. La última frase fue un leve ataque—. Después volverás. O te irás a casa. Como quieras.

—Vale.

Él miró por encima de su hombro y señaló algo. Elena se volvió y vio a un par de pájaros minás en una barandilla exterior justo detrás de ella, los picos amarillos les brillaban bajo el sol.

—Aquí hasta los pájaros escuchan a escondidas —comentó sonriendo. Luego, su tono se volvió más serio—. Me has preguntado cuánto tiempo tienes. El hecho de que la memoria USB no sirviera para nada no deja buena imagen de ti. Deberías saber que no están contentos con esto. Solo estoy siendo sincero. Así que creo que deberías actuar rápido. Por tu propio bien, Elena. Por tu propio bien. Pronto será mejor... para todos.

CAPÍTULO CATORCE

C assie vio que estaba en la página nueve del *New York Post* y en la página once del *Daily News*. Al mismo tiempo que compró los dos periódicos en el quiosco que había a una manzana de su apartamento, se compró unas gafas de sol nuevas. Grandes, voluminosas y de una forma totalmente diferente a la de las anteriores. Las de la foto. De vuelta en su edificio, tiró las gafas que llevaba en Dubái y el pañuelo con el patrón arabesco. Era bonito y sabía que lo echaría de menos. Lo dejó en una papelera desbordada en la esquina, porque así el basurero lo recogería esa misma mañana.

El artículo era idéntico a la versión que había leído en línea y se sorprendió bastante por lo soso que era ahora que había leído el obituario de Sokolov. Por lo general, en el *Post* aparecía lo peor o lo más descabellado que cualquiera podría pensar o sospechar, pero que nunca diría en voz alta. Pero allí no había ninguna conjetura de que Alex fuera de la CIA o del KGB, ninguna insinuación de que fuera un espía. Alex era retratado como otro gestor de fondos de cobertura que iba a lugares como Moscú o Dubái por trabajo.

En la acera cerca de su apartamento vio a tres colegialas que caminaban hacia ella con faldas a cuadros y blusas bancas de uniforme. Supuso que tendrían más o menos la edad de su sobrino, unos once años. Las tres usaban el móvil como polvera, moviendo la lente de la cámara como si se estuvieran sacando un *selfie*, pero sabía por la preocupación de sus miradas que no solo estaban revisando su maquillaje —¿llevaban algo más aparte de pintalabios?—, sino que estaban examinando sus rostros en busca de imperfecciones incorregibles. Una de las muchachas tenía constelaciones gemelas de pecas en las mejillas. Otra, que parecía a punto de echarse a llorar, tenía un pequeño bulto en la punta de la nariz. Eran guapas y sus dudas y miedos parecían innecesarios, pero Cassie las entendía. No tenía ni idea de a dónde iban porque dudaba que las escuelas privadas empezaran a principios de agosto. Tal vez fuera algún tipo de programa de verano o una excursión puntual. No importaba. Recordó cómo se sentía ella misma. Sabía que pronto le llegaría el turno a su sobrina. Toda la confianza de Jessica desaparecería como un globo de helio liberado en una tempestuosa tarde de otoño. Puede que parte de ella volviera, pero nunca volvería a ser tan valiente y tan pura como lo había sido antes.

Cuando las chicas estuvieron tras ella, Cassie volvió a mirar su foto en la prensa. Totalmente disgustada, negó con la cabeza del mismo modo en que lo había hecho la chica de las pecas.

Justo cuando llegó a su apartamento, le sonó el móvil y vio que era Megan. Hizo una pausa breve pero luego le respondió:

—Hola, ¿no estás en Berlín?

—Exacto. El vuelo se ha retrasado, así que he pensado que podría ver cómo ibas.

—Veamos: voy a hablar con el FBI de nuevo esta tarde y estoy un poco preocupada por los periódicos. Además de eso, ¿qué podría ir mal?

—Lo pillo. El FBI también ha vuelto a hablar conmigo.

Miró la tarjeta de Hammond en su nevera. De repente se sintió como si acabara de esquivar una bala por no haberle dicho nada más a Megan. Se dijo a sí misma que estaba loca, pero se le pasó una idea por la cabeza: la conversación estaba siendo grabada. El FBI estaba usando a su amiga para que se incriminara. Así que, solo por si acaso, respondió:

—Espero que pronto descubran qué ha pasado. Me siento tan mal por la familia de ese pobre chico. —Rezó en voz baja para que Megan no mencionara que la última vez que habían hablado, su amiga le había pedido que mintiera por ella.

—Vaughn también se siente así —añadió Megan haciendo referencia a su marido—. Cuando leyó los periódicos llamó y dijo que no entendía por qué se centraban tanto en la misteriosa mujer y no en el pobre chico que había sido asesinado.

—¿Cómo está Vaughn?

—Bien. Lo mismo de siempre.

—¿En qué está trabajando ahora? —preguntó. No tenía ningún interés en lo que hacía Vaughn Briscoe para ganarse la vida como consultor, pero le pareció una pregunta inocua y segura. Se sentía mal por no confiar en su amiga, pero solo por si acaso, tenía que desviar la conversación todo lo que pudiera de Dubái.

—Más tonterías del gobierno. Está en Edgewater, Maryland, de nuevo. Está más feliz cuando está con clientes del sector privado, pero nos hace la vida mucho más fácil cuando trabaja en Maryland o dentro de nuestro círculo. Cuando las niñas eran más pequeñas y trabajaba para esa empresa farmacéutica de Colorado, el cuidado de las niñas era una pesadilla. Siempre estaba ausente. Todo el tiempo viajaba. Como yo. Ahora está en casa todas las noches y este otoño podrá recogerlas de los millones de sitios en los que tienen que estar después de la escuela cuando yo no pueda.

—¿Y qué tal Berlín?

—Bien. ¿Estás nerviosa por lo de esta tarde?

—No —mintió Cassie—. ¿Cuántas veces y de cuántos modos pueden preguntarme qué hizo Sokolov en el vuelo y si dijo algo de interés?

—¿Es todo lo que te preguntan?

—Hasta ahora, sí. Puede que esta tarde tengan preguntas más interesantes para mí.

—Mira, Cassie...

—Dime.

—¿Necesitas algo? ¿Hay algo que pueda hacer?

—¿Como qué?

—No lo sé. Es que me siento mal por ti. Yo solo...

—Estoy bien —interrumpió Cassie. Quería detener a su amiga antes de que dijera algo que las dos podrían lamentar—. Tengo prisa. Mi familia viene de Kentucky este finde y tengo mil cosas que hacer. Pero muchas gracias por ofrecerte, y me encanta oír tu voz. De verdad. Pero estoy bien.

—Si cambias de opinión ya sabes dónde encontrarme.

—Sí, en Berlín —respondió y se rio levemente. Su amiga, si la necesitaba, probablemente estaría en otro continente a seis zonas horarias de distancia.

Para tratar de apartar la mente de los periódicos y de lo que la esperaba por la tarde, se terminó en el sofá *La muerte de Iván Ilich*, mirando de vez en cuando hacia el Empire State mientras su mente vagaba por la Rusia del siglo XIX. No se sintió virtuosa por leer a Tolstói ni aliviada por la transformación de Ilich, por la forma en que pasó de temerle a darle la bienvenida a esa gran e ineludible luz. Sobre todo, mantenía la esperanza de que Alex Sokolov no se hubiera despertado mientras le rajaban el cuello.

Aquel viernes fue otro día cálido y soleado, por lo que Ani dirigió a Cassie hacia una mesa de cristal en un rincón sombreado del patio y las dos llevaron sus falafels callejeros. A Cassie la ciudad le parecía tranquila, incluso para ser el principio de un fin de semana a mitad de verano.

—No es que este edificio sea un pueblo fantasma los viernes de agosto, pero hay mucha gente que se va, sobre todo los de los negocios de las otras plantas. No intentes programar una reunión después de comer un viernes de agosto —le dijo a Cassie.

—Nos estamos volviendo muy parisinos en esto —murmuró ella. Estaba distraída. No se había quedado dormida hasta que, a medianoche, desesperada, se había tomado un par de chupitos de vodka, un par de ibuprofenos y unas pastillas de melatonina. Normalmente no necesitaba melatonina en ese lado del Atlántico. Pero, normalmente, no tenía reuniones con abogados ni con el FBI. Estaba bien (tal vez un poco mareada, pero bien) cuando se levantó y se dirigió al quiosco a por los periódicos.

Ani sonrió ante su pequeña gracia, pero Cassie vio la preocupación en sus ojos.

—Pareces cansada.

—Lo estoy —admitió mirando el falafel y la salsa de su pan de pita. La envoltura con papel encerado. No tenía apetito y trató de decidir si tenía menos hambre de lo habitual.

—¿Estarás bien?

—Creo que sí.

Ani se limpió los dedos con la servilleta y tomó las manos de Cassie.

—Intenta no preocuparte. No estás en Dubái. Nadie te va a ejecutar por cometer un acto que podría llevar a alguien a pecar.

—¿Eso se hace en los Emiratos?

—Sí. Al igual que tener relaciones sexuales consensuadas fuera del matrimonio.

Miró sus manos entre las de Ani. Su piel estaba muy pálida en comparación con la de la abogada. Era agosto. ¿Por qué no había ido a la playa? ¿O a algún lago? Joder, o incluso a un salón de broceado para que la rociaran. Retiró las manos esperando que Ani no lo considerara un gesto antipático.

—Deberíamos comer —añadió rápidamente intentando dar una razón concreta a su incomodidad ante la amabilidad de Ani. Ante su roce.

—Sí —aceptó la abogada.

—Ayer fui a Unisphere. Después de hablar contigo.

—¿Que tú qué?

—Quería saber más sobre Alex —se excusó, consciente de lo avergonzada que sonaba.

—¿Habías estado bebiendo?

—¡No! Creo que debería sentirme ofendida porque te atrevas a preguntarlo.

—Vaya. Dime exactamente qué paso —le pidió Ani, así que Cassie lo hizo y compartió su intercambio con la mujer de Recursos Humanos y lo poco que había descubierto en el encuentro.

—Sabrán que eres tú, si es que no lo saben ya —comentó la abogada en cuanto terminó.

—Lo sospechaba. Pero tenía que intentarlo.

—Por favor, prométeme que no volverás a hacer algo así.

—Lo prometo —accedió—. ¿Tú has descubierto algo más sobre Alex?

—No, pero volví a llamar a mi amigo el investigador privado, anoche —explicó Ani—. ¿Has leído el obituario de Alex?

—Sí.

—¿Y?

—No lo sé. ¿A ti no te parece que grita «espía» por todas partes?

Ani dio un pequeño mordisco y pensó detenidamente antes de responder.

—No grita eso. Tal vez lo insinúe. Me he fijado en que es muy breve.

—Y las ciudades.

—Hay mucha gente que trabaja en Moscú y en Dubái y que no tiene nada que ver con el espionaje.

—¿Cuándo sabrá algo el investigador?

—La semana que viene —respondió Ani—. Puede que incluso a principios de semana.

—Vale.

—Esta tarde, el agente del caso, el tal Frank Hammond, será disimulado. Puede que pienses que es un puto zopenco. Pero no lo es, te lo aseguro. Los puñales del FBI entran poco a poco. Los agentes del FBI están entrenados para hacer que alguien diga la verdad sin saberlo. ¿Además? Seguro que sabe mucho más que los periódicos. Conoce todo lo que sabe el agregado jurídico del FBI de los Emiratos y van ocho horas por delante de nosotros. Probablemente, hoy haya habido avances de los que no sabemos absolutamente nada.

—Ay, madre...

—No te sientas así. Depende mucho de si a los Emiratos les apetece jugar a la pelota con Estados Unidos. Puede que no. Es su país. Y aunque podrían estar preocupados por una respuesta negativa del turismo, el resto del Medio Oriente musulmán es mucho más aterrador para la mayoría de los estadounidenses que Dubái. Además, no es un patrón de delitos violentos contra turistas. La verdad es que no hay ninguna razón por la que Dubái podría interesarse tanto por el asesinato de un administrador de dinero en su justa ciudad.

—A menos que quieran dejar claro que fue asesinado por otro estadounidense: una azafata borracha de Nueva York.

—Supongo, pero asumiendo que solo era gestor en Unisphere Asset Management, no entiendo por qué al FBI le importa tanto. Y está claro que les importa.

—¿Crees que todavía estarán buscando a una estadounidense que vive en Dubái?

—No.

—¿No? —Notó que el miedo se reflejaba en su voz.

—Es decir, no lo sé a ciencia cierta. Pero a estas alturas ya habrán hablado con toda la gente que Alex conocía o podía haber conocido. Todos los que se suponía que debían ir a esa reunión. Todos los que trabajan en Unisphere. Todos los del hotel. Ahora tirarán de los hilos. A estas alturas, cualquier mujer estadounidense con la que habló en ese vuelo de París a Dubái, sobre todo una azafata, están bajo sospecha.

—Ya veo.

Ani dejó la comida y tomó aire.

—Esta reunión con el FBI no es precisamente una situación en la que puedas cometer perjurio. No es una declaración jurada. Pero intentarán atraparte en una mentira y es delito federal mentirle a un agente del FBI. Puede que ni siquiera notes el puñal entrando hasta que empiece a retorcerlo.

—Había planeado mentir como loca cuando aterrizamos. Pero no me preguntaron nada que requiriera una mentira.

—Eso es bueno.

—Entonces, ¿qué se supone que debo hacer?

—Bueno, antes que nada, no mientas. No lo hagas. Pero puedes acogerte a la Quinta Enmienda. ¿Sabes qué es eso?

—Sí. Pero, claro, pareceré una esposa de la mafia.

—Ese es el problema de la Quinta. El FBI puede estar hurgando todavía (de hecho, puede que no tengan nada concreto) y si te acoges a la Quinta es un cebo bastante apetitoso. Así que quiero que me mires antes de responder cualquier pregunta. Si asiento, di la verdad. Si niego con la cabeza, acógete a la Quinta.

Cassie vio un avión volando silenciosamente sobre su cabeza. Incluso ahora, a pesar de haber pasado tantos años a diez mil metros de altura, el milagro del vuelo seguía conmoviéndola.

—¿No estarás sentada a mi lado?

—Probablemente. Pero no me importa que me vean dándote instrucciones. Eso no importa. Joder, si es necesario, saltaré por ti y diré que te acoges a la Quinta. La cosa es que... —La voz de Ani se apagó.

—Sigue.

—Quería decirte esto en persona. Puede que no seas extraditable por asesinato, pero no estás fuera de peligro. Hay otras razones por las que podrías ser procesada en Estados Unidos por la muerte de Sokolov. Terrorismo, por ejemplo.

—¿Qué?

—Es poco probable, pero esta sería la cadena. El Departamento de Justicia y la OVT: la Oficina de Justicia para las Víctimas del Terrorismo en el Extranjero. La OVT informa a Seguridad Nacional.

El director de la OVT se reúne semanalmente con compañeros de contraterrorismo y contraespionaje. Alex Sokolov es un ciudadano estadounidense que fue asesinado en el extranjero y su muerte podría ser encargada a ellos, sobre todo si era alguien importante para el gobierno.

—Eso es absurdo. Puede que de vez en cuando beba demasiado, pero no soy ninguna terrorista.

—Lo entiendo. Solo quiero asegurarme antes de ir al centro de que entiendes lo que está en juego. Ahora deberías comer. De verdad. Si no te gustan los falafels, no hace falta que seas educada. Dímelo y te buscamos otra cosa. Quiero darte instrucciones durante unos minutos y quiero asegurarme de que tengas sustento dentro de ti antes de reunirnos con el FBI.

Asintió y empezó a comer intentando prestar atención. De repente, ella misma se sintió como una víctima y eso solo la hizo sentirse peor. La avergonzaba sentirse así. Al fin y al cabo, ella no era un cadáver abandonado en una cama.

***

Cassie raramente iba a Wall Street, pero cuando lo hacía, siempre se sorprendía por lo estrechas que eran las calles en comparación con Murray Hill y el centro de Manhattan. El FBI estaba en un rascacielos en Broadway, pero Broadway estaba lejos del centro, cerca del puente de Brookly; era la parte estrecha del embudo. El Federal Plaza era un poco más bajo que el edificio Seagram, pero lo que hacía que pareciera tan diferente era la claustrofobia de Wall Street inducida por la combinación de edificios altos y calles estrechas. Fuera del edificio había un pequeño parque con tres columnas altas y oscuras, una escultura llamada Sentinel y unos árboles que supuso que eran una especie de sauce. En las calles laterales, alrededor de la plaza, había casetas de vigilancia y barras de metal con rayas amarillas y negras que los agentes de policía levantaban o bajaban para permitir que ciertos vehículos entraran y salieran del estacionamiento. Pensó en la estatua Fearless Girl, erguida ante un toro unas pocas manzanas al sur. Cassie comprendía que no había nada heroico en quien era ni nada valiente en lo que estaba haciendo; estaba allí por beber demasiado y porque una década y media de malas decisiones —sobre todo una noche en Dubái— la estaba acorralando. Pero pensó en la niña de bronce con coleta, con las manos en las caderas y el pecho hacia afuera, que se enfrentaba a un toro mucho más grande. Cassie quería ser así de valiente y hacer lo correcto.

Fuera lo que fuera.

—¿Preparada? —preguntó Ani. No habían hablado desde que habían salido del taxi un minuto antes y se pararon ante el centinela.

Cassie negó con la cabeza.

—No. Pero ahora mismo no tengo otra opción, ¿verdad?

Ani la miró a los ojos.

—Estarás bien. Solo recuerda: hagas lo que hagas, no mientas.

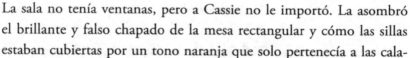

La sala no tenía ventanas, pero a Cassie no le importó. La asombró el brillante y falso chapado de la mesa rectangular y cómo las sillas estaban cubiertas por un tono naranja que solo pertenecía a las calabazas. De nuevo, Frank Hammond la interrogaba mientras James Washburn tomaba notas.

—Me alegro de que haya podido venir esta tarde —dijo Hammond después de que Cassie le presentara a Ani a los dos agentes y todos se sentaran—. Se lo agradezco de verdad. Sé que es un inconveniente, pero queremos ayudar a los Emiratos y poner fin a esta parte de la investigación. Queremos seguir adelante.

—Por supuesto —corroboró ella.

—Odio tener mucho trabajo en la cabeza durante el fin de semana, sobre todo los fines de semana de verano.

—Está bien.

Él le sonrió. Una vez más, se sorprendió por lo cansado que se lo veía para ser un tipo que no podía tener más de cuarenta o cuarenta y un años. De nuevo, se fijó en la piel inmaculada de Washburn y en sus gafas sin montura y se preguntó si alguna vez tendría permitido salir.

—¿Cuándo vuelve a volar? —le preguntó.

—El domingo.

—¿A Dubái otra vez?

—A Roma. Este mes me toca Roma.

—Me encanta Italia.

—A mí también.

Negó con la cabeza con nostalgia y supuso que estaría recordando un momento en una preciosa plaza en un pueblo de la Toscana o una perfecta e interminable comida en Florencia.

—Por supuesto, no he estado nunca allí. Pero espero ir algún día. Supongo que, en realidad, lo que me gusta es la idea de Italia.

Por un momento, se sorprendió, pero se recompuso rápidamente.

—Espero que pueda ir. Es preciosa. Está a la altura de su reputación. Creo que es uno de los lugares más bonitos del mundo.

—Y ha visto usted mucho mundo.

—Supongo.

—¿Por eso se hizo azafata? ¿Le encanta viajar?

Se encogió de hombros insegura de si era una charla para desgastar sus reservas o si necesitaba saberlo por alguna razón. La mirada de Washburn se movía entre ella y la libreta que tenía delante, pero no estaba anotando nada.

—Supongo —respondió simplemente. Recordó su respuesta cuidadosamente guionizada durante la entrevista de trabajo con la aerolínea dieciocho años antes: «Disfruto de la gente. Creo que el servicio al cliente es puro arte».

—¿Alguna vez ha considerado ser piloto?

—No.

—¿Cómo es eso?

—No está entre mis habilidades. No creo que quisieran a alguien como yo conduciendo un taxi o un autobús escolar.

Lo había dicho en broma, pero vio que Ani abría más los ojos y se dio cuenta de que el humor —al menos el humor que reconocía sus tendencias más irresponsables— era una idea particularmente mala.

—¿Y eso por qué?

—Es decir, vivo en la ciudad. Ni siquiera tengo coche.

Hammond asintió y Washburn empezó a escribir.

—Solo estamos aclarando unas cositas como cortesía para Dubái —dijo el agente del caso—. No debería llevarnos mucho tiempo. Declaró que Alex Sokolov y usted hablaron durante el servicio de comidas en ese último vuelo, el de París-Dubái del 26 de julio.

—Correcto.

—Dijo que era un seductor.

—Más o menos.

—¿Cómo? ¿Qué tipo de cosas dijo?

—Dijo que le gustaban nuestros uniformes. De hecho, tenemos tres: un traje con pantalones, una falda y blusa y un vestido. Yo normalmente llevo el vestido.

—¿Por qué?

—Es el que mejor me queda.

—Interesante.

—¿Por qué?

—No lo sé. Supongo que yo llevaría el más cómodo.

—Eso es porque usted es hombre.

—Supongo que es cierto —admitió riendo entre dientes y asintiendo con la cabeza.

—Pero, para ser sincera, los tres son bastante cómodos.

Hammond pareció pensar en ello y luego añadió:

—¿Qué más dijo?

—¿Alex Sokolov? No me acuerdo, he tenido... —Cassie hizo una pausa para contar mentalmente— cuatro vuelos desde entonces.

—El agente federal aéreo recuerda que hablaron mucho.

—No sé nada de eso. Intento hacer un buen trabajo, y parte de eso consiste en hacer que los pasajeros se sientan relajados y felices durante el vuelo.

—¿Le contó algo sobre sí mismo?

—No mucho. Probablemente no me contara gran cosa.

—Dijo que te contó que era gestor de fondos. ¿Qué más?

—No se me ocurre nada.

—Hablaron de vivir en Manhattan, ¿no?

—Sí.

—Otro pasajero recuerda que le dijo que era hijo único. Usted le dijo que tenía una hermana. ¿Se acuerda de eso?

—No mucho.

—¿Puede que otros asuntos familiares? —preguntó—. Otra persona dijo que hablaron sobre Kentucky. De que su hermana y su familia todavía viven allí.

Miró a Ani y luego observó cómo de repente, de manera inconcebible, Washburn había llenado casi toda la hoja de papel de su libreta amarilla.

—No lo sé. Es posible.

—¿Le contó por qué estaba en Dubái? ¿Algo del trabajo?

—No recuerdo que dijera mucho sobre eso.

—Vale. Dijo que era administrador de dinero. ¿Qué más?

—Que tenía un fondo de cobertura.

—Bien. Continúe.

—Eso es todo, ni siquiera sé exactamente qué es un fondo de cobertura —admitió Cassie.

—¿Qué reuniones mencionó?

—Sé que tenía una reunión, pero no hablamos de eso.

—¿Se suponía que era el día siguiente?

—Sí.

—¿Quién estaría allí?

—Inversores, supongo.

—¿Eran inversores en Dubái? —preguntó él.

—Solo estoy especulando.

—¿Algún nombre?

Al instante se acordó de Miranda y estuvo a punto de decirles ese nombre, pero hasta donde sabía el FBI, Cassie no había visto a Alex desde que había salido de la pasarela de acceso en Dubái. Consideró decirle a Hammond que había hablado de la mujer en el avión, pero no estaba segura de si podría manejar las preguntas —el aluvión de preguntas— que surgirían a raíz de esa revelación. Así que respondió:

—No que me dijera en el avión.

—Vale. ¿Qué hay de amigos? ¿Dijo algo sobre algún conocido, o amigo o mujer a la que tuviera planeado ver mientras estuviera en los Emiratos?

—No, no mencionó a nadie.

—Creo que esto no se lo preguntamos cuando aterrizó. Lo siento mucho. ¿Vio a Sokolov en Dubái?

Pensó en lo que le había dicho Ani cuando le había advertido de que tal vez no sintiera el cuchillo entrando, pero sabía que sí. Ahí estaba. La pregunta, la tercera en una serie de frases cortas era el filo que le rozaba la piel. «¿Vio a Sokolov en Dubái?». También recordó que Ani le había dicho que no debía mentir bajo ninguna circunstancia. Que era mejor acogerse a la Quinta. Así que respiró hondo y lo hizo.

—Siguiendo el consejo de mi abogada, invoco mi derecho a la Quinta Enmienda a no responder. —Necesitó valor para pronunciar esas palabras (no la valentía de Fearless Girl, no la negativa a ser intimidada) pero aun así era un tipo de valor que no estaba segura de poseer. Quería mentir. Era más fácil mentir. Gran parte de su vida mintiéndose la pasaba haciéndolo. Tenía momentos de franqueza, sobre todo cuando se veía obligada a enfrentarse a quien estuviera con ella después de una gran borrachera o cuando la repulsión postcoital era sofocante tras un polvo con un desconocido. Pero por lo general mentía. Vio a Hammond mirar rápidamente a Ani, que estaba totalmente inexpresiva y luego de nuevo a Cassie. Sonrió.

—¿De verdad? —dijo en un tono casi ligero—. ¿Cómo podría incriminarte esta pregunta? —Cassie no dijo nada—. Entonces, ¿la última vez que viste a Alex Sokolov estaba saliendo del avión después de aterrizar en los Emiratos? —la presionó.

—Siguiendo el consejo de mi abogada, me acojo a la Quinta.

Hammond se dirigió a Ani:

—No estoy seguro de qué cree que estamos buscando aquí, señorita Mouradian, ni de por qué diablos le daría ese consejo a la señorita Bowden.

Ani se miró las uñas y luego miró a Hammond. Tenía las piernas cruzadas y la falda se le había subido unos centímetros de los muslos. Sus medias eran negras y transparentes, y Cassie reconoció el color como uno de los tonos que la aerolínea aprobaba con el uniforme.

—¿Qué está buscando, agente Hammond? —inquirió.

—Solo tratamos de averiguar todo lo que podemos sobre la muerte de un ciudadano estadounidense en Dubái. Estamos tratando de ver qué hizo allí la noche antes de ser asesinado. Una cortesía para otro país. Una cortesía para una familia estadounidense de luto. Tal vez Alex Sokolov le dijera algo a su clienta que nos ayude a descubrir quién lo asesinó.

—¿Por qué no le pregunta eso?

Él asintió.

—De acuerdo. —Se volvió de nuevo hacia Cassie—. ¿Le dijo Alex Sokolov algo que pueda ayudarnos a descubrir quién lo asesinó?

—No —respondió Cassie.

—No era tan difícil, ¿verdad? —le espetó Ani al agente. Él la ignoró.

—¿Le dijo Sokolov a dónde iba cuando aterrizó?

Ani intervino:

—Agente Hammond, seguramente ya le ha hecho esta pregunta a Unisphere Asset Management y ya le han respondido. Por mucho que lo intente, no comprendo por qué sigue volviendo a esta línea de preguntas con mi clienta. Estoy segura de que sabe exactamente con quién iba a reunirse Alex Sokolov en Dubái. Estoy convencida de que sabe por qué estaba en la ciudad.

—¿Y usted lo sabe, señorita Mouradian?

—No. ¿Le importaría contárnoslo?

Hammond parecía molesto, pero no le dijo nada a la abogada. En cambio, se volvió hacia Cassie y le preguntó:

—Hagámoslo más fácil, ¿le dijo el nombre del hotel en el que se hospedaba?

Ani saltó de nuevo.

—Por el amor de Dios, lo sabemos todos, agente Hammond. Ha salido en los periódicos.

—Pero ¿se lo dijo él a su clienta? Esa es mi pregunta.

—Me acojo a mi derecho en virtud de la Quinta Enmienda a no responder. —Cassie notó que Washburn estaba escribiendo incluso eso.

—¿De verdad cree que nosotros o la policía de Dubái pensamos que ha hecho algo malo, señorita Bowden?

Cassie pensó que estaba intentando sonar al mismo tiempo asombrado y herido. Podría haber creído que realmente se sentía así si no la hubiera advertido Ani.

—Supongo que es una pregunta retórica —le dijo Ani al agente del caso.

—No lo es. Estoy tratando de ayudar a resolver un crimen. Estoy tratando de ayudar a una familia a obtener justicia. Y, solo tal vez, intento salvar otras vidas atrapando a un asesino.

—Objetivos muy nobles. Espero que los consiga —replicó Ani.

—Y había azafatas, pasajeros y un agente federal aéreo en el último vuelo de Alex Sokolov que han dejado algo bastante claro: su clienta habló con él. Mucho. Y en sus extensas conversaciones es al menos remotamente posible que le dijera a la señorita Bowden algo que pudiera resultarnos útil.

—¿Así que no creen que haya hecho nada malo?

A Cassie le sorprendió cómo de repente todo el mundo se refería a ella en tercera persona, como si no estuviera allí. Ella. La señorita

Bowden. Quería levantar la mano y recordarles que estaba ahí, que no era invisible. Recordó una frase de una vieja canción de los Beatles: «I know what it's like to be dead». *Sé lo que es estar muerta.*

Hammond frunció más el ceño.

—¿Por qué íbamos a pensarlo? ¿Porque ayer por la tarde se pasó por la oficina de Unisphere en Nueva York?

Entonces, como si fuera una jugada arriesgada de póker, nadie dijo nada. Podía ver que Ani y Hammond intentaban presuponer qué diría el otro, ese *tic* casi imperceptible que les permitiera medir la mano de su oponente y anticiparse. De hecho, fue Washburn, el que tomaba notas, el que rompió el silencio.

—Solo quiero confirmar —empezó en voz baja mirando a Cassie— que ha dicho que Sokolov no le dijo en qué hotel se alojaba, ¿cierto? Solo ha sabido dónde se alojaba porque lo ha leído en los periódicos mucho después de que sucediera. —Luego volvió a bajar la cabeza y pareció mirar la punta del bolígrafo mientras lo sostenía a un milímetro del papel amarillo con delgadas líneas azules.

—Me he acogido a la Quinta —dijo tímidamente sintiendo que las palabras se le quedaban momentáneamente atascadas en la garganta. Juntó los dedos en el regazo para ocultar que estaban temblando.

—¿Dónde estuvo la noche en que Alex Sokolov fue asesinado?

—Me acojo a la Quinta.

—¿Estuvo en la habitación que la aerolínea le había reservado en el hotel Fairmont? En otras palabras, ¿estuvo en el mismo lugar que el resto de la tripulación? ¿O pasó la noche en otro sitio?

—De nuevo, me acojo a la Quinta.

—Sabe que la Quinta no es ninguna bala mágica, ¿verdad? —le dijo Hammond.

Ella no respondió. Intentó respirar tranquilamente. Trató de no pensar en la bebida que se tomaría en cuanto saliera de allí, sino centrarse en ese juego de póker, en esa partida de ajedrez. ¿Sabían de algún modo, categóricamente, que no había estado en la habitación que le proporcionaba la aerolínea o solo lo suponían por las fotos de la cámara de vigilancia del Royal Phoenician?

—No —dijo Ani respondiendo por ella—, no lo es, pero es su derecho constitucional.

—Espero que se dé cuenta —continuó Hammond— de que acogiéndose a la Quinta solo me está dando la impresión de que realmente ha hecho algo incriminatorio, de que tiene algo que ocultar.

—Yo... —Cassie se calló. No sabía lo que quería decir.

—Mire —empezó Hammond con un tono de voz algo más amable—. Aclaremos los detalles. Las cosas fáciles.

—De acuerdo —aceptó ella.

—¿Cuándo conoció a Alex Sokolov?

Durante un momento, lo absurdo de la pregunta la confundió y tuvo que pensarlo durante un segundo.

—En el avión —contestó—. Cuando subió.

—¿Nunca lo vio en Nueva York?

—No.

—Es una ciudad extrañamente pequeña. Y, por supuesto, ayer fue a su oficina. —Cassie permaneció en silencio—. ¿Alguien le avisó de que estaría en el vuelo?

—No. ¿Por qué iban a hacerlo? Eso es...

—¿Eso es qué?

—No es así como funciona. Nadie nos dice quién va en el vuelo hasta que nos dan la lista de pasajeros justo antes de despegar.

El agente del FBI la miró con seriedad.

—Intento ayudarla, señorita Bowden, pero no puedo ayudarla si usted no me ayuda a mí.

—Creo que está siendo muy útil —intervino Ani.

Hammond ignoró a la abogada y continuó.

—Los periódicos. Seguro que los ha visto. ¿Es usted la de las fotos, señorita Bowden?

—¿Qué periódicos? ¿Qué fotos? —preguntó. Estaba intentando ganar tiempo y los dos agentes del FBI tenían que saberlo, ¿cómo podría no haber visto los periódicos a esas alturas? Pero su reflejo al no poder responder con una mentira grandiosa fue responder con una más modesta.

Hammond claramente iba a seguirle el juego.

—Bueno, deje que se lo cuente. Algunos periódicos han publicado fotos de las cámaras de vigilancia del hotel en el que se encontró el cuerpo de Alex Sokolov. La mayoría han publicado dos. Una muestra a una mujer del brazo de Sokolov la noche anterior a que lo mataran. La otra muestra a esa misma mujer marchándose del hotel la mañana siguiente. Sola. Lleva la misma ropa.

Washburn abrió un sobre de manila que tenía al lado de la libreta y colocó las dos fotos en la mesa ante Cassie.

—Aquí las tiene.

Ani sonrió, pero no miró las fotos.

—¿Un paseo de la vergüenza? ¿De verdad? ¿Por qué estamos discutiendo esto?

Hammond la ignoró y argumentó:

—El agregado jurídico de los Emiratos dice que la mujer de las fotos coincide con la descripción de una estadounidense que tres empleados diferentes del hotel vieron con Sokolov la noche anterior a su asesinato. Al parecer, coincide con la mujer con la que cenó en un restaurante francés esa misma noche.

Eran fotos de veinte por veinticinco centímetros. Eran más nítidas que las reproducciones de los periódicos y que las que había visto en el móvil, pero tampoco estaban claras como el agua. ¿La mujer era ella indiscutiblemente? No indiscutiblemente. La primera estaba de perfil, de lejos y granulada. En la segunda llevaba gafas de sol. En ambas llevaba el pañuelo. Pero una persona razonable supondría que era ella.

—¿Reconoce el pañuelo? —preguntó Hammond.

Ella se encogió de hombros. Miró por un momento el estampado arabesco, el conjunto casi hipnótico de zarcillos y remolinos.

—Un asistente de vuelo del avión en el que fue usted de París a Dubái recuerda que compró uno parecido cuando aterrizó —declaró Hammond—. Estaba cerca de la tienda *duty-free* del aeropuerto. Puede que incluso al lado.

¿Habría sido Megan? ¿Jada? ¿Shane? Podría haber sido cualquiera de ellos o podría haber sido otra persona. Había otros nueve azafatos.

—Es posible —respondió simplemente.

—Entonces, ¿esta es usted?

Cassie lo miró a él y después a Ani. Miró a Washburn. Juntó las manos con firmeza, pero no pudo evitar que las piernas le temblaran debajo de la mesa. Sabía que se suponía que debía acogerse a la Quinta. Pero, de repente, también supo que no iba a hacerlo. Lo supo. Pensó de nuevo en aquella letra de la canción de los Beatles «I know what's it's like to be dead». *Sé lo que es estar muerta.* Y supo con certeza que iba a mentir, porque ella era así, y no se puede escapar del ADN más de lo que se puede escapar de un avión que gira velozmente en el océano después de —*uno, elige solo uno*, pensó para sí misma— un fallo mecánico catastrófico, un piloto suicida o una bomba en la bodega de carga. Ella era el rayo que derriba el avión, el piloto que entra en pánico cuando se aproxima a una ventisca.

Probablemente, ya hubieran encontrado su pintalabios en la suite de Alex. O tal vez el bálsamo labial. Lo habrían hallado donde se lo hubiera dejado o donde se le hubiera caído del bolso. Lo habrían encontrado junto a un espejo en el dormitorio o en el baño o sobre la alfombra cerca de la silla sobre la que había arrojado el bolso. Habrían descubierto pruebas incontrovertibles de que había estado con Alex la noche que lo mataron.

—¿Y bien? —la presionó Hammond.

Ani articulaba en silencio «acógete a la Quinta» con los ojos muy abiertos mirándola intensamente.

En cambio, Cassie miró durante un momento las imágenes que había sobre la mesa saboreando sus últimos segundos antes de que el avión se estrellara en el suelo, insegura de si las siguientes palabras resultarían en un exitoso aterrizaje forzoso o si el avión se partiría y explotaría ante el impacto. Respiró hondo por la nariz, exhaló, y luego dijo:

—Por supuesto que soy yo. Alex y yo nos conocimos en el avión, cenamos juntos en Dubái y volvimos a la habitación de su hotel. Hicimos el amor en la cama y en el baño (en la ducha). Y por la mañana, cuando me fui, todavía estaba bien vivo. Se lo puedo asegurar. Me dio un beso en la frente antes de despedirme y me dijo que estaba a punto de levantarse. Pero se lo juro por mi vida: cuando me marché del hotel, estaba perfecto y totalmente bien.

OFICINA FEDERAL DE INVESTIGACIÓN

FD-302—EXTRACTO: CASSANDRA BOWDEN, AZAFATA

FECHA: 3 de agosto de 2018

Aunque BOWDEN se había acogido varias veces a la Quinta durante el interrogatorio, incluyendo la vez que se le preguntó si SOKOLOV le había dicho el nombre del hotel en el que se alojaría, cuando se le mostró las fotos de la cámara de seguridad, admitió ser la mujer que aparecía en ambas.

Dijo que ella y SOKOLOV habían cenado en LA PETITE FERME antes de volver a la habitación de hotel de SOKOLOV en el HOTEL ROYAL PHOENICIAN. Tuvieron relaciones sexuales consensuadas dos veces antes de irse a dormir. Afirma que cuando salió de su habitación la mañana del 27 de julio, estaba vivo. Estaba despierto y la besó.

Reconoció haberse marchado alrededor las 10:45 a. m. No creía que él tuviera ninguna reunión ese día hasta la hora de comer, por eso él le sugirió que se duchara y se vistiera ella primero mientras él «remoloneaba» unos minutos más en la cama. Incluso había bromeado. «Al fin y al cabo, tú tienes que tomar un avión. Yo no».

Finalmente, declaró que una mujer había acudido a la suite de SOKOLOV la noche anterior. SOKOLOV se la presentó como MIRANDA (APELLIDO DESCONOCIDO). Parecía estadounidense, de unos treinta años, ojos marrones, cabello castaño rojizo y estatura media para una mujer. Sin gafas. Pantalones negros holgados, y una camiseta tipo túnica roja y negra. La mujer llevó una botella de vodka y los tres la compartieron.

En ese momento, BOWDEN pensó que MIRANDA tenía algo que ver con UNISPHERE ASSET MANAGEMENT. Supuso que sería una empleada o que tendría dinero invertido en el fondo. (BOWDEN insistió en que visitó UNIS-PHERE el día 2 de agosto porque esperaba averiguar algo más sobre la mujer o sobre SOKOLOV). BOWDEN también pensó que MIRANDA podría estar involucrada con bienes raíces en Dubái. Dijo que tenía la sensación de que MIRANDA estaría en la misma reunión (o reuniones) que SOKOLOV el día siguiente.

No creía que SOKOLOV y MIRANDA fueran amigos cercanos o que se conocieran desde hacía mucho. Era incluso posible que aquella noche fuera la primera vez que se veían.

BOWDEN cree que MIRANDA se quedó menos de una hora, pero para entonces estaba ebria y no está segura. Recuerda haber hablado un poco sobre su trabajo de azafata (SOKOLOV y MIRANDA estaban interesados) pero no de sus trabajos. A BOWDEN le resultó difícil recordar detalles de la conversación porque había bebido mucho.

= = = = = =

SEGUIMIENTO: La Oficina del Director de Inteligencia Nacional (ODNI) nos ha informado que en el ordenador de Alex Sokolov se mostraba a siete inversores rusos para el fondo Unisphere Stalwarts señalados por la OFAC, incluyendo a Viktor Olenin. Los registros de retiradas y transferencias sugieren que Sokolov pudo haber robado del fondo más de dos millones de dólares.

La ODNI dijo que había dos correos de operativos rusos que creemos que estaban afiliados al programa de armas químicas sirio, uno de los cuales se cree que es un COSACO, pero el contenido eran temas rutinarios sobre los rendimientos del fondo. No había menciones específicas de sarín, VX, ni de los compuestos del depósito del ejército de Blue Grass de Kentucky en los correos, ni ninguna referencia a herramientas de defensa con armas químicas.

No había ninguna referencia a proyectos de drones espía o aviones no tripulados.

Pero había información sobre la unidad de memoria USB que parecía provenir del Centro Edgewood de Química Biológica (aunque todavía no podemos descartar una fuente del Blue Grass).

Finalmente, no había correos electrónicos, ni documentos, ni referencias en ninguna parte del ordenador sobre la azafata.

CAPÍTULO QUINCE

Elena no temía que el pasajero del baño fuera un terrorista. Era un sij con un turbante naranja. Debía estar cerca de los setenta. Pero era una aerolínea estadounidense que volaba de Dubái a Ámsterdam, y un tipo con barba y un pañuelo en la cabeza llevaba casi diez minutos en el baño. Los estadounidenses que iban a bordo empezaban a inquietarse.

—No voy a estar tranquila hasta que ese tipo salga de ahí —murmuró una mujer.

Otro hombre bromeó con el pasajero que iba a su lado:

—Sí, es un vuelo largo y aunque ahora estemos a diez mil metros de altura desearía haber alquilado un coche.

Incluso los azafatos, un par de chicos de mediana edad que todavía no eran expertos y claramente sabían lo que estaban haciendo, murmuraban entre sí. Elena estaba en el asiento mamparo de clase turista, que era lo mejor que se podía encontrar en esa cabina, por lo que podía ver y escuchar a los pasajeros de clase *business* intentando animar a los azafatos a hacer algo, pero dejando entrever entre sus palabras su racismo y su paranoia.

—Seguro que saldría si supiera que está incomodando a la gente —dijo una madre que Elena especulaba que sería una década mayor que ella y que tenía a su hijo de seis o siete años sentado a su lado.

—Probablemente solo sea por la comida esa de Medio Oriente —opinó el caballero que estaba al otro lado del pasillo. Supuso que sería el marido de la mujer por el modo en el que se acercó y le dio unas palmaditas en el brazo.

Incluso el tipo vestido de manera casual que Elena estaba segura de que era un agente federal aéreo se había alarmado lo suficiente como para desabrocharse el cinturón e inclinarse hacia el pasillo, observando, preparado para ayudar a los azafatos si era necesario.

Pero Elena sospechaba que no sería así. Los terroristas no eran sijes de setenta años.

Finalmente, cuando contó a cinco personas haciendo cola en la parte delantera de la cabina, uno de los azafatos llamó a la puerta y le preguntó al tipo si estaba bien. Cuando no respondió inmediatamente, vio cómo las cabezas se asomaban sobre los asientos más amplios y cómodos de clase *business*. Era muy probable que algunos de esos pasajeros estuvieran imaginando la explosión que destruiría una parte del fuselaje y la cabina de vuelo, enviándolos a todos a una caída en picada hacia la muerte por algún lugar de Hungría o Rumanía. El azafato llamó con más determinación, pero con la voz todavía tranquila. Lo último que quería era reaccionar de manera exagerada.

Eso le hizo preguntarse qué haría Cassandra Bowden. ¿Se habría encontrado alguna vez en una situación como esa? Sin duda, sí. La mujer tenía un claro mecanismo de lucha o huida que o era increíblemente preciso o funcionaba terriblemente mal. Un imán roto. Un giroscopio destrozado.

En ese momento salió el sij con aspecto molesto porque su espacio personal hubiera sido, según su opinión, gravemente violado. El agente federal aéreo volvió a recostarse y uno de los azafatos les dijo a los pasajeros de primera clase que estaban mirando que había tomado algo en mal estado para desayunar. El sij le devolvió la mirada.

Elena recordó lo que le había dicho Viktor sobre Cassandra Bowden: «Es una borracha y un poco autodestructiva». Cuando su padre había formado a los cosacos un cuarto de siglo antes eligiendo a los oficiales más patrióticos —traducción: los rusos de la vieja escuela— que conocía del KGB, Viktor tendría más o menos la edad que tenía ella en ese momento. Fue Yeltsin el que vio el icónico poder de la cultura cosaca y permitió, por primera vez, la rehabilitación de uno de los oponentes más feroces del partido bolchevique durante los primeros días de la revolución. Ahora los cosacos estaban entre las ramas más oscuras del FSB, sucesor del KGB. Trabajaban a menudo con la inteligencia militar rusa, el GRU, como en este proyecto. Y sí, eran de los más corruptos. Elena lo sabía. Su padre lo había sabido. Y, claramente, los estadounidenses lo sabían. Los cosacos eran despiadados y ricos.

Viktor era inteligente. Probablemente ya había movido todo su dinero del fondo de Sokolov. Todos lo habían hecho. Lo más seguro era que hubiera desaparecido antes de que la enviaran a la habitación 511 del Royal Phoenician. Los investigadores intentarían rastrear el dinero, pero acabarían chocando contra algún muro, un impenetrable arrecife de coral en algún lugar del Caribe. Podrían encontrar el de Sokolov: Elena había dejado muchos rastros en su ordenador, pero no el de Viktor.

Ella tenía una idea bastante clara de lo que pasaría si no mataba a la azafata, Viktor había sido muy directo. Pero sabía que también habría consecuencias violentas aunque se ocupara de ese cabo suelto. Supuso que dependía de lo que Sokolov le hubiera contado a Bowden —si es que le había contado algo— y de lo que la mujer recordara. De lo que les estuviera contando a todos.

Pero Elena nunca olvidaría la rabia que había sentido cuando había comprendido finalmente lo que los cosacos le habían hecho a su padre. Yoduro de metilo. Durante años había pensado que había sido un derrame cerebral.

La mujer trató de analizar con precisión qué era lo que no sabía, que era mucho. Era un poco como la muñeca rusa que había tenido de pequeña. La figura se sentaba en su tocador, primero en Moscú y después en Sochi, una campesina sonriente con un colorido sarafán. Si separaba la parte superior de la inferior, dentro había una muñeca más pequeña. Y dentro de esa, una tercera, todavía más diminuta. En total había cuatro muñecas ocultas hasta llegar a la Matryona, la más pequeña y la única que no estaba hueca.

Suspiró. Viktor tendría a alguien vigilando a Elena en Estados Unidos. Estaba segura de ello.

Miró la revista que tenía abierta sobre el regazo. Sus ojos descansaron en una fotografía de Sylvia Plath y se le ocurrió una idea. La muerte de Bowden no debía parecer un accidente. Debía parecer un suicidio. De este modo, a ambos lados del Atlántico tendrían una negación plausible. Debería esperar a que los periódicos y los canales de noticias hablaran de ella como una borracha y asesina que no sería extraditada para enfrentarse a un juicio, al menos de inmediato.

Cuando fuera públicamente avergonzada, Cassandra Bowden se suicidaría.

PARTE TRES

COMPÓRTATE COMO UNA ADULTA

CAPÍTULO DIECISÉIS

Ani esperó para atacar a Cassie hasta estar fuera de Federal Plaza; caminaron en dirección oeste hacia Church Street donde encontraron un taxi para dirigirse al norte.

—¿Cuál es el plan, Cassie? ¿Ir a la cárcel aquí o en Dubái? ¿Qué demonios estabas pensando? —Caminaba tan rápido que Cassie tenía que trotar para mantener el ritmo, y eso que llevaba tacones altos.

—Me ha parecido... más fácil —se excusó Cassie—. ¿Podemos tomar algo y hablar de esto?

—Lo hablaremos en mi despacho. No en el taxi.

—Me vendría muy bien tomar una copa.

—Te vendría muy bien usar un poco el sentido común. Casi no importa que seas inocente, todo lo que has hecho sugiere que eres culpable. Huiste de la escena. No le dijiste a nadie que estuviste en su habitación. Mentiste por omisión cuando aterrizaste...

—Realmente no. Nadie me preguntó nada.

—Vale, bien. Has mentido descaradamente ahora.

—Lo sé. Lo entiendo. Es solo que...

Ani se detuvo y se dio vuelta hacia ella. Tenía los ojos muy abiertos por la rabia.

—¿Solo que qué? —preguntó en tono acusatorio.

—Es solo que era claramente yo la de las fotos. Es solo que probablemente ya tengan mi pintalabios. Y ahora ya no importa, porque he admitido que estuve allí.

—¿Y qué? Te acoges a la Quinta. Además, no eres *claramente* tú. Es una gran diferencia. Una diferencia enorme. Y tu maldito pintalabios podía estar en cualquier parte. ¿Sabes lo que va a pasar ahora?

Cassie negó con la cabeza y esperó.

—Van a confirmar la hora aproximada de la muerte con el forense de Dubái. No sabrán la hora definitiva, pero si pueden demostrar que fue antes de las once menos cuarto de la mañana, estás jodida. Perdona que te lo diga, Cassie, pero estás muy jodida.

Luego se quedaron calladas un momento y Cassie pensó que vomitaría allí en medio de la calle. Miró a la acera y respiró lenta y profundamente para recuperar la compostura. Tal vez se estaba autodestruyendo porque en el fondo sabía que lo había matado y ansiaba un castigo. Justicia. Al otro lado de la calle había un bar con un letrero de neón de un trébol de cuatro hojas.

—Por favor —dijo con la voz temblorosa señalándolo—. Necesito una copa. De verdad que la necesito.

En voz baja pero intensa, llena de frustración y furia que habían sido ligeramente apaciguadas por el *gin-tonic* que se estaba tomando en grandes tragos, Ani le explicó a Cassie lo que creía que sucedería a continuación. Todo dependería del tiempo que tardaran tres personas en conectarse a medida que llegaba la medianoche en la península arábiga: el agregado jurídico del FBI de los Emiratos Árabes, su conexión con la policía de Dubái y el forense de esa enorme ciudad junto al mar. Ani le explicó que, la semana anterior, cuando se encontró el cuerpo de Alex Sokolov, el forense le realizó la autopsia. Aquel hombre —ya que Ani supuso que en Dubái era más probable que fuera hombre que mujer— había visto la cantidad de ternera de la cena anterior que quedaba en el estómago de Alex, le había tomado la temperatura del cuerpo y había visto cuánto había progresado el rígor mortis.

—No sé mucho de entomología forense, pero creo que también examinan los insectos que empiezan a comerse el cadáver del sujeto. Todavía no habría escarabajos ni mucho menos gusanos, pero podría haber habido moscas domésticas —explicó Ani—. En cualquier caso, el forense habrá ofrecido una hora aproximada de la muerte.

Cassie se había tomado un chupito de tequila nada más llegar y la calidez la había ayudado. Era un tequila bastante bueno. Suave. Estaba más calmada, al menos un poco. El tequila le recordó a Buckley y a su baile descalza en el bar, un recuerdo que cada vez se volvía más dulce y borroso. Estaba a punto de acabarse el margarita que se había pedido justo después del chupito.

—Has dicho que la hora será aproximada. Eso significa que hay cierto margen. ¿Sabes cómo de grande es ese margen? ¿Hablamos de una hora? ¿De tres horas? ¿Cinco, tal vez? —preguntó. Se recostó en el taburete y se giró para quedarse frente a Ani. A veces disfrutaba de ese tipo de sitios: paneles oscuros y poca luz, no era un antro pero estaba muy lejos del Bemelmans en el Carlyle. Había un par de hombres mayores con monótonos trajes marrones en el otro extremo de la barra, pero eran los únicos clientes, aparte de ellas, que había a esas horas de la tarde.

—Entre unas dos o tres —contestó Ani—. Pero la descomposición no es mi especialidad. Podría ser más o podría ser menos.

—Encontraron el cuerpo por la tarde, ¿no?

—Sí.

Una idea flotaba más allá del alcance de Cassie. Pensó que podría atraparla si hablaba de ella en voz alta.

—Entonces digamos que encontraron a Alex a las cinco de la tarde. Tú y yo sabemos que lo mataron antes de que me despertara y eso fue sobre las diez menos cuarto de la mañana. Si tenemos un margen de tres horas, esperemos que lo mataran más o menos una hora antes de que yo abriera los ojos.

—No te hagas ilusiones. A las nueve menos cuarto de la mañana habría gente por los pasillos. Personal de mantenimiento, huéspedes saliendo, huéspedes yendo a desayunar… Nadie comete un asesinato en una habitación de hotel si tiene que enfrentarse a una horda de clientes y empleados.

—Aun así. Lo único que necesitamos es un margen bastante grande para que pueda jugar a nuestro favor.

—Y que sea grande. Muy grande. Piensa en el margen más grande que puedas imaginar.

Cassie asintió, esperanzada.

—Y ahora intentarán encontrar a Miranda, ¿verdad?

—Sí, es lo que harán.

Cassie estaba perturbada por la cadencia de las palabras de Ani.

—Haces que parezca que ahora viene un pero.

—Pues sí. Ya sabemos que no hay ninguna Miranda que trabaje con Sokolov. No hay ninguna Miranda en Unisphere Asset Management.

—¿Y?

—¿Y si no hay ninguna Miranda en ninguna parte de su vida?

—Mira, yo no me la inventé. Lo admito, Alex apenas la conocía, si es que se conocían de antes. Ya te lo he dicho, puede que solo fuera amiga o familiar de algún inversor.

El camarero miró hacia ellas y Ani se puso alerta. Cassie entendió que su abogada quería que bajara la voz.

—¿Otra ronda? —les preguntó.

—No, gracias —le dijo Ani y Cassie sintió una punzada de decepción. La abogada respiró hondo y añadió—: Bebes demasiado. Te desmayas. Sufres *blackouts*. Y eres, por lo que tú misma has dicho, una mentirosa. Mientes a todas horas.

Las palabras flotaron en el aire, reveladoras e hirientes.

—Pensaba que me creías —murmuró Cassie. Podía escuchar la devastación casi infantil que implicaba su respuesta. Era como si Ani la hubiera traicionado.

—Ni siquiera tú estás segura de creerte a ti misma —dijo Ani en voz baja.

—¡A veces! —exclamó—. La mayoría del tiempo estoy absolutamente segura: yo no lo maté.

—Bien —contestó Ani—. Vale. Si eso te hace sentir mejor, yo también creo que no lo hiciste. ¿Eso ayuda o marca la diferencia? Para nada. Esperemos que en la habitación del hotel haya pruebas de que esta Miranda existe.

—Las habrá. ¿No estará allí su ADN?

—Es una habitación de hotel. Hay ADN de cientos o miles de huéspedes.

—Por supuesto —aceptó, pero se le ocurrió una idea—. Su ADN podría estar en el vaso que utilizó. Podrían encontrar sus huellas. Limpié los vasos, pero quién sabe lo meticulosa que fui. Estaba siendo presa del pánico.

—Aparte del hecho de que limpiar un par de vasos solo grita culpabilidad, ¿cómo compararán el ADN con el de una persona que no podrán encontrar? ¿Cómo compararán las huellas? No hay una base de datos de ADN y de huellas dactilares de personas que afirman llamarse Miranda.

—Ya veo.

—No sé qué estabas pensando cuando diste voluntariamente al FBI la información de que te acostaste con el chico y de que pasaste la noche en su suite. Estoy… incrédula.

—O no estaba pensando o estaba pensando que por las fotos ya sabían que había pasado la noche con Alex y que encontrarían mi ADN o mis huellas o mi maldito pintalabios en alguna parte de la habitación. Sinceramente, no sé cuál de todas esas opciones.

—Asumes que les vas a permitir que te froten la mejilla para obtener tu ADN. O que te tomen las huellas. Intentaré retrasarlo todo lo que pueda, pero me has complicado mucho el trabajo.

—Lo siento. De verdad.

Ani puso expresión pensativa.

—El día que nos conocimos me dijiste que los cortes de tus manos eran de un cristal roto. ¿Es cierto?

—Sí. ¿Qué sugieres? ¿Crees que intenté suicidarme?

—No, por supuesto que no. Los tenías en las manos, no en las muñecas. Estaba pensando en heridas de defensa. Intentabas protegerte. Luchando contra un cuchillo o contra aquella botella rota. Responde sinceramente, ¿te atacó Sokolov en algún momento de la noche? Lo siento, pero tengo que preguntártelo, ¿algún tipo de juego sexual extraño que se os fue de las manos?

—No me atacó, Ani. Al menos que yo recuerde. Pero no me parece propio de él. Él era...

—Sigue.

—Era muy bueno en la cama. Era nuestra primera vez y fue muy agradable. ¿Los cortes de las manos? Vi un artículo de un sitio de noticias de Dubái y dejé caer la copa de vino que tenía en la mano. Fue en el baño la noche anterior a reunirnos por primera vez.

—¿Bebes incluso en el baño?

—Me llevé una copa de vino a la bañera. No es lo peor que he hecho —confesó Cassie.

—Vale, así que los cortes de las manos no tienen nada que ver con el ataque —resumió Ani—. Lo pillo. Me hablaste del cuello de Sokolov, ¿tenía heridas de defensa en las manos o en los brazos? ¿Como si hubiera tratado de detener la botella rota?

—¿Te refieres a si yo lo ataqué?

—O alguien.

—Había sangre por todas partes, pero no lo creo.

—¿No había ningún tipo de evidencia de pelea?

—Si hubiera habido una pelea, ¿no crees que me acordaría? —preguntó Cassie. Ani se limitó a arquear una ceja como respuesta—. No. Tienes razón. No me habría acordado. Pero no creo que hubiera ninguna pelea. No recuerdo haberle visto cortes en las manos ni en los brazos. ¿Eso es bueno o malo?

—Bueno no es, la verdad. Ojalá hubiera pensado en sacar fotos el lunes por la mañana de los cortes de tus manos. Eso es culpa mía. Si deciden que lo mataste, habría sido bueno afirmar que hubo una pelea y que te estabas defendiendo con desesperación.

Cassie se miró las manos. Ese día ni se había molestado en ponerse tiritas. Los cortes ya no se veían mucho.

—Supongo que ahora es demasiado tarde.

Sin embargo, Ani sacó el teléfono y utilizó la cámara para sacar una serie de fotos colocando las manos de Cassie sobre un mantel de papel blanco del bar.

—Probablemente no valgan nada, ya que las heridas tienen cinco días y estoy usando la cámara del móvil, pero ¿qué diablos? —dijo la abogada—. Para cuando encuentre un fotógrafo un viernes por la tarde de agosto los cortes estarán completamente curados.

—Hay algo bueno en el hecho de que Alex no tenga heridas de defensa —comentó Cassie.

—Dime.

—Puede que eso signifique que no sintió dolor. Espero que no se despertara.

—Eso es muy dulce por tu parte, pero poco útil.

—Lo sé.

—Recuérdame —preguntó Ani—. ¿A qué hora te desmayaste?

—Fue un *blackout*. Parece que todavía estaba en pie. Funcionando, en cierto modo. Ojalá me hubiera desmayado.

—Vale. ¿Qué es lo último que recuerdas?

Cassie enterró el rostro entre las manos y pensó. Tenía los dedos húmedos por haber sujetado la copa. Finalmente levantó la vista y respondió:

—Así es cómo pasó todo. Miranda está allí y yo estoy vestida y estamos bebiendo. Estamos en la sala de estar de la suite. Dice que va a marcharse y yo voy a irme con ella.

—Pero no te fuiste con ella, ¿verdad? —interrumpió Ani—. Estabas allí cuando Alex rompió la botella de vodka.

—Correcto. Me convenció para que me quedara, lo que no le resultó muy difícil. Bebimos un poco más y echamos otro polvo, esta vez en el dormitorio. Pero luego me vestí.

—¿Estás segura?

—No. Pero casi segura. Estoy *bastante* segura. Tenía pensado de verdad volver al hotel de la aerolínea. De todos modos, esa era mi intención. Miranda se había ido y yo también me iba a ir.

—¿Sabes a qué hora se marchó Miranda? Puede que la encuentren en las cámaras de seguridad.

—¿Once? ¿Once y media? ¿Doce?

—Eso ayuda. ¿Y cuándo te habrías ido tú?

Cassie se encogió de hombros.

—¿Doce y media? ¿Una? Supongo que una hora más tarde.

—Vale.

—Pero no me vieron en ese momento, o al menos, no han publicado ninguna foto de las cámaras de seguridad del vestíbulo de mi marcha a mitad de la noche. Eso sugiere que no me fui hasta la mañana.

—O al menos no llegaste hasta el vestíbulo.

—Sí.

Empezó a formarse en su mente una idea borrosa e incipiente. Intentó atraparla, moldearla, imaginar dónde podría haber ido. Se centró en el pasillo. Había visto muchos pasillos de hoteles, pero pocos tan elegantes como el del Royal Phoenician. Había pasillos largos e interminables, lo que era típico, pero las alfombras orientales eran preciosas y las puertas de los ascensores —cuando conseguías llegar hasta ellas— eran negras y doradas, había candelabros a lo largo de las paredes, con un estilo que recordaba a Aladdín al mismo tiempo que era futurista, como si el genio hubiera sido un marciano; y luego estaban las exquisitas puertas de las habitaciones de los huéspedes con sombreados moriscos que bordeaban los paneles. Estaban los divanes con la tapicería ornamentada en azul y oro a un lado de los ascensores y junto a las ventanas en los rincones de las esquinas. Se había parado junto a uno cuando había subido por primera vez a la planta de Alex con la llave que le había dado en la cena, y había disfrutado de las vistas por la ventana de camino a su habitación. No, había ido más allá de su habitación, había ido hasta el final del pasillo para ver la ciudad desde allí.

—A veces me equivoco de dirección cuando salgo de la habitación de un hotel, incluso cuando estoy sobria —dijo Cassie—. Voy a demasiados hoteles. Todos cometemos ese error. Tanto pilotos como asistentes de vuelo. El ascensor estaba a la izquierda a la vuelta de la esquina en Berlín, por ejemplo, pero es a la derecha y todo recto en Estambul. Pasa a todas horas.

—¿Y?

—No lo sé. Puede sonar patético, pero tengo un vago recuerdo de haber entrado en pánico en el pasillo justo después de salir de su habitación.

—¿Porque había alguien detrás de ti? —preguntó Ani un poco asombrada.

—No. Porque me perdí. Estaba en mitad de la noche y no podía encontrar ni el ascensor ni su habitación. Ni siquiera podía recordar el número de la habitación. Quiero decir, ahora el 511 está grabado en mi cerebro. Pero no entonces. Piensa en todos los números de habitación que veo cada mes en mi vida. De todos modos, no sabía qué hacer. Creo...

—¿Qué crees?

—Creo que me dejé caer en uno de los divanes de las esquinas del pasillo. Creo que fue junto a una ventana que daba a la ciudad.

—Eso fue después de que Miranda se marchara.

—Sí. Fue después de que se marchara. Así que estaba sola en el pasillo, pero iba borracha, muy borracha. Quizá me perdí y me di por vencida. Tal vez simplemente me senté allí y traté de averiguar qué diablos hacer. Y puede que ahí me desmayara. En otras palabras, no llegué al vestíbulo. Me perdí en el pasillo y me derrumbé sobre un sofá durante, no sé, media hora. Una hora. Puede que menos, puede que más. Pero me desperté antes de que alguien de seguridad o del servicio de habitaciones pasara por el pasillo.

—¿Y encontraste el camino de vuelta hasta su habitación?

—Eso es. Tenía una llave. Puede que la siesta me ayudara a concentrarme. O se me pasó la borrachera lo justo y necesario para recordar el número de habitación.

—No tendrías que haberte ido tanto tiempo. Supongo que incluso diez minutos habrían bastado para que alguien entrara en su habitación y lo matara.

—Es muy posible que estuviera fuera más de diez minutos. Esos sofás y divanes parecían muy, muy cómodos.

—¿Y la habitación estaba a oscuras cuando volviste?

—Al menos el dormitorio, sí —respondió—. Puede que hubiera luz en la sala de estar.

Tenía que creer que no estaba tan borracha como para meterse en la cama aún a sabiendas de que había un cadáver junto a ella. Aun así, la realidad de lo que estaba sugiriendo comenzaba a aclararse.

—Por Dios, Cassie. ¿Y si mataron a Alex a la una o las dos de la madrugada? Por eso tenías que acogerte a la Quinta. —La frustración de Ani era evidente cuando hizo una pausa para tomarse el último largo trago de su bebida—. Ojalá supiera algo más de la precisión que puede tener una autopsia para determinar la hora de la muerte.

—¿No te alegras de que les haya hablado de Miranda? Al menos ahora tienen otra sospechosa aparte de mí. —La abogada la miró fijamente, pero no dijo nada—. Mira, lo siento —dijo Cassie—. De verdad. Es que soy... rara.

—Irresponsable sería una palabra más adecuada. O loca.

—¿Sabremos lo que pasa antes de que vuele a Roma?

Ani puso ambas manos sobre las rodillas de Cassie.

—Asumes que la próxima vez que nos veamos no será después de que seas arrestada en, digamos, una audiencia de fianza. Estás asumiendo que no te habrán quitado el pasaporte para entonces. Estás asumiendo que todavía tendrás trabajo.

Cassie agarró su copa de margarita y pasó la lengua por la sal que quedaba en el borde. Por lo demás, la copa estaba vacía.

—Mañana voy a llevar a mis sobrinos al zoo —dijo con la voz un poco entumecida en los oídos. Era como si llevara los auriculares puestos. Después agregó—: ¿Me van a despedir?

—Al zoo. Tu trabajo. ¿En serio? ¿Estás escuchando lo que te digo?

—Sí. —Asintió.

—El sindicato te respaldará. Mi tío lo hará. Llámalo esta noche y hazle saber lo que está pasando. Yo también lo llamaré. Dudo mucho que la aerolínea pueda despedirte, por la presunción de inocencia y todo eso. Pero en algún momento puede que te den un permiso de ausencia. Hay toda una rama del derecho que estudia con precisión cuándo se puede despedir a un empleado por su conducta fuera de servicio y cuándo no.

—Ya veo.

—No estoy segura de que lo entiendas, la verdad.

—¿Sabes qué es lo peor?

—¿Ahora mismo? ¿Después de que te pasaras por Unisphere ayer por la tarde? ¿Después de tu comportamiento hoy con el FBI? El listón está muy alto. No lo sé. Dime.

—Es eso, la expresión que acabas de usar. La presunción de inocencia. Quién sabe de qué soy capaz cuando voy como una cuba y la memoria sufre daños colaterales. Pero sé en el fondo de mi corazón que yo no maté a Alex. Hago estupideces cuando estoy borracha y cosas irresponsables, pero no... eso. No le corto el cuello a la gente. Y si esta vez me toca pagarlo, será una especie de ironía horrible.

—¿Cassie?

Esperó.

La ira de Ani estaba disminuyendo y dio paso a la tristeza y la preocupación.

—Te prometo que no has hecho nada tan malo para merecer lo que podría sucederte.

Cassandra, nacida en Troya, hija del rey Príamo y la reina Hécuba, conocía el futuro y nadie le creía. Al menos es lo que ocurría la mayor parte del tiempo. Apolo le dio el gran don de la profecía porque estaba seguro de que se acostaría con él. Cuando ella acabó negándose, el dios le escupió en la boca dejándola con la maldición de que nadie creyera una sola palabra que dijera.

Cassandra, nacida en Kentucky hija de nadie que pudiera ser considerado para la realeza, reflexionó sobre la incredulidad de que ella dejaba a su paso la aprensión y el miedo que ahora marcaban cada uno de sus movimientos. La realidad de lo que había hecho —y de lo que no había hecho— se había convertido en un acto incontestable en su mente, pero dudaba que el FBI le creyera si les contara voluntariamente la verdadera cronología: le había dado las buenas noches a Alex Sokolov y había dejado atrás los lujos palaciegos de la habitación 511 sobre las doce y media o la una de la madrugada y luego había deambulado por los pasillos en busca de un ascensor. En ese momento, estaba definitivamente vivo. Pero ella no llegó al elevador. No pudo encontrarlo. Y así se dejó caer, como una pésima marioneta borracha y sin huesos sobre un diván ornamentado de Medio Oriente y se quedó dormida. Cuando se despertó tampoco llegó al ascensor, bien porque seguía sin poder encontrarlo o porque ni siquiera recordara que era su destino original. De cualquier modo, volvió a la suite de Alex, se desnudó, se subió a la cama... completamente ajena al hecho de que él estaba muerto. O *casi* muerto.

No, le había visto el cuello por la mañana. Se había desangrado rápidamente. Estaba muerto.

Y había dormido el resto de la noche junto a su cadáver. En las mismas sábanas. Con su cabeza en la almohada junto a la suya. Con la sangre empapándole el pelo.

Era un fracaso espectacular y repugnante, incluso para sus estándares de indignidad y mortificación. Supuso que, si no estuviera ya borracha, la revelación la habría llevado a beber.

———

Sin embargo, por alguna razón, a pesar de su comportamiento en la oficina del FBI aquella tarde, las autoridades no fueron a por ella esa noche. Ani y ella compartieron un taxi hasta la parte alta de la ciudad. Cassie se bajó en la calle 27 y a las seis menos cuarto ya estaba de vuelta en su apartamento. Llamó a Derek Mayes, el tío de Ani del sindicato, y este pareció mucho menos sorprendido por la historia que le contó —empezando con el cuerpo en la cama y acabando con su confesión al FBI de que había pasado la noche con Sokolov— de lo que había esperado. Lo atribuyó más a sus bajas expectativas de ella como persona que a su experiencia con los auxiliares de vuelo en general. Él le aseguró que Ani y él hablarían y la protegerían. Fue muy reconfortante. Le recordó que ella no había matado a nadie, aunque añadió un comentario más siniestro que divertido: «Al menos esa es tu historia esta semana».

Y luego, animada por la actitud positiva de Mayes y por el Riesling de Washington que abrió y se sirvió con hielo, llamó a Buckley. Ni siquiera le envió un mensaje. El actor propuso quedar por la noche para tomar una copa después de ver el espectáculo de un amigo suyo en el Barrow, y como raramente decía que no a una copa, aceptó. Esta vez eligieron un bar en el West Village, cerca del teatro.

Entonces se dejó caer en el sofá y miró al Empire State. Sacó el libro de Tolstói de su bolso, bebió un sorbo de vino y leyó, esperando perderse en la narración y escapar de la realidad de su vida y, sin embargo, también recabar de algún modo información sobre Alex Sokolov. Era un acto de equilibrio imposible: si estaba leyendo para descubrir más sobre el hombre que había muerto en las sábanas en las que habían hecho el amor, claramente no estaba leyendo para distraerse de la absoluta precariedad de su futuro. Antes de volver a *La felicidad conyugal*, se detuvo en un párrafo en particular sobre Iván Ilich que se le había quedado en la mente: «Tenía un romance con una dama que se arrojó sobre el elegante y joven abogado». Pero esa relación no significaba nada para él, «todo podría colocarse bajo el dicho francés: "il faut que la jeunesse se passé"». ¿Traducción? La juventud tiene que pasar.

Eso la hizo sentirse vieja. Se recordó a sí misma que ella también había visto a Alex como un divertido juego.

Finalmente, llamó a su hermana, que ya estaba en su hotel en Westchester y quedaron en una hora para verse la mañana siguiente en el zoo. Se encontrarían a las diez y media en la fuente que había cerca de los leones marinos, justo en la entrada de Fordham Road. Se sintió agradecida por no tener que quedarse sola con los niños. Se notó realmente aliviada. Sería un desastre si estuviera sola con sus sobrinos cuando la arrestaran.

⎯⎯◆⎯⎯

Buckley la tomó de la mano mientras caminaban del bar a su apartamento. Pasaban pocos minutos de la medianoche, por lo que el West Village seguía concurrido, las estrechas calles estaban llenas de gente y las mesas de los bistrós junto a las aceras estaban a rebosar.

—Miras mucho el móvil —murmuró él.

Cassie no le había contado nada. Nada de nada. O bien Buckley no había visto las fotos de los periódicos aquel día o las había mirado tan rápido que no se le habían quedado.

—Llevo años sin ser reserva, pero la aerolínea me ha pedido que esté disponible —mintió.

—¿No dijiste que te ibas a Roma el domingo por la noche?

—Puede que me quieran para otra ruta mañana. —El aire era fresco y deseó haberse puesto algo más tapado que una blusa sin mangas. Notó que se le erizaba el vello de los brazos.

—¿Podrás ir mañana al zoo? No me gustaría que te perdieras la oportunidad de ver a tu familia y a los leones marinos.

—Ya veremos —respondió, aunque en su mente se imaginó a sí misma respondiendo: *si no estoy en el zoo probablemente sea porque, en el mejor de los casos, estaré con mi abogada haciéndome un hisopado de mejilla para analizar mi ADN. En el peor de los casos, estaré arrestada por asesinato.* Pero no dijo nada de eso—. Cuéntame más sobre tu audición —le pidió—. Háblame del piloto. Me dijiste que era un drama.

—Algo así. Por lo que se ve en el guion también incluye un tipo de guion muy oscuro. Se trata de una familia de narcotraficantes de Staten Island. Al parecer habrá muchas escenas en el ferry y muchas tomas nocturnas y de tiroteos durante la grabación. Parece extremadamente violento. Yo sería uno de los hermanos. Algo parecido a Edmundo, de *El rey Lear*. Seré el hermano pequeño y un bastardo, literal y metafóricamente.

—¿Crees que tienes opciones?

—Sí, pero solo porque es un papel pequeño. Un personaje recurrente, pero no uno de los cuatro protagonistas principales. —Señaló a una ardilla que se aferraba a la mosquitera de una ventana de un segundo piso y miraba al interior del apartamento—. Tom el mirón —murmuró.

Mirando a la ardilla desde la acera parecía un enorme gato naranja con el pelaje tan espeso que Cassie solo le podía ver una parte del cuello. Movía la cola de un lado a otro sobre el hormigón. Pensó en los gatos del refugio —a muchos los tenía en la cabeza, al menos, hasta que encontraban un hogar permanente— y se preguntó qué harían sin ella. Había otros voluntarios, pero no sabía lo diligentes que eran para introducir a escondidas hierba gatera, golosinas y juguetes y para cepillar a los gatos durante horas.

—¿Cuándo lo sabrás? —le preguntó a Buckley.

—¿Si obtengo el papel? La semana que viene, supongo. También hay muchas tramas geniales de hermanos en el guion. Es el tipo de material que me motiva. En la vida real tengo una relación complicada con mi hermano y con mi hermana.

—Sí, yo también.

—¿Tu hermana y tú estáis muy unidas?

—No mucho.

—¿No seríais amigas si no fuerais familia?

—Probablemente no

—¿A pesar de todo lo que soportasteis juntas mientras crecíais?

—A pesar de eso.

Le preguntó a qué se dedicaba su hermana y luego a qué se dedicaba su cuñado. Le pareció mucho más interesante el trabajo de su cuñado. Como a todos. Nadie preguntaba más cuando decía que su hermana era contable. Pero ¿un ingeniero en una base del ejército que disponía de gas venenoso y agentes neurotóxicos? La gente se quedaba fascinada, sobre todo los hombres.

—Apuesto a que no habla mucho de eso —comentó.

—¿Porque es información clasificada? —preguntó ella.

—Porque es todo muy turbio. ¿Armas químicas? Es una locura. Todos hemos visto fotos de Siria.

—Creo que él está a cargo de deshacerse de ellas. O es una de las personas a cargo de ello, de todos modos. Pero, sí, es información clasificada.

—Y no es exactamente el tipo de conversación que surge durante la cena de Acción de Gracias, en cualquier caso.

—No. —Luego, sintiéndose inusualmente a la defensiva con su familia, continuó—: En realidad no es alguien turbio. Es bastante agradable. Muy dulce. Me llevo mejor con él que con Rosemary.

—Bueno, Rosemary y tú tenéis mucha más historia juntas.

—Sí, la verdad es que sí. Y eso sí que es una historia principalmente turbia —añadió. Le pidió que le hablara sobre su familia y él se rio un poco, pero luego empezó a hablar bromeando sobre Westport, sobre blancos anglosajones protestantes y sobre cómo la cena de Acción de Gracias de su familia habría rivalizado con la de Martha Stewart en cuanto a detalles y valores de producción.

Ella se apoyó en Buckley mientras él le relataba historias sobre los blazers blasonados que usaba de pequeño y los impecables árboles de Navidad de su madre. Estaba un poco borracha y se gustaba más a sí misma cuando estaba en ese estado. Creía que estaba más guapa cuando llegaba a ese punto. Se había espiado a sí misma —u observado— lo suficiente en espejos —en fiestas, aviones o en su polvera— para saber que su mirada se veía un poco más lasciva y sus labios algo más atractivos cuando empezaba a dejar atrás la tristeza de la sobriedad. Cuando estaba trabajando, cuando se tomaba una o dos copas durante el vuelo, sabía que los hombres se fijaban en ella de otro modo, con una mirada más rapaz. Podía sentir cómo posaban sus ojos sobre sus caderas y su trasero mientras trabajaba de una punta a otra del pasillo. Dejó de andar y esperó a que Buckley se parara. Tenía que dejar de pensar en la infancia de ese hombre tan agradable, en los gatos del refugio, en los viajes y en el alcohol, en todo lo que estaba a punto de perder.

Sentía que no la estaba siguiendo nadie. Nadie.

Él la miró fijamente durante unos instantes.

—¿Qué pasa? —preguntó.

—Eres tú —le contestó—. Esta noche estrellada en la ciudad.

A continuación, por motivos que no entendía exactamente, condujo los dedos de Buckley hasta sus labios y los besó.

Por la mañana parecía que todavía no la estaban buscando. O, al menos, no habían ido a por ella. El único mensaje que tenía era uno de Ani que le preguntaba si había oído algo. Le respondió que no y contempló a Buckley durmiendo unos minutos más. Se le pasó por la cabeza que tal vez no volvería a verlo nunca después de ese día. No sabía qué le esperaba en las próximas horas. Las indignidades. Las acusaciones. El dolor público y privado.

Él todavía estaba dormido cuando Cassie salió de la cama y se sentó por un momento a su lado. La persiana estaba bajada, pero sabía que fuera estaba soleado. Era un día espléndido para ir al zoo.

Comprobó el tiempo en su móvil, y se fijó en Charlottesville, Virginia. Vio que allí también haría calor y sol. Como sucedía con esas cosas, sería un día precioso para un funeral.

Un par de leones marinos salieron sin esfuerzo del agua hasta una plataforma de piedra, y salpicaron a la joven que llevaba un balde de pescado como si fueran labradores juguetones mojados por la lluvia. La entrenadora les sonrió y les lanzó un par de sardinas a cada uno.

Cassie estaba de pie junto a la barandilla al lado de Rosemary. Al lado de su hermana estaban los dos niños, Tim y Jessica. Dennis, su cuñado, estaba a unos metros de ellos fotografiando animales desde lo que él creía que sería el punto de vista que le permitiría capturar tanto a los animales como a su familia. Jessica todavía no había empezado tercero, por lo que era lo bastante joven como para reír y chillar ante las payasadas de los leones marinos, pero Cassie observó que Tim los miraba con el fingido desinterés de un estudiante de secundaria. Al menos supuso que era fingido ¿cómo no iba a disfrutar viendo a los leones marinos jugueteando una mañana de sábado de agosto? Aun así, parecía considerablemente más fascinado por el pequeño dron que el zoo hacía volar sobre los leones marinos para un vídeo que se veía en una tienda de regalos cercana. Cassie sabía que probablemente tuviera uno igual de sofisticado en casa. Pensó que los drones eran cosa de chicos. Algo francamente cromosómico.

Los dos niños eran atractivos, Tim estaba en un periodo de crecimiento acelerado, pero ya era delgado y larguirucho y tenía el pelo del mismo tono rubio rojizo que ella. Llevaba vaqueros holgados y su camiseta de los Royals estaba tan desgastada que parecía casi de mezclilla. Jessica iba demasiado elegante para el zoo, pero Rosemary decía que la niña siempre iba demasiado elegante: aunque tenía ocho años y era un sábado de mediados de verano, llevaba cuñas violetas, una falda negra del vestuario de uno de los bailes del recital de *ballet* que había tenido en junio y una blusa de terciopelo con el escote redondo, pero de manga larga. Cassie reconoció la blusa de la tienda American Girl. Reconoció también la diadema de diamantes de imitación que llevaba para retirarse el pelo hacia atrás. Ella le había comprado la blusa a su sobrina cuando se la había llevado de compras en primavera y le había conseguido la diadema en el gran bazar de Estambul. Le había costado un dólar.

—Quiero uno —dijo Rosemary sonriendo hacia los animales. Su hermana había conseguido trabajo un año antes haciendo cálculos con una compañía de seguros de salud en Lexington y se había enamorado del gimnasio y de las clases de *spinning* de la oficina central. Cassie pensó que nunca la había visto más saludable—. Creo que un león marino sería una gran mascota.

—Sabes que eso es ridículo —le espetó Tim a su madre poniendo los ojos en blanco.

—Lo sé, pero aun así quiero uno.

—Yo también —admitió Cassie.

Comprobó su reloj. En Virginia se estaría celebrando el funeral de Alex Sokolov. Evocó en su mente una iglesia de ladrillos del sur con un nítido campanario y una pendiente de césped bien cuidado de un intenso color verde. Pensó en sus padres y en toda su familia colocada en el primer banco, de madera pulida y reluciente bajo el sol que entraba a través de las vidrieras. Vio ropa negra y pañuelos blancos. Vio a los viejos y a los jóvenes, y en su cabeza escuchó algunos sollozos ahogados. Oyó risas cuando alguien compartía una anécdota encantadora o divertida sobre Alex o insinuaba lo que lo había hecho alguien tan especial.

Fuera lo que fuera.

¿Cómo era posible que supiera tan poco del hombre que había muerto a su lado en la cama? ¿Cómo podía ser eso? Pero sabía la respuesta. Por supuesto que la sabía. Las pruebas estaban claras. Todo ese vino. Todo ese vodka. Todo ese arak.

Supuso que a esas alturas la familia de Sokolov ya habría sido informada de que la presunta asesina —esa supuesta viuda negra— no era una estadounidense expatriada que vivía en los Emiratos, sino una azafata que vivía en Estados Unidos. Se imaginó al padre exigiendo noticias y progresos al FBI, y a uno de los agentes asegurándole que se estaban acercando. Que el arresto era inminente.

Pero ¿lo era? Los Emiratos Árabes Unidos no podían arrestarla allí. Y, a menos que lo consideraran un acto terrorista, tampoco podía hacerlo su propio país. Una extradición podía llevar años. ¿Era posible que todo el mundo que siguiera esa historia creyera que era una asesina y que no hubiera absolutamente nada que pudieran hacer?

No, nada no. Todavía había una espada de Damocles colgando de un hilo sobre ella. Y el FBI estaba interesado. Eso era un hecho, por eso Ani estaba tan preocupada por ella.

Miró de nuevo el móvil. Todavía no tenía noticias de Frank Hammond ni de su abogada.

—¿Quién narices esperas que te llame? —le preguntó Rosemary—. Pareces una adolescente mirando el móvil todo el rato.

—La aerolínea —respondió. Pensó que podría usar con su familia la misma excusa que había usado con Buckley la noche anterior—. Puede que me necesiten para un vuelo a Roma esta noche.

—Creía que íbamos a cenar todos juntos —replicó su hermana frunciendo los labios.

—Y vamos a cenar juntos. Es solo una posibilidad remota, seguro que estaré aquí con vosotros.

Pero no estaba segura. A pesar del silencio, tanto de su abogada como del FBI, se preguntó si de verdad podría cenar con ellos esa noche. Llevaba una gran bolsa de lona colgada del hombro en la que llevaba el sujetalibros de Rómulo y Remo que había robado del hotel de Roma y un par de pendientes suyos. Eran unos pequeños gatos de oro que había comprado años antes en una tienda de antigüedades en Frankfurt, pero que cuando había vuelto a Estados Unidos había decidido que no eran adecuados para una mujer adulta. Por la mañana los había vuelto a empaquetar en una cajita de la tienda de tarjetas de felicitación que había cerca de su apartamento y los había llevado como regalo para su sobrina. Había decidido que no quería esperar hasta Navidad para darle a su sobrino el sujetalibros —ese día podía ser su última oportunidad— por lo que quería asegurarse de tener también un presente para Jessica.

La palabra *regalo* la hizo detenerse. Un recuerdo. Su madre leyéndole en voz alta antes de irse a la cama en Kentucky. Su madre estaba sentada sobre el colchón a su lado, Cassie tendría unos seis años y estaba acurrucada junto a ella en la estrecha cama gemela. Estaban recostadas en la cabecera de la cama y Cassie ya llevaba puesto el pijama. Esa noche la historia era de un libro de Beverly Cleary sobre *Ramona y su hermana*.

«Siéntate aquí por el presente», le leyó su madre en voz alta. En el libro era el primer día de clase y una maestra le decía a Ramona que se quedara en su silla… de momento. Ramona se negó rotundamente a moverse porque creyó erróneamente que *presente* se refería a que había un regalo esperándola si se sentaba totalmente quieta. Cassie recordó estar muy feliz aquella noche. Tenía más o menos la edad de Ramona y disfrutaba de sus primeros días de escuela y su madre llevaba un perfume floral que ahogaba el olor cobrizo que solía adherirse a ella cuando llegaba a casa de la fábrica de alambres en la que era recepcionista.

Cassie escuchó las risas de la multitud a su alrededor. Uno de los leones marinos estaba usando su aleta para darle la mano a la entrenadora y luego golpeó la palma abierta de la mujer como si le hubiera dicho «choca esos cinco».

—Tengo algo para ti —le dijo Cassie a Jessica. La niña la miró. Estaba radiante. Claramente, a su sobrina le encantaban los animales. Cassie vio que llevaba los pendientes de estrella de mar que le había puesto Rosemary cuando la llevó a que le hicieran los agujeros de las orejas a principios de verano—. Considéralo un regalo de vuelta al cole —agregó y le entregó la cajita a la niña.

Tim se volvió hacia su hermana y le sonrió.

—Vaya, más cosas para perder en esa leonera a la que llamas habitación.

La forma en la que su sobrina dejaba su habitación como si la hubieran saqueado un grupo de drogadictos ya era legendaria en la familia. Al parecer, consideraba tres o cuatro conjuntos antes de ir a clase cada día y dejaba las prendas rechazadas esparcidas sobre la alfombra o sobre la cama o en la repisa de la ventana.

—También tengo algo para ti —le dijo al chico y le entregó la pequeña figurita envuelta—. Jessica, tu regalo lo adquirí en Frankfurt. Tim, el tuyo es de Roma.

—Pesa más de lo que parece.

—Madre mía, tu vida suena glamurosa. Frankfurt, Roma. Si la gente lo supiera todo... —murmuró Rosemary. A lo largo de los años, Cassie había compartido con su hermana montones de experiencias, algunas espantosas y otras simplemente degradantes que venían con el trabajo, así que ella lo sabía prácticamente todo.

—Tiene sus momentos —admitió. Tim esperó caballerosamente a que su hermana abriera su caja antes de rasgar el papel rojo que envolvía su regalo. La niña se quedó embobada cuando vio los pendientes y Cassie se inclinó para que su sobrina pudiera abrazarla.

—¡Me encantan! —exclamó. Luego añadió unas palabras tan extrañas como precoces para una niña tan pequeña—. Son idealmente elegantes.

Por encima de su hombro, Tim puso los ojos en blanco.

—Me alegro de que te gusten —le dijo Cassie—. Te toca —le indicó a su sobrino.

Tim quitó la cinta azul y luego rasgó el papel rojo.

—Una escultura —dijo simplemente y por un momento Cassie pensó en aquel dicho que aseguraba que cuando alguien abría un regalo y decía en voz alta lo que era (un exprimidor, una aspiradora para el coche, servilleteros) es que lo odiaba. Y se sintió mal. Pero duró solo un segundo, porque él añadió—: Conozco esta historia. Estaba en un libro sobre mitos que tengo en la lista de lectura para este verano. Nadie conecta a los gemelos con hombres lobo, pero me parece la relación más chula.

—¿Es un pisapapeles?

Todos se volvieron al escuchar la voz. El padre de los niños apareció casi de la nada y formuló la pregunta. Llevaba la cámara colgada del cuello y estaba limpiando sus gafas de sol con un pañuelo. Dennis McCauley era un hombre corpulento, ni gordo ni musculoso, pero alto y fornido con un estómago que empezaba a crecer. Era guapo, tenía ya el pelo más blanco que negro, pero todavía era brillante y espeso. Se hacía la raya en medio y se lo retiraba hacia atrás y su hermana a menudo se burlaba de él porque tenía el pelo de una estrella de cine y decía que cuando se ponía uno de sus uniformes parecía un actor. Sin embargo, ese día no llevaba uniforme, llevaba pantalones cortos de color caqui. Cassie opinaba que eso eliminaba instantáneamente cualquier posibilidad de que lo confundieran con un actor. A veces su hermana decía que solía estar empanado, pero Cassie dudaba que alguna vez se empanara en el trabajo. Era ingeniero y probablemente tenía la cabeza compartimentada. Todos sabían lo brillante que era. Deseó haberle dicho eso a Buckley la noche anterior. Haber demostrado un poco más de orgullo por lo que hacía. Le había dicho que Dennis era dulce, pero tendría que haberle dicho que era inteligente. Al fin y al cabo, el tipo ayudaba a deshacerse de armas químicas. Cassie sospechaba que era un trabajo mucho más peligroso de lo que estaba dispuesto a admitir ante su familia.

—No, es un sujetalibros —puntualizó Cassie—. Lo compré en una tienda de antigüedades cerca de la Plaza de España en Roma.

—¿Solo tenían la mitad? —Cassie asintió—. Me encanta. Un sujetalibros sobre gemelos al que le falta la mitad —comentó Dennis—. Podría ser la definición de ironía. ¿Para qué lo usarás, hijo? —le preguntó a Tim.

—No lo sé —respondió el chico encogiéndose de hombros—. Pero me gusta. Está guay.

—Estoy de acuerdo —afirmó Dennis. Luego se agachó para ver los pendientes que Cassie le había regalado a su hija y alabó su belleza. Cuando terminó, se levantó y se puso de nuevo las gafas de sol—. Encuentras cosas muy curiosas en tus viajes, Cassie.

—Supongo.

—No, lo digo en serio. Traes los regalos más creativos. ¿Y yo? Pregúntales a estos dos; lo que les traigo cuando voy de viaje es mucho menos interesante.

—Eso es porque solo vas a sitios como Maryland o Washington D. C. —trató de tranquilizarlo Rosemary.

—No, Cassie tiene mucho mejor ojo —insistió él—. Son los regalos perfectos.

—Gracias —le dijo ella. Estaba conmovida. Siempre era mucho más amable con ella que Rosemary, aunque Cassie creía que conocía sus errores tan bien como su hermana. Pero era menos crítico. Tenía la sensación de que cuando su nombre se relacionara con el cadáver de Dubái, él se sorprendería mucho más que su hermana.

CAPÍTULO DIECISIETE

En oposición a las acusaciones que afirmaban que su gente era tosca, el padre de Elena sonreía y sacaba a relucir a Bolshói. A Chéjov. A Tchaikovsky. «Podemos ser despiadados», le oyó comentar una vez mientras examinaba el coñac Ararat que tenía en la copa, «pero no somos ni más ni menos toscos que los demás». Fue durante una cena con sus antiguos camaradas del KGB, la mayoría centrados ahora en sus casas trofeo y esposas florero y en las riquezas que habían encontrado entre los escombros de una pared que una vez fue icónica. Les recordó cuánto amaba Lenin las novelas y cómo la literatura formaba parte del mundo en el que Lenin creció. Cuando este quería menospreciar a sus rivales, se refería a ellos como personajes particularmente estúpidos o especialmente repugnantes de Chernyshevsky, Pushkin y Goncharov. «¿La mayor diferencia entre un Oblómov y un oligarca?», preguntó aquella noche preparando lo que le parecía un comentario agudo. «Si un oligarca se pasa el día en la cama es porque tiene una prostituta y está aprovechando su dinero». Por supuesto, en el fondo sabía que esa no era la mayor diferencia. Para nada. Los oligarcas ahora contaban con la riqueza de Oblómov, pero no eran vagos y no habían heredado sus vastas fortunas. La mayoría las habían ganado sin ayuda. Corruptos, por supuesto. Corruptos a escala titánica. Pero trabajaban duro. Y quizá solo se inclinaran ante el presidente ruso. Eran machos alfa que no tomaban prisioneros.

Viktor era, en su mente, un ejemplo perfecto del equilibrio entre barbarie y refinamiento: bajo sus impecables trajes negros, se ocultaba su salvajismo y su sangre fría, pero se había construido una apariencia que lo obligaba a comer en bocados pequeños. Hablaba varios idiomas con fluidez y apreciaba la estética de las películas de Tarkovski.

Y no estaba solo. Supuestamente, incluso Stalin, tan inculto como era y sin ser fanático del arte, murió en 1953 con la grabación de la pianista Mariya Yúdina en el concierto número veintitrés reproduciéndose en un tocadiscos cercano.

Elena abrió la aplicación en el móvil y vio el puntito azul latiendo como un pequeño corazón. El corazón de una rana. Latía, entraba y salía, entraba y salía, enviando una onda azul lejos de él y formando un círculo perfecto antes de que desapareciera y la siguiera otra. El punto era su presa y su presa estaba en el zoo.

Dejó el teléfono en el banco de madera y se cruzó de brazos. Miró hacia el Edificio Flatiron a una manzana y media al sur y luego a los padres jóvenes que jugaban con sus pequeños en el césped o paseaban a sus perros por los senderos que recorrían el parque de Madison Square. La simple normalidad del paisaje le estaba afectando, sintió un tirón de desolación en el corazón y sacudió levemente la cabeza deseando que desapareciera la melancolía. Ese no era su mundo ni su vida y jamás lo sería. Ni en Moscú ni en Manhattan.

Llevaba unos indescriptibles pantalones cortos de color caqui, una blusa blanca sin mangas y alpargatas beige. Tenía una revista y una bolsa con un *bagel* dentro, pero solo para que pareciera que tenía un motivo para estar sentada en el banco. Hacía calor, el sol brillaba, el aire estaba húmedo y en calma, y Elena deseaba que soplara una brisa. Realmente, no sabía mucho sobre ese vecindario. La sección de Nueva York que mejor conocía era el centro de la ciudad al oeste de la Quinta, los grandes bloques de rascacielos en los que

Unisphere tenía su oficina de Manhattan y probablemente solo hubiera estado allí cuatro o cinco veces en toda su vida. El dinero familiar. El negocio familiar, o parte del negocio familiar, de todos modos. La parte que surgió después del colapso final de 1991. Por aquel entonces no era más que una niña. Cuando pensaba en la ciudad, pensaba en los almuerzos en oscuros comedores de roble con su padre y los gestores estadounidenses del fondo mientras ella estaba en la universidad —antes de que él fuera envenenado— y los comedores llenos de administradores y ejecutivos que parecían comer y beber como si fuera otra época. (Los adultos mayores a menudo se llamaban «camarada» entre ellos —incluso llamaban «camaradas» a los estadounidenses— aunque ahora había un deje de ironía en la palabra). Pensaba en las cenas a solas con su padre en restaurantes cercanos bastante vacíos porque programaban sus comidas para que empezaran después de que la multitud que acudía al teatro se marchara a los espectáculos. A su padre le gustaba ir a Estados Unidos y le encantaba cuando ella estaba en primer y en segundo curso y viajaba al sur desde Massachusetts hasta Nueva York para reunirse con él. A su padre le encantaba esa gente. Probablemente le habría caído muy bien Sokolov —o, al menos, se habría divertido con él hasta que le hubiera mostrado sus verdaderos colores— porque la sangre de Alex era muy rica en ADN ruso. Pero su padre era un ruso de pies a cabeza y sus visitas a Estados Unidos eran breves. Se enorgullecía de su acento. (Ella, sin embargo, había trabajado duro para eliminar cualquier rastro del suyo).

Desde luego, nunca había estado en el Empire State, en el Museo Metropolitano ni en el zoo del Bronx.

Puso los ojos en blanco como si no estuviera sola. ¿En serio? ¿El zoo? La vida de esa mujer se estaba desmoronando y Cassandra Bowden había ido al zoo. Basándose en las investigaciones que había hecho Elena sobre la azafata, lo más probable era que estuviera con su hermana y su familia. Probablemente estaría con ellos todo el día, ya que habían ido desde Kentucky. La noche siguiente se suponía que tenía que volar a Roma.

El primer problema, le había dicho Viktor cuando había llegado, era que Bowden vivía en un edificio con portero y conserjes. Muchos. Aquella mañana, un sábado, Elena había visto hasta tres personas diferentes tras la recepción de la entrada, barriendo la acera o abriéndoles la puerta a los residentes mientras les hacían señas cortésmente para que salieran al calor de agosto. También había cámaras filmando el área de recepción, el ascensor desde el sótano y el aparcamiento que estaba junto a un pasillo subterráneo de bloques de cemento. Sabía por experiencia que era mucho más difícil permanecer invisible ante las cámaras de un edificio de apartamentos privados que de un hotel. Había mucha menos gente entrando y saliendo de aquellos y el vestíbulo era muchísimo más pequeño. Por lo tanto, sería difícil entrar en el apartamento de Bowden, lo cual era un fastidio porque la mayoría de los suicidios ocurrían en casa, alrededor del ochenta por ciento. (El lugar de trabajo de una persona era casi el diez por ciento, pero incluso Viktor había bromeado diciendo que nadie quería que Elena considerara esa posibilidad. Por supuesto, a veces había habido pilotos que habían estrellado aviones enteros en un ataque de locura egoísta y suicida, pero nadie quería que ocurriera eso en un avión). Y si Elena no podía entrar y salir fácilmente del apartamento de Bowden, la azafata tendría que quitarse la vida en un rincón privado en un espacio relativamente público.

El segundo problema, Elena sabía que todos lo tenían claro, era el tiempo. Era absolutamente inimaginable qué tipo de perjuicios podía causar alguien tan impredecible como Cassandra Bowden si Alex le había dicho algo o si de repente se sentía obligada a informar a alguien de que aquella noche en Dubái había acudido otra mujer a la habitación 511.

Y, por supuesto, el reloj también corría para ella. Claramente, habría gente en Moscú negando con la cabeza ante el hecho de que la hija excesivamente americanizada de Dimitri hubiera permitido que la azafata se marchara de Dubái. En el mejor de los casos estarían confundidos; en el peor, alarmados. Por lo que sabían, Bowden podía ser de la CIA. Tal vez fuera parte de algún grupo de trabajo de inteligencia militar. Estaban enfadados y eran cosacos. Sabía lo que les pasaba a los que cabreaban a esa vieja guardia clandestina. Su propio padre se habría horrorizado por lo que había hecho, o, mejor dicho, por lo que no había sido capaz de hacer. Sabía que estaba en la cuerda floja. Viktor se lo había dejado claro, ni siquiera había usado un eufemismo cortés para enmascarar la amenaza.

Se le ocurrió una idea. Los medios de comunicación todavía no habían identificado a la mujer de las gafas de sol y el pañuelo de las imágenes de la cámara de seguridad del Royal Phoenician. La policía de Dubái no había filtrado el nombre de la azafata. Elena decidió que le diría a Viktor que necesitaba esa revelación antes de continuar: el suicidio de Cassandra Bowden sería considerablemente más plausible si primero había sido culpada de forma pública.

Comprobó de nuevo el teléfono y miró el puntito azul. Sería genial poder llevarlo a cabo —de un modo u otro— antes de que Bowden volara a Roma la noche siguiente, pero ahora podía esperar hasta que saliera la historia. Si el nombre de Bowden no aparecía en Internet o en los periódicos la mañana siguiente, tomaría la iniciativa y llamaría a un periódico o a una cadena de noticias por cable ella misma. Les daría un chivatazo anónimo.

¿Y mientras tanto? Continuaría observando a Bowden y vería si se le presentaba una oportunidad de algún tipo. Se preguntó dónde cenarían la azafata y su familia esa noche y si eso requería que volviera a casa en metro.

CAPÍTULO DIECIOCHO

Cassie se unió a Rosemary y su familia para cenar el sábado por la noche en un concurrido restaurante cantonés que su hermana había descubierto por Internet. Estaba a una manzana al sur del Canal y más cerca de lo que le habría gustado del edificio del FBI en Broadway y Worth. Supuso que estaba a solo cinco minutos a pie de la debacle de la tarde anterior.

El restaurante se encargaba de servir comida a turistas que querían probar el *dim sum*. Era enorme y ruidoso y estaba abarrotado. Pero a Cassie le sorprendió lo buenas que estaban las albóndigas y los fideos fritos y se sintió culpable por haber experimentado un poco de esnobismo culinario antes de unirse a la multitud en el interior. Sí, había viajado mucho y había comido por todo el mundo, pero solo porque a los turistas les gustara algo no significaba que no fuera maravilloso. ¿Prueba A? Los macarrones de menta en la panadería que había cerca de la Torre Eiffel. Además, era azafata. Tampoco es que cenara en La Pergola cuando iba a Roma.

Y apreciaba la ordinaria simpleza de su hermana y su familia —la ausencia de drama— y el modo en que los cuatro conocían tan bien los ritmos de los demás. Había un gran consuelo en la previsibilidad. Cassie entendió que nunca sentiría algo así, un amor nacido de la certeza y la costumbre.

—¿Te acuerdas de aquel horrible restaurante chino que había en Grover's Mill? —le preguntó Rosemary.

Asintió. Su hermana rara vez mencionaba su infancia delante de Tim y Jessica. Había demasiadas minas enterradas y nunca se sabía cuándo un recuerdo la haría tropezar.

—Por supuesto que sí.

—Ahora es una boutique de ropa extrañamente cara. Algo así como Anthropologie. En serio, tenían tops por doscientos pavos.

—Necesitarán un sitio para blanquear el dinero de la metanfetamina —dijo Cassie solo medio en broma—. Sin duda, es una explicación posible.

—Estoy de acuerdo.

—No sé qué es más extraño, el hecho de que exista esa tienda o el que tú sepas que está allí. ¿Has estado últimamente en Grover's Mill?

—Estuvimos todos —explicó Dennis—. Fue cuando llevamos a los niños a ese nuevo parque de diversiones que abrió a finales de junio. Está bastante cerca.

—Tienen el tobogán acuático más empinado de todo Kentucky —añadió Jessica. La niña estaba usando su rollito de primavera como cuchara para llevarse a la boca toda la cantidad de salsa de cacahuetes que pudiera con cada bocado.

—¿Y os desviasteis a Grover's Mill? —preguntó Cassie.

—Sí —respondió su hermana—. Pensé que ya era hora de que estos dos vieran dónde creció su madre.

—Creo que vimos la versión con censura parental —comentó Tim. Cassie no podía creer cuántas albóndigas se había comido el chico, pero ahora parecía saciado. Estaba sentado con los codos sobre la mesa y la cabeza apoyada en las manos mirando cómo los camareros llevaban los carritos entre los estrechos espacios que quedaban entre los clientes.

—Puede ser —admitió su madre—. Pero al menos visteis la casa.

—Era muy pequeña —agregó Jessica.

Lo era, pensó Cassie, era realmente pequeña. Era una casa pequeña de dos pisos, raída por los años, de mucho menos de dos mil metros cuadrados. Sus padres guardaban el alcohol en un armario de la cocina en el estante interior, donde acomodaban las botellas más altas. Cuando ella empezó a diluirlo con agua, tenía nueve años. Su padre había ido a la escuela ese día de junio para ver los concursos del Día de Campo de final de curso: carreras de tres etapas. Carreras de sacos. Batallas de esponjas. (Nunca supo por qué no estaba en el instituto, donde se suponía que tenía que estar, pero se habría inventado una excusa. ¿No lo habrían echado si hubiera desaparecido sin más o si hubieran sabido que estaba borracho cuando se marchó?). Fue justo después de comer. Él había interferido en la carrera de huevos —una carrera de relevos— y se había encontrado con ella en medio de la pista de césped en la que estaban jugando e intentó enseñarle el mejor modo de transferir el huevo de su cuchara a la de su compañero. Fue impactante ver allí a su padre, en mitad del juego, en lugar de con todos los demás profesores, administradores y padres a un lado. Al intentar ayudarla, mientras rompía las reglas de todas las formas imaginables, había tirado accidentalmente el huevo crudo de su cuchara al suelo, donde se rompió y el sol amarillo de la yema explotó como una estrella, una embarazosa supernova. Había sido mortificante y Cassie esperaba que todos supusieran que su padre había sido solo torpe y tramposo y no un borracho. En su desesperada vergüenza, esperaba que pensaran que solo era un idiota.

Él se marchó poco después de eso, murmurando algo sobre que tenía que volver al instituto.

Aquella noche fue la primera vez que Cassie se levantó de la cama mientras todos los demás dormían y abrió el armario en el que sus padres guardaban el alcohol. Estaba el Jack Daniel's, por supuesto, pero Cassie sabía que ese lo reservaban para ocasiones «especiales». Su padre bebía sobre todo un *whisky* escocés llamado Black Bottle y el nivel de bebida llegaba hasta la etiqueta de la botella. Tenía tres cuartas partes llenas. Tiró dos centímetros y medio y añadió dos centímetros y medio de agua del grifo. Hizo lo mismo con el vodka, el bourbon y la ginebra. Deseó hacer lo mismo con la cerveza que había en la nevera, pero las latas estaban selladas y era imposible.

—Pero yo tenía mi propia habitación —añadió Rosemary.

Cassie sintió que se estremecía con esa palabra. Su hermana pasó de allí a un hogar de acogida donde compartió habitación con una chica bastante rara —otra adolescente del programa de hogares de acogida— que era iracunda y violenta, pero podía disimularlo ante sus padres de acogida para quedarse allí. Costaba creer que una casita con ginebra aguada, el alcoholismo de su padre, los llantos de su madre y las peleas semanales por el dinero y la bebida fueran recuerdos lo bastante felices como para que Rosemary quisiera compartir la casa con sus hijos. ¿Cuántas noches había intentado Cassie escapar de sus peleas y se había refugiado en los auriculares de su Walkman? ¿Cuántas noches se había metido en su cama la pobre Rosemary, asustada y sollozando?

—¿Más té, Cassie? —Dennis sostenía la tetera cerca de su taza.

—Sí, por favor —aceptó, aunque hubiera preferido un té helado Long Island: tequila, ginebra, vodka, ron, triple sec. Todo el maldito armario en un vaso de tubo. En la mesa que había junto a ellos todos tenían una botella de cerveza Tsingtao. También quería una de esas.

—Y en el patio trasero teníamos unos columpios muy bonitos y una casa de juegos —continuó Rosemary—. Estaba hecha de madera, no de metal ya que se podía oxidar con la lluvia. Mis amigas y yo jugábamos allí a *La casa de la pradera*. Las vigas eran gruesas y resistentes, parecían de una cabaña de troncos.

—Suena como el juego más rollo de todos los tiempos —replicó su hija.

—Lo era —admitió Rosemary—. Un rollo total. Pero éramos pequeñas.

Cassie tomó un sorbo de té y recordó aquel momento después de la universidad en el que rompió su voto de abstinencia de alcohol. Tenía veintitrés años y estaba en una piscina de Miami. Aquella tarde había habido tormentas eléctricas por el noroeste y habían cancelado su vuelo de regreso a Nueva York, por lo que habían enviado a toda la tripulación a un hotel. Estaba en Coral Gables y tenía una piscina en la azotea. A última hora de aquella tarde había tripulaciones de tres aerolíneas diferentes porque el hotel llenaba sus habitaciones en verano —fuera de temporada— con empleados de aerolíneas. Todos estaban bebiendo menos ella. La azafata que tenía en la silla de al lado, una veterana maternal que llevaba veinticinco años volando, se estaba tomando una piña colada y olía deliciosa. Cassie consideró pedir una colada sin alcohol, pero el camarero no estaba cerca y levantarse para ir a la barra le parecía mucho trabajo a las cinco de aquella tarde, cuando la temperatura todavía rondaba los treinta grados. Así que tomó un sorbo. Y estuvo bien. Mejor que una colada sin alcohol, el sabor era más intenso, el cosquilleo en su interior era más profundo. Inhaló el aroma del coco y la piña, sí, pero también había otra cosa. Algo diferente. Ron. ¿Había habido ron alguna vez en la cocina de sus padres en Kentucky? Probablemente. Pero no recordaba haber aguado la botella ni a su madre vaciándola por el fregadero. Parecía algo nuevo y diferente y pensó que estaba coqueteando con algo maravilloso pero —para ella— tan imprudente que podía matarla. Se levantó y fue en bikini hacia la barra de la piscina. Se pidió una piña colada. ¿Se molestó siquiera en mordisquear la rodaja de piña? Probablemente no. Se lo bebió rápido porque estaba dulce y notaba cómo la calentaba por dentro y hacía desaparecer sus preocupaciones. De repente, ya no le importaban sus caderas. Estaban bien. Ella estaba bien. Ya no era esa niña asustada en el asiento trasero del coche mientras su padre borracho intentaba controlar su horrible Dodge Colt azul por la sinuosa carretera entre Landaff y Grover's Mill, a la vez que su madre le gritaba que, *por favor, por el amor de Dios*, la dejara conducir. Ya no era esa universitaria ansiosa despierta a las cuatro de la mañana que trabajaba en la centralita de la universidad y rezaba para que su hermana estuviera bien en el hogar de acogida. No era esa azafata de veintitrés años diligente, infeliz e irremediablemente responsable que se esforzaba por alcanzar la perfección en todo porque cualquier otra cosa sería el comienzo de una pendiente descendiente que la llevaría de vuelta al pequeño y triste pueblo en el que su padre bebía y su madre lloraba y vertía el Black Bottle por el fregadero. Era... libre. Y le gustaba. Le gustó el sabor, por supuesto, pero más que eso, le gustó el sonido de su risa cuando el primer oficial hizo un chiste —no era especialmente gracioso, pero era guapo— sobre una nube en particular del cielo de Miami que parecía o un cachorrito o un puro. Aquella noche él la sedujo, o ella lo sedujo a él. En retrospectiva, incluso la mañana siguiente, no tenía idea. Descubrió pronto que la música sonaba mejor, la gente era más simpática y ella era más guapa cuando las asperezas de su vida se suavizaban con un poco de alcohol. O, mejor aún, con mucho. ¿Qué defecto podría encontrar alguien en todo eso? Por Dios, estaba bien, todo estaba bien y Cassie tuvo que poner todo su empeño en el restaurante chino para no violar las reglas de Rosemary y llamar al camarero para que le llevara un Tsingtao a ella también. O, mejor aún, un *gin-tonic* hecho con Beefeater, Sacred o Sipsmith, si tenían.

—Estoy leyendo un libro sobre un piloto —le dijo su sobrina. Cassie se volvió hacia ella para centrarse.

—¿Ah, sí? Cuéntame.

Su sobrina lo hizo y ella trató de prestar atención, pero una parte de sí misma estaba recordando la negación que la marcó cuando bebía durante sus veintipocos y cómo se convenció a sí misma de que no era hija de su padre y de que no estaba cometiendo sus mismos errores. No permitiría que el alcohol la destruyera como lo había destruido a él. Y durante más de una década y media —hasta Dubái— lo había creído, en cierto modo. Porque *aquella* noche realmente se convirtió en su padre y permitió que su adicción la llevara hasta la muerte. Todo tiene remedio menos la muerte. Eso no se puede arreglar.

Entierras a los muertos y sigues adelante.

Has quemado los cartuchos.

Las pruebas son las pruebas.

Y aun así, quería ese *gin-tonic*. Incluso ahora. Incluso mientras esperaba una llamada de Ani Mouradian o de Frank Hammond. Lo deseaba desesperadamente.

—¿Puedo prestarte el libro cuando lo termine? —preguntó Jessica.

—Claro, pero es un libro para niños.

Su sobrina se encogió de hombros.

—Muchos de los mejores libros son libros para niños. *La telara-ña de Charlotte. El dador. Matilda.* Es una lista muy larga. —Le sonrió a la niña y le dijo a toda la mesa que iba al baño de mujeres. Planeaba darle diez dólares al camarero de camino, enrollar la lengua en forma de embudo y vaciar un vaso de ginebra.

A Dennis no le importaba conducir por Nueva York. De hecho, le gustaba bastante. Su gran queja era el precio de los apartamentos. Pero el hotel en el que se alojaban en White Plains era razonable, así que había conducido hasta el zoo del Bronx, lo que les facilitó ir a Chinatown. Luego, después de cenar, insistió en llevar a Cassie de vuelta a su apartamento. Los invitó a subir a todos, pero había sido un día largo y Dennis no quería volver a aparcar. Así que se despidió en el coche y salió por la esquina de la Tercera Avenida y la calle 27, saludando a Noah, el portero, apenas salió del coche. A las ocho ya estaba en su piso.

Si no se hubiera tomado aquel chupito en el restaurante de Chinatown, ¿se habría quedado en casa una vez dentro del apartamento? Probablemente no, porque la llamó Paula y su canto de sirena atrajo a Cassie una vez más hacia las rocas, los cubos mágicos que agregaban tanta belleza al luminiscente marrón del Drambuie y transformaban el agua en nubes de arak. Consideró brevemente no responder cuando vio el nombre de Paula en la pantalla del teléfono, pero la fuerza de voluntad nunca había sido su fuerte. Así que respondió, lo que significó que a las nueve estaba bebiendo en la barra de un restaurante mexicano cerca de Union Square con su amiga y una mujer de la agencia de publicidad en donde trabajaba Paula llamada Suzanne, y a las diez les estaba contando a ambas una versión de la pesadilla que había vivido en Dubái en la que no aparecía Alex Sokolov, sino que dormía con un comerciante de artículos de lujo ficticio llamado Alex Ilich, un apellido que había sacado sobre la marcha de Tolstói. Pero ciertamente se estaba imaginando al Alex verdadero mientras hablaba y le confirió los mismos gustos peculiares por los rusos y su literatura. Explicó que Alex le había dicho que volvería a Estados Unidos y que visitaría a sus padres en Virginia esa semana. Añadió que había prometido llamarla cuando volviera a Estados Unidos, pero que no lo había hecho. Ni siquiera le había dejado un mensaje.

Por eso luego la animaron a llamarlo a casa de sus padres en Charlottesville.

—¡Hazlo! —exclamó Paula estridentemente sobre el sonido de la multitud, del tintineo de los vasos y de los altavoces que retumbaban del lado más alejado de la barra—. ¡Hazlo! ¡Llámalo! Avergüénzalo por follar y luego olvidarse de ti.

Cassie miró a su amiga y a la amiga de su amiga. Tenían la mirada marcada por el tequila y las sonrisas tenían esa expresión de sábado por la noche, con labios finos y burlones, pero también ansiosos por coronar el fin de semana con un vibrato palpitante de hilaridad y caos.

—No tengo su número —aclaró.

—¿Y? ¡Llama a Charlottesville! ¡Llama a sus padres! ¿Cuánta gente tendrá apellidos rusos impronunciables?

Y así, para apaciguarlas, fingió buscar a Ilich en aquella ciudad de Virginia, pero en realidad estaba buscando a Sokolov. Encontró el nombre al instante. Marcó los números, dejó que sonara una vez y luego colgó. Se sintió al mismo tiempo apenada e insensible. Sabía que no podría soportar el sonido de la voz de la madre o del padre de Alex en el contestador automático, o de quien estuviera filtrando las llamadas a la casa aquella noche después del funeral.

—Estaba ocupado.

—¡Por supuesto que no! —exclamó Suzanne golpeando con los nudillos la barra de madera y luego riendo y gimiendo porque la había golpeado con tanta fuerza que se había hecho daño—. ¡Eres una cobarde y una débil!

—No, estaba ocupado —insistió—. De verdad.

—¡De ningún modo! —rio Paula echando la cabeza hacia atrás. Con la velocidad de una serpiente atacante, agarró el móvil de Cassie y llamó al número que acababa de marcar. Cassie intentó arrebatarle el teléfono, pero Suzanne le sujetó el brazo derecho primero y después el izquierdo, hasta que la abrazó y rio. Cassie no luchó, no porque temiera montar una escena (nunca había temido montar una), sino porque parte de ella quería ver dónde se estrellaría ese tren de alta velocidad y cuán catastrófica sería la matanza.

—Hola, soy Cassie Bowden —dijo Paula cuando alguien respondió—. Conocí a Alex la semana pasada en Dubái y quiero hablar con él ahora mismo. ¡Quiero saber por qué no me ha llamado!

Vio cómo los ojos ebrios de Paula se abrían como platos y la mandíbula se le aflojaba por la incredulidad. No dijo nada más, nada de nada. Simplemente le devolvió el móvil a Cassie mientras Suzanne le soltaba los brazos.

Cassie miró la pantalla y vio que había colgado la llamada.

—Él... eh... —empezó su amiga, pero se calló.

Cassie esperó y Suzanne empujó a Paula con fuerza en la parte superior del brazo instándola literalmente a continuar.

—¿Qué? —preguntó Suzanne todavía sonriendo por lo graciosa que le parecía la situación—. ¿Qué?

—Está muerto —murmuró Paula.

—¿Que está qué? —preguntó Suzanne.

—Está muerto —repitió Paula—. Alguien de la casa, estoy bastante segura de que no era ni su padre ni su madre, se ha enfadado mucho y me ha colgado. Solo sé eso.

—Qué raro y qué triste —comentó Suzanne con la voz suavizada por las noticias aguafiestas de Paula. Pero el asombro duró poco—. Busquemos en Google cómo murió —propuso—. Puede que haya un obituario.

Cassie recuperó su móvil. Lo notaba radioactivo en la mano. ¿Volvería a sonar pronto? ¿Llamarían la madre o el padre de Alex? Probablemente no. En lugar de eso, estaba casi segura de que recibiría una llamada de Frank Hammond o de alguien con autoridad de alguna parte diciéndole que no acosara a la familia. Pero tal vez no. Bueno, sin duda la familia le diría a la policía que había llamado. Llamarían al FBI.

Y finalmente llegarían hasta Ani.

Pero cuanto más pensaba en ello, más se preguntaba si esa acción sería algo más que una mancha negra en su archivo en alguna parte.

Suspiró. Tenía la esperanza de que la próxima vez que Ani la llamara no fuera para decirle que estaba harta de ella y que abandonaba el caso.

—No pierdas el tiempo buscándolo en Google, Suzanne —indicó—. Puedo decirte exactamente cómo murió.

Paula se sentó un poco más erguida sobre el taburete.

—Espera, ¿qué? ¿Sabías que estaba muerto y me has dejado llamar a sus padres? ¿Estás loca?

—He intentado impedírtelo.

—La verdad es que sí —admitió Suzanne.

—¡No con bastante insistencia!

—Lo mataron en Dubái justo después de que saliera de su habitación de hotel —les explicó Cassie—. Si queréis leerlo todo, id al *New York Post*. Podéis verme. Más o menos. Su verdadero nombre era Alex Sokolov. No Ilich. Sokolov.

Había planeado pedir otro margarita y miró con un poco de nostalgia la encantadora y achaparrada botella de triple sec de detrás de la barra, pero cuando vio los rostros de sus amigas mientras sostenían sus móviles ante ella y leían sobre la muerte de un comerciante estadounidense de Dubái y la mujer que aparecía en las fotos cambió de opinión. Tenía un billete de veinte dólares y dos dólares más en la cartera, que no cubrían probablemente todo lo que debía, pero se los

CHRIS BOHJALIAN • 249

entregó a Paula y le dijo que lo sentía —la verdad es que lamentaba tantas cosas que no pagar su parte de la cuenta en el bar le pareció bastante intrascendente— y les dio las buenas noches.

La mañana siguiente, domingo, no estaba segura de qué la sorprendía más, si el hecho de haber dormido toda la noche o el hecho de no haber sido arrestada todavía. Su abogada aún no la había llamado para despedirse de ella por haber llamado a la familia de Alex en Virginia.

Por supuesto, el día solo acababa de empezar. Todavía podían pasar muchas cosas.

Se levantó y fue al refugio de animales como cualquier otro domingo de agosto. Estaba a quince minutos si iba caminando, mucho menos si iba rápido. Pero cuando pasó por un supermercado en la avenida, volvió a tener la sensación de que la seguían. Se dijo a sí misma, al igual que el otro día, que estaba paranoica. Pero también sabía que el FBI tenía motivos para ponerla bajo vigilancia. Y, claramente, había más gente por ahí, incluido el asesino de Alex, que tal vez quisiera saber más sobre la mujer de las fotos del Royal Phoenician.

La idea de que quienquiera que fuera sabía quién era ella le provocó escalofríos a pesar del sofocante calor del verano. Hizo una pausa y abrió su polvera para mirar tras ella por el espejo, esperando ver a Frank Hammond o alguien más que exudara FBI porque sabía que habría preferido eso al hombre sin rostro con gafas de sol y gorra de béisbol negra.

A menos que ese tipo fuera del FBI. Y puede que lo fuera. Pensó en la informalidad con la que siempre vestía el agente federal aéreo en los vuelos.

No vio a nadie en particular en la acera por el espejo. No había mucho tráfico por las calles los domingos por la mañana de agosto y entre los taxis, autobuses y vehículos de reparto no observó nada sospechoso. Aun así, confiaba en sus instintos. Volvía a tener esa sensación de terror. Delante de ella había una tienda pequeña que tenía entradas tanto por la avenida en la que se encontraba como por la que se cruzaba con ella. Cerró los polvos compactos y entró. Pero en lugar de comprar siquiera una taza de café, atravesó la tienda y salió por la otra salida. Unos metros más abajo, en esa calle transversal, había una entrada a una tintorería que estaba cerrada ese día. Se quedó de pie contra la pared lateral, invisible desde la avenida y esperó. Contó lentamente hasta cien, añadiendo la palabra *Misisipi* después de cada número, como le habían enseñado de pequeña. Luego, en lugar de volver a la avenida y continuar hacia el norte en dirección al refugio, caminó una manzana hacia el oeste. Se dirigiría al norte en la siguiente intersección. Era un desvío largo, pero reducía su pánico.

De hecho, se sentía más segura cuando estaba en el refugio, aunque sabía que no era racional. Si querían arrestarla, lo harían. Un refugio de animales no era una embajada en un reino lejano donde refugiarse ella misma. Probablemente, si alguien iba tras ella, la encontraría. Su… habilidad… era evidente.

Fue directo a la sala comunitaria en la que vivían los gatos más viejitos. Aquella mañana contó ocho, durmiendo o tumbados sobre sus rascadores, árboles para gatos, camas para gatos o en la estantería. Vio que Duquesa y Dulci todavía estaban allí, un par de felinos de once años cuyo anciano dueño había fallecido y su hijo de mediana edad no había querido adoptarlos. (No había conocido al hombre que había llevado a los animales, pero Cassie lo detestaba y consideraba que su comportamiento era absolutamente despreciable). Los gatos reconocieron su voz y se subieron directamente sobre su regazo cuando se sentó en el suelo. Los acarició y los arrulló y ronronearon en respuesta. El sonido le recordaba a las tórtolas y los animales la acariciaron con el hocico y estiraron las piernas y las patas. Se veían un poco más delgados que la última vez que había estado allí y esperó que su tristeza no les impidiera comer. Metió la mano en el bolso y les ofreció algunas de las golosinas que les había llevado. Se sintió aliviada cuando vio que su apetito parecía estar bien.

Suspiró. ¿Había algún lugar en el que fuera más útil que en el refugio? ¿Había algún otro lugar en el que se sintiera más feliz estando sobria? Sabía la respuesta a ambas preguntas. No lo había.

Mientras caminaba de regreso a su apartamento, una vez más tuvo la inconfundible sensación de que la estaban vigilando, así que supuso que probablemente fuera así. Recordó la forma en la que el medio hermano del líder norcoreano había sido asesinado a plena luz del día con una toxina de acción rápida por una desconocida en la explanada de un aeropuerto de Malasia y empezó a dejar mucho espacio en la acera entre ella y cualquiera que se aproximara en dirección contraria.

Y, sin embargo, pronto llegó a su casa y el trayecto se había llevado a cabo sin incidentes, siguiendo cualquier criterio objetivo. Todavía no la habían arrestado. Se sentó en el sofá y llamó a Ani.

—Me gustaría decirte que estás libre de cualquier cargo y que todo esto pasará —le dijo la abogada—. Pero tal vez solo sea cuestión de tiempo.

—En ese caso, ¿me presento al trabajo y vuelo a Roma? Si es así, debería salir por la puerta en una hora.

—Ve.

—Vale. Tal vez debería quedarme allí. No volver nunca —comentó con ironía.

—Tal vez —admitió Ani, pero Cassie entendió que no hablaba en serio.

—Anoche hice una estupidez —confesó. Le relató a Ani todo lo que había sucedido en el bar, pero en lugar de renunciar a su caso o reprocharla, la abogada sonaba como si esperara ese tipo de comportamiento de su clienta. Había un matiz de decepción en su respuesta, pero sobre todo, sonaba triste.

—Algún día tocarás fondo —le dijo—. Para la mayoría de la gente, eso habría sido en Dubái. Para ti no, al parecer. Ya veremos.

—¿En cuántos problemas me he metido? —preguntó.

—¿Por llamar a la familia de Sokolov en Virginia? Probablemente, no en más que ayer. Deberías estar avergonzada, pero lo cierto es que no estoy segura de que sea posible avergonzarte, Cassie.

—Lo es —replicó ella—. Sí que lo es.

—Solo...

—¿Solo qué?

—Solo, por favor, compórtate como una adulta.

Mientras empacaba, Cassie llamó a Derek Mayes.

—¿Has sabido algo de la aerolínea sobre, no sé, que quieran que me tome un permiso de ausencia? —preguntó—. ¿Hay alguna amenaza que ponga en riesgo mi trabajo?

—Todavía no —respondió él.

—¿Sabe la aerolínea que soy la mujer de las fotos?

—Podrían. Si quieres que te responda, diría que sí. Estoy bastante seguro de que alguien del FBI se habrá puesto en contacto con ellos. ¿No te ha llamado nadie de la aerolínea?

—No.

—Bien, a mí tampoco.

—Tu sobrina dice que debería seguir adelante y volar a Roma.

—Mi sobrina es muy inteligente. Hazle caso en todo lo que te diga.

—Lo haré —contestó, aunque instantáneamente recordó que no le había hecho caso con los agentes del FBI el viernes por la tarde.

Media hora después, insegura de si era por la humedad de agosto o por la persistente sensación de que siempre había alguien observándola, se despidió de Stanley, el portero. Consideró brevemente tomar el metro hasta Dickinson e ir con la tripulación del vuelo a Madrid, pero no podría soportarlo. Simplemente, no podría. En lugar de eso, paró al taxi que se acercaba a su edificio. Su instinto era pedirle que la llevara a Grand Central, donde tomaría la furgoneta al aeropuerto, pero tampoco podía soportar eso. No ahora. No hoy. Así que, aunque no se podía permitir ir en taxi al JFK —eran setenta y cinco dólares con propina—, le pidió al taxista que la llevara hasta el aeropuerto.

Y allí, en el taxi, en algún lugar en medio del tráfico que sufría la autopista Van Wyck incluso un domingo por la tarde de agosto, le sonó el móvil. Era un número desconocido. Cuando la mujer la saludó y se presentó como periodista, Cassie se olvidó inmediatamente de su nombre y se lo tuvo que volver a preguntar porque su mente solo podía concentrarse en el titular sensacionalista del periódico de esta mujer. Cuando se recuperó, afirmó que no tenía nada que decir y colgó. Bloqueó el número y llamó a Ani Mouradian.

CAPÍTULO DIECINUEVE

Al final, Elena se decantó por el *New York Post* por la sencilla razón de que el *New York Times* había cubierto la historia de manera responsable. Entendían que la muerte de Sokolov no era un acto de terrorismo y, por lo que ella sabía, habían pasado página. Podrían estar preparando una historia más larga sobre el gestor de fondos de cobertura y las conexiones de Unisphere con miembros selectos del liderazgo político ruso —podrían hacer la insinuación habitual sobre crimen y corrupción, indicios de que la Casa Blanca estaba en deuda con el Kremlin— pero las maquinaciones financieras de un fondo de cobertura eran al mismo tiempo demasiado complejas y demasiado aburridas para suscitar interés y atraer a muchos lectores. ¿Y si estaban preparando una historia sobre la absoluta aleatoriedad de morir en un viaje de negocios lejos de casa? Elena pensaba que un reportaje como ese podía ser atractivo y bonito, pero nunca ganaría terreno en la era del troleo. En la era de los tiroteos masivos. En la era de las bombas suicidas en medio de una multitud.

Después de plantar la semilla —el chivatazo anónimo—, llamó a Viktor. Estaba terminando de cenar, pero atendió la llamada y salió del restaurante. Se preguntó con quién estaría y se preocupó cuando no le dijo voluntariamente el nombre de su acompañante. Por lo general lo hacía porque casi siempre era alguien que ella conocía, aunque fuera de oídas. Era otra señal de los problemas en los que estaba metida. No confiaba en ella. Al menos no del todo.

—¿Vas a ir con la azafata?

—¿A Italia? —Fue consciente de la incredulidad que mostraba su voz en lugar de la obediencia, como un reflejo. Tomó aire para controlar sus emociones.

—Si es allí donde va, sí.

—No, no lo tenía planeado —admitió. No era piloto ni azafata y a su cuerpo no le entusiasmaba la idea de volar al este hacia Roma pocos días después de haber volado al oeste desde Dubái.

—Puede que quieras considerarlo.

Podría querer. ¿Había un modo más pasivo agresivo de formularlo? También escondía una amenaza, apenas velada, pero también era un mensaje. Era responsable de Bowden. Ella había provocado el desastre. Se les estaba acabando la paciencia.

—¿Quieres que acabe el trabajo en Roma? —preguntó con cautela.

Lo oyó encenderse un cigarrillo y aspirar profundamente el humo hacia sus pulmones.

—Bueno, me gusta tu idea del suicidio. En cierto modo, me gusta incluso más en Roma que en Nueva York. Solo asegúrate de que haya tenido tiempo de sentir el dolor del enjambre de los medios de comunicación. Ya sabes, causa y efecto. Pero ¿un suicidio en un hotel de Roma el día que aparece la historia en el *New York Post*? Tiene mucho sentido.

—Entonces iré.

—No vayas en su mismo vuelo.

—¿Viktor?

—¿Sí?

Estuvo a punto de decirle que no había nacido ayer. Sintió la necesidad de defenderse y transmitirle al menos un indicio de su molestia por la imposición de tener que volver a atravesar el Atlántico. Pero sabía que ese tipo de frivolidad no sería aconsejable en ese momento. En cambio, añadió simplemente:

—Tienes toda la razón. Me aseguraré de ello.

Era la respuesta política y se aborrecía a sí misma por decirla.

Voló desde el aeropuerto de Newark, ya que Bowden tenía su base en el JFK. No quería arriesgarse a que la azafata la viera en la terminal de Long Island.

La detuvieron en seguridad para un cacheo rutinario. El agente TSA le abrió la bolsa de cuero y comentó algo acerca de la peluca y del sombrero de paja con mechones de pelo adheridos a los laterales y en la parte trasera. Ella le explicó que eran para su hermana, que vivía en Orvieto y que estaba a punto de empezar con la quimioterapia. Al otro lado de los escáneres de cuerpo entero la gente estaba parada como cigüeñas sobre una pierna mientras se volvían a poner las botas, zapatillas y alpargatas.

Un momento después, cuando estaba volviendo a guardar la peluca y el sombrero —como a ella le gustaba, no como los había dejado el agente de la TSA—, se preguntó si al usarlos los dos próximos días en Roma alguien recordaría que estaban en el bolso de una mujer en Newark. Probablemente no. Estaban todos demasiado ocupados buscando zapatos-bomba.

Había ciertos asientos vacíos en el vuelo del domingo por la noche, incluyendo el asiento del medio que había a su lado. Sentía un interés por los azafatos que no había tenido antes de que Bowden apareciera en la habitación de hotel de Alex; y ahora —casi con curiosidad— observaba a una mujer delgada con cabello blanco y piernas atléticas mientras trabajaba por los pasillos, y les preguntaba a los pasajeros qué les gustaría beber mientras se paraba a su lado con el carro y, de vez en cuando, respondía a preguntas más largas como cuándo se atenuarían las luces o si podía llevarles una manta o una almohada extra.

Cuando el carrito de bebidas llegó a su fila, la azafata la miró. Elena, que se había puesto las gafas de carey que se había comprado meses atrás en una tienda de disfraces, levantó la vista del *Vanity Fair* lo suficiente para ser educada, porque la mala educación era memorable. Pidió —por favor— una Coca-Cola Light, sin hielo. Por el rabillo del ojo vio a la mujer que vertía la lata en el vaso de plástico y notó que las uñas de la azafata eran casi del mismo tono rojo que las suyas.

Dejó la revista en el bolsillo del asiento y desplegó la bandeja para dejar el refresco. Luego se conectó al wifi del avión y entró directamente a la página del *New York Post*. Y ahí estaba. La historia estaba viva. Se quedó mirando durante largo rato el nombre de Cassandra Bowden, como si esas sílabas fueran un hechizo o las dos palabras de un epónimo. Se perdió en su conexión con la azafata. Parpadeó para recuperar la atención.

Bowden no había comentado nada, ni tampoco el FBI, pero una fuente anónima de la policía de Dubái había confirmado que Cassandra Bowden, de Nueva York, era al menos, una persona de interés. Otra azafata que no había podido confirmar la historia, sí que había afirmado que era «un poco fiestera» y una especie de «mujer salvaje». Había agregado algo que, en principio, parecía contradictorio, pero que Elena entendió que tenía todo el sentido del mundo y que probablemente la mujer hubiera sido entrenada: «Cassie es muy dulce y un poco solitaria. Cuando está en casa va mucho al refugio de animales, porque le gustan los gatos callejeros. Creo que a veces está tan deprimida como ellos. Cuando estamos trabajando, no siempre sale como loca hasta la una de la madrugada. A veces simplemente se encierra en su habitación y duerme. Es decir, es un trabajo exigente y no es algo innato en ella». Elena conocía el flujo y el reflujo del comportamiento compulsivo y el modo en el que una persona a veces solo quiere refugiarse en las sábanas blancas de un Hilton o en el pelaje de un gato igual de necesitado y herido. Pero dudaba que Bowden estuviera realmente deprimida, estaba suavizando la verdad por interés propio.

El artículo también citaba a su abogada: una mujer llamada Ani Mouradian que decía que Bowden estaba cooperando plenamente con los investigadores y que no tenía absolutamente nada que ver con la muerte de Alex Sokolov. Finalmente, un representante de la aerolínea dijo que la asistente de vuelo no había sido acusada de ningún delito ni en los Emiratos Árabes Unidos ni en Estados Unidos y que no había violado ninguna política de la aerolínea. Por eso no habían hecho ningún comentario.

Sin embargo, en el *Post* ya tenían un apodo para Bowden y para el crimen. Ahora que ya no era una mujer misteriosa, había dejado de ser «la viuda negra». Sabían que era azafata, por lo que la habían bautizado como «Tart Cart Killer», la Asesina del Carrito.

Elena pensó que no era un nombre brillante, pero tampoco estaba mal. Tenía ritmo y aliteración[1] y lo mejor era cómo combinaba el zorreo con el asesinato.

Cerró la página del móvil y se recostó en el asiento. Pensó en el breve tiempo que había pasado con Bowden en Dubái. Iba borracha, por supuesto, y estaba atontada por la bebida, pero Alex también. Y parecía bastante amable y divertida. Y en ese mismo momento, como una revelación, Elena se acordó de cómo Alex había prestado mucha atención cuando Bowden había comentado a qué se dedicaba su cuñado. Fue cuando dijo el nombre de la base del ejército. De hecho, Bowden había aclarado que era más ingeniero que soldado.

Hizo una mueca en el asiento ante la obviedad de lo que se había perdido. Sokolov ya lo sabía. Lo sabía todo sobre el cuñado de Bowden. Ella debió decir algo en el vuelo a Dubái e instantáneamente hizo las conexiones. Por eso se había llevado a Bowden a su habitación. Pudo haber terminado como un revolcón entre dos borrachos, pero no había empezado así. Ella no lo había seducido, en realidad, él la había seducido a ella. Había sido un movimiento que reflejaba simultáneamente su brillantez y su ingenuidad. El mensajero —fuera quien fuera porque Dios no quisiera que Viktor violara sus políticas de «necesidad de saber» de espionaje y secreto y se lo

---

1. N. del E.: «tart» significa tarta en inglés, pero también puede aludir a «zorra».

dijera— había sentido que el FBI se acercaba y se estaba poniendo nervioso. Así que Viktor contrató a Sokolov para que hiciera el traspaso, una tarea que este había aceptado con gusto porque sabía los problemas que tenía con sus clientes rusos. Y entró en su vida una azafata con conexiones con el depósito Blue Grass que probablemente necesitara dinero. Bowden gritaría «recluta» a Sokolov; ella era la ofrenda perfecta para llevar a un loco cosaco que trataba de armar un dron con agentes químicos.

El padre de Elena tenía una regla que decía que le había servido mucho antes y después del colapso: *confía en tus instintos*. Afirmaba que le había salvado la vida cuando estaba con el KGB y que había salvado su fortuna cuando había terminado.

El carrito de bebidas estaba bastante detrás de ella, pero apareció otro azafato y se ofreció a rellenarle el vaso. Era un joven atractivo con una melena de rastas de color carbón recogidas en una cola de caballo.

—Gracias —le dijo.

—De nada —contestó él sonriendo—. Hazme saber si necesitas algo más.

Levantó el vaso hacia él en agradecimiento, pero ya tenía la mente en otra parte. En realidad, no había nada malo ni nada diferente, se dijo a sí misma. Pero ahí estaba, un faro en su interior, una luz de advertencia que parpadeaba en rojo.

CAPÍTULO VEINTE

En la era digital, las noticias se esparcen como un virus que se transmite por el aire y, aunque Cassie no conocía a nadie de la tripulación del vuelo nocturno a Roma, todos la conocían a ella. Habían leído la historia en sus móviles de camino al aeropuerto o mientras esperaban pasar por seguridad o cuando esperaban para subir a bordo. Los habían informado sus amigos, familiares y compañeros de trabajo que se habían enterado por Facebook o por Twitter. Al fin y al cabo, esa mujer trabajaba para la misma aerolínea.

Y aunque todavía no llevaba una A escarlata —*las normas de uniforme habrían prohibido ese tipo de accesorio*, pensó Cassie para sí misma— todos la miraban con recelo y se sentía como Hester Prynne. No, las vibraciones de esta locura eran rusas. Anna Karenina, se corrigió a sí misma. Pero, por supuesto, Anna no había matado a nadie. Solo le habían arrebatado su propia vida. El director del servicio de cabina, un cuarentón llamado Brendon que era delgado, severo y que dirigía clases de *spinning* en Búfalo cuando no estaba volando, le preguntó si sería capaz de trabajar. Ella dijo que sí. Por supuesto. Dijo que sabía que eso iba a pasar. Añadió —lo dijo tantas veces en la media hora anterior a pasar por la pasarela de acceso para preparar el avión para el despegue, que había empezado a creérselo— que Alex Sokolov estaba vivo cuando salió de su habitación de hotel. No tenía ni idea de quién lo había asesinado, lo que también decía con convicción aunque no estaba bastante segura de saberlo: o bien había sido Miranda, o bien alguien que conocía Miranda. Pero, de algún modo, Miranda estaba involucrada.

Desafortunadamente, también había momentos ocasionales en los que se preguntaba si, solo tal vez, estaba culpando a Miranda innecesariamente porque a Alex Sokolov lo había matado ella misma. Normalmente caminaba sola por la cornisa cuando su mente vagaba hasta allí. Era solo que, a lo largo de los años, había tenido muchos descubrimientos reveladores y espantosos la mañana del después de lo que había hecho cuando estaba en el peor momento del *blackout*.

«Cassie, ¿de verdad no recuerdas que le estuviste dando patadas a la gramola? Estabas muy cabreada porque no tuvieran nada de Taylor Swift. ¿Te has mirado el pie esta mañana?».

«Chica, gritabas como una estrella porno. Los del apartamento contiguo golpearon la pared».

«Estabas a punto de darle a ese vagabundo tus tarjetas de crédito, Cassie, todas. Te pusiste a vaciar la cartera. Fue dulce, pero una locura».

«*Bikini Houdini*. Así lo llamaste. Te quitaste la camiseta e intentaste salir de la parte de abajo».

Cuando Paula estaba sobria, reflexionaba con que una de las dos estaba destinada a «morir por aventura». Al parecer era lo que los forenses escribían en los certificados de defunción cuando la gente moría haciendo algo monumentalmente estúpido, por lo general estando borracha. Se ahogaban o se caían de edificios o por largos tramos de escaleras. Paula había bromeado diciendo que no era el peor modo de irse.

La charla entre la tripulación se volvió incómoda con mucha rapidez. Por lo general, todos habrían conversado casualmente y habrían llegado a conocerse un poco, pero ¿cómo charlar con alguien que está siendo investigada por un asesinato en Dubái? Cassie lo entendía. Lo comprendía. No era una paria, pero nadie sabía cómo pasar de la conversación del asesinato de un gestor de fondos de cobertura a preguntarle si tenía algún pasatiempo.

«Sí», habría respondido si le hubieran preguntado. «Bebo. ¿Quieres el secreto de un Dirty Martini? Coloca un cubito y un poco de agua en un vaso y déjalo un par de minutos en el congelador antes de mezclar la ginebra, el vermú y el zumo de aceituna».

Y aun así, se las arregló para hacer su trabajo durante tres horas. Trabajó en la cabina de clase *business* con una mujer amable de su edad llamada Makayla y también ayudó a que la otra azafata fuera casi heroicamente competente. Siempre iba un paso por delante de Cassie con las toallas y nueces calientes, abriendo los diferentes vinos y con amabilidad —con mucha amabilidad— la ayudaba a permanecer concentrada mientras calentaban las bandejas con filetes, salmón o risotto. Cuando Cassie se presentó a los pasajeros, les dijo su segundo nombre, Elizabeth, y les pidió que la llamaran Ellie. (Se había quitado la placa con su nombre, lo que era técnicamente una violación del código de vestimenta, pero esa noche no le importaba. No le importaba lo más mínimo). Estaba bastante segura de que el tipo barrigón con esa camisa horrible de manga corta sabía quién era realmente, pero viajaba solo y no se molestó en compartir su conocimiento con nadie del avión. Solo la miró con complicidad, como si lo entendiera; estaba metido en el juego.

Por primera vez, en la oscuridad sobre el Atlántico, cuando la mayoría de los pasajeros comenzaban a dormir, pudo sentarse en su transportín y mirar fijamente el móvil. Leer y releer la historia. Ver que «no había hecho comentarios», lo que parecía profundamente incriminatorio en el contexto de esa pesadilla, pero también ver la habilidad que había tenido Ani Mouradian para defenderla y desviar las acusaciones. No pudo evitar buscar los comentarios de los lectores que seguían la historia, la mayoría fatuos y algunos acusatorios, pero todos crueles e hirientes. Examinó cómo se estaba discutiendo la peripecia en redes sociales. Finalmente, volvió a sus propios mensajes, incluyendo los de Ani, Megan y su hermana. Rosemary la reprendía y le decía que no comprendía por qué Cassie no le había contado lo que estaba pasando, ya fuera por teléfono inmediatamente después de su regreso a Estados Unidos desde los Emiratos o en algún momento del sábado. No dejaba de repetir que, al fin y al cabo, habían pasado juntas todo el día. Su hermana estaba enfadada, triste y preocupada por ella. Su mensaje era tan crítico como siempre y Cassie sabía que se merecía cada palabra.

Luego estaba el mensaje de su amiga Gillian: era una broma bienintencionada, pero espantosa sobre lo malo que debería haber sido el tipo en la cama para que decidiera rajarle el cuello.

Brendon, Makayla y el resto de la tripulación la dejaron sola, sin duda conscientes de todo a lo que se estaba enfrentando.

Honestamente, no estaba segura de qué era peor: los chistes de Internet o el odio de Internet. Había grandes cantidades de ambos, todos mezquinos y sexistas. La noticia no incluía su confesión —casi confesión, si era sincera consigo misma— al FBI del viernes anterior, de que era cierto que hubiera pasado la noche con Alex Sokolov; nadie del FBI había filtrado esa información. Pero la historia claramente sugería que lo había hecho, basándose en las imágenes de la cámara de seguridad del hotel de ella y una entrevista con un empleado del hotel que afirmaba haber visto a la azafata con el empresario asesinado. Estaba bebiendo Coca-Cola para calmar el estómago, pero quería alcohol. Suspiró. No se atrevió a tomar nada. No ahora.

Pensó que lo más extraño de la noticia era una cita del padre de Alex. Fue después de expresar directamente su fe en que el FBI y la policía de Dubái encontrarían al asesino de su hijo. Fue después de su encantadora observación sobre la amabilidad de los intereses de su hijo, como la «infantil» fascinación de Alex por los números y por el modo en que lo había convertido en una carrera. Después de eso, sin embargo, Gregory Sokolov había expresado lo sorprendentes e injustificadas que le parecían las acusaciones de que su hijo era una espía. La idea se le había pasado por la cabeza varias veces a Cassie. La semilla la había plantado Derek Mayes la primera vez que habían quedado para desayunar. Pero era casi como si el padre de Alex protestara demasiado. Además, ella no se había dado cuenta de que la expresión estaba allí, en el *zeitgeist*. Efectivamente, cuando había buscado a Alex Sokolov en Google había encontrado insinuaciones y rumores que habían surgido con la misma rapidez que los dientes de león en mayo. Se había especulado mucho sobre si trabajaba para la CIA, para el Mosad, el MI6 o el FSB. Había incluso teorías conspiranoicas que argumentaban que trabajaba para un grupo de asesinos mucho más oscuro que la CIA o el FSB y que informaba directamente al presidente estadounidense o ruso. Vio grupos con nombres como Double O (británico), Cosacos (ruso), Phoenix (estadounidense) y Kidon (israelí). Ninguna encajaba con el joven que había cenado con ella en Dubái, un agradable chico de Virginia. Por Dios, el tipo estaba interesado en el dinero y las matemáticas. Le gustaba leer libros del siglo XIX. Estaba bastante segura de que ella sabía más sobre armas que él.

Pero tenía un apellido ruso. Tenía intereses rusos, colonia rusa, libros rusos y alcohol ruso.

Una pasajera, una joven esbelta con mallas de leopardo que le recordaron de un modo inquietante a los lujosos albornoces del Royal Phoenician, le sonrió y Cassie asumió que estaba a punto de meterse en el baño que había junto a ella. Tenía el pelo largo y oscuro con la raya en el medio. Sus ojos parecían somnolientos. Pero no entró al baño. En lugar de eso, se apoyó en la manija de la puerta exterior, la que estaba unida al interior del fuselaje y a la que se suponía que debía aferrarse Cassie en caso de evacuación para no ser empujada del avión por la multitud desesperada por salir.

—Los baños son gratuitos —le indicó Cassie.

La mujer asintió, pero no entró.

—Solo necesitaba estirar las piernas —murmuró. Luego añadió—: ¿Qué está pasando en el mundo?

—Nada de momento. Gracias a Dios. En su mayoría es solo la locura de las elecciones a medio plazo.

—Me gustan los días con noticias lentas. Significa que no ha explotado algún rincón del planeta. Que no han bombardeado ningún hospital en el Medio Oriente. Que ninguna escuela ha sido atacada por un loco con un arma en Kentucky.

—Yo crecí en Kentucky —comentó Cassie.

—No he estado nunca. He oído que es muy bonito.

—Lo es.

—Soy Missy.

—Hola. Yo Ellie.

—¿Puedo preguntarte algo…? —Hizo una pausa antes de decir su nombre—. ¿Ellie?

Cassie esperó. Por lo general, cuando un pasajero le hacía una pregunta en medio de un vuelo tan tranquilo, solía ser una pregunta inocua sobre su trabajo. No podían dormir y querían hablar y, a veces, la absoluta maravilla de la aviación —de volar— se volvía real para ellos en momentos como ese.

—Por supuesto.

—Cuando me has rellenado el vino durante la cena…

—Adelante. Pregunta.

—Te temblaban las manos. Y ahora, bueno, parece que solo quieres echarte a llorar.

—¿Y cuál es la pregunta?

—¿Por qué te torturas leyendo lo que hay ahí fuera? Escribo un blog de moda para *Enticement*, que no es información seria, pero aun así me salpica la mierda de la web. Puede que incluso más. Insultos por gorda. Insultos por puta. Insultos por la moda. Sé quién eres y sé lo que pone sobre ti. Probablemente, estaba leyendo los mismos artículos y reacciones que tú. Y eso es muy tóxico. ¿Por qué no te descargas una novela y la lees en lugar de leer las noticias?

—En realidad me he traído un libro en papel —contestó automáticamente.

Missy asintió.

—Bien. Creo que deberías hacerte un favor y permanecer desconectada un tiempo.

Cassie no sabía si se trataba de amabilidad o de una invasión sonriéndole desde la amabilidad. Pero la mirada de Missy era amable.

—Mis padres son los dos psiquiatras —prosiguió—. Por eso sé el desastre total en el que pueden acabar estas charlas bienintencionadas. Así que, lo siento si este consejo no te resulta útil. Pero pareces tan… triste que tenía que decirte algo.

—Está bien —respondió Cassie sintiendo que se le llenaban los ojos de lágrimas—. Está bien.

—¿Sabías que la gente llora en los aviones más que en ningún otro sitio?

—No sabía que era un hecho, pero podría haberlo sospechado por todos los años que llevo aquí.

—Sí, probablemente lo sepas mejor que yo. Pero en un avión, a menudo estás solo. O estás estresado. O acabas de tener una experiencia significativa. Las películas y los libros te llegan mucho a diez mil metros de altura.

—Tienes razón. —Se echó gel sanitizante en los dedos y se frotó las manos. Luego se secó las lágrimas de las mejillas.

—¿Has desactivado tu cuenta de Tinder?

—Todavía no.

—Hazlo. Ciérrala. Cierra Tinder, Facebook, Instagram, Twitter. Por Dios, sobre todo Twitter. Lo que tengas. Tómate una pausa.

—Es un buen consejo —sollozó—. Lo haré, gracias.

Missy sonrió. Tenía una sonrisa bonita. Cassie se puso de pie y la abrazó, y se preguntó por qué no tenía más amigos como esa joven, amigos cuyas interacciones con ella no tuvieran nada que ver con la bebida ni con las consecuencias de beber, y deseó quedarse en sus brazos el resto del vuelo.

Después de que Missy volviera a su asiento, Cassie siguió su consejo y se tomó una pausa. No se limitó a desactivar la mayoría de sus cuentas en redes sociales, sino que borró las aplicaciones del móvil.

Luego, se terminó la novela de Tolstói que había empezado días antes pero que había dejado de lado. Para su sorpresa, *La felicidad conyugal* resultó ser un título nada irónico. Lloró al final. *Masha*, pensó. *Masha. Qué bonito nombre.*

Muchos de los vuelos de Estados Unidos aterrizaban en Fiumicino a media mañana. No toda la multitud del control de pasajeros era norteamericana, ni mucho menos, pero, en cierto modo, parecía que lo fuera. Cassie oyó acentos del sur, de Nueva Inglaterra y de Nueva York.

Pero las tripulaciones de vuelo tenían su propia fila y pasaban más rápido que los pasajeros.

Caminaba al lado de Makayla, estaban más allá de la seguridad, se acercaban a la salida de las cintas transportadoras de equipaje —que no necesitaban— y luego a la salida de la terminal, donde se encontrarían con la furgoneta que los llevaría a todos a Roma. Makayla le estaba hablando de un restaurante vegetariano que le gustaba en Via Margutta y le sugirió ir a cenar allí. Cassie era consciente de que una de las ruedas de su maleta no funcionaba del todo bien. Se arrastraba lentamente. Estaba tratando de escuchar a la otra azafata, pero su mente seguía divagando sobre lo que podía estar sucediendo en ese momento en Nueva York y en Dubái. Sí, la mayor parte de Nueva York todavía dormía, pero puede que no el FBI. En su mente se imaginaba a los investigadores del FBI y a los detectives de Dubái intercambiando correos o mandándose archivos cifrados. Vídeos de ella. Fotografías. Sus correos que tal vez descargaran de un servidor. Interrogatorios a los empleados del hotel.

Se imaginó que alguien escarbaba en un vertedero en las afueras de Dubái buscando exactamente el tipo de cosas que ella había tirado. Se preguntó si harían una captura de pantalla de las imágenes de la cámara de vigilancia, ampliarían su bolso y lo buscarían entre las montañas de basura en algún lugar del desierto. O tal vez buscaran las toallas perdidas del hotel. O un cuchillo. ¿Un forense podría determinar de manera razonable si se trataba de un cuchillo o de una botella rota basándose en la forma en la que le habían cortado el cuello a Alex? Probablemente. Se dijo a sí misma que nadie podría encontrar algo tan pequeño como un bolso o un fragmento de vidrio concreto en una ciudad tan grande como Dubái. Así que, aunque la idea de una búsqueda la preocupaba, en su mayor parte era capaz de sofocar ese miedo.

Y entonces fue cuando se detuvo de golpe. Puso la mano sobre Makayla para detenerla a ella también. Allí, al otro lado del control de pasaportes, entre filas y filas de pasajeros que no eran de la Unión Europea, sobre todo estadounidenses, la mayoría empresarios que llegaban un lunes por la mañana, aunque claramente también había gente de vacaciones y otra gente que no pertenecía a países de la Unión Europea, había una mujer con el cabello castaño rojizo y un recogido francés. Estaba guardándose un par de gafas de carey en su funda y tenía un precioso bolso de cuero de becerro colgado del hombro. Cuando la viajera levantó la cara, Cassie estuvo segura de que sabía quién era, no tuvo ninguna duda. Reflexivamente, susurró para sí misma un pequeño improperio y el nombre de la mujer:

—Hostia puta. Miranda.

PARTE CUATRO
NADIE ES PUSILÁNIME, NADIE ES UN ENEMIGO

CAPÍTULO VEINTIUNO

Elena sabía que en Occidente veían al presidente de la Federación de Rusia como a un villano de James Bond. Por el amor de Dios, el tipo se deshacía de sus enemigos políticos con té radioactivo. Hacía que sus agencias de inteligencia hackearan y publicaba correos electrónicos de partidos estadounidenses para influir en las elecciones presidenciales. Era percibido al mismo tiempo como alguien aterrador y cómico. Se lo tomaban en serio —muy en serio— pero se burlaban a sus espaldas.

Sabía que mientras los ciudadanos canadienses habían acogido a inmigrantes musulmanes en el peor momento de la crisis de refugiados un par de años antes, una gran cantidad de estadounidenses asumían que el islam era sinónimo del ISIS. Estaban convencidos de que todas las mezquitas, ya fuera en Faluya o en Florida, eran caldo de cultivo para terroristas suicidas, así que se habían armado con armas semiautomáticas y se habían convencido a sí mismos de que estarían a salvo si tenían armas y alzaban muros.

Deseó que el mundo fuera así de simple. Pensó en algo que le había dicho uno de los amigos de su padre del FSB en Sochi cuando la estaba tanteando para ver si podía reclutarla. «Qué época tan terrible esta en la que unos idiotas gobiernan a unos ciegos», le había dicho. «Estoy parafraseando a Shakespeare, puede que bastante mal, pero seguro que entiendes a qué me refiero. El mundo es una jaula de locos, Elena. Siempre lo ha sido y siempre lo será. Y es una jaula de locos complicada. Siento que nuestro país tiene potencial para llegar a ser el mejor. Ya sabes, después de todo lo que hemos pasado, todo lo que nuestro pueblo ha soportado. Pero es un listón muy bajo».

Y, sin embargo, ya no había Guerra Fría. Al menos, no del modo en el que su padre y sus abuelos habrían entendido el término. Claramente, no había una guerra mundial. Al menos, no todavía. Estados Unidos y Rusia se habían hecho más nacionalistas que nunca y, por lo tanto, se irritaban fácilmente con el otro. Al principio había sido así. Durante un tiempo, Estados Unidos había derramado grandes lágrimas de cocodrilo por la gente de Alepo, pero entendían que Siria —y obviamente Ucrania y Crimea— no estaban en su posesión. Eran de Rusia. Más allá de las páginas de opinión, durante un tiempo, nadie en Estados Unidos se preocupó mucho, incluso cuando la Federación de Rusia desplegó misiles nucleares Iskander en Kaliningrado, o lo que siempre había sido Königsberg.

Joder, si es que la mitad de los estadounidenses estaban bastante seguros de que su propio presidente era una marioneta rusa.

Lo cierto era que muy pocos hombres y mujeres de Indianápolis o de Kansas se habían preocupado cuando los rusos habían penetrado en el sistema informático de la NSA. Nadie había perdido el sueño cuando se había convertido en otro contratista que acumulaba cajas de archivos en su cobertizo de servicios públicos del mismo modo que algunas personas coleccionan números antiguos de la revista *Life*, figuras de acción de plástico de Star Wars o figuras de porcelana de gatos siameses.

Nada más.

Si había otro lugar en el mundo capaz de crear otra guerra mundial, creía que sería Siria. Sí, Corea del Norte tenía misiles balísticos intercontinentales y armas nucleares mientras que el ejército sirio se veía reducido a menudo, muy a menudo, a empujar bombas de barril primitivas desde helicópteros. Pero los cielos sirios estaban abarrotados y la crisis de los refugiados tenía a Occidente al límite. Tanto las naciones grandes como las más pequeñas estaban aterrorizadas por los psicóticos suicidas, a veces nacidos allí y a veces importados, con bombas atadas al pecho, armas automáticas en los brazos o con camiones enormes que usaban para abrirse paso entre la multitud como si los peatones fueran simples mapaches que cruzaban un camino rural en la quietud de la noche. Aparecían de la nada como minas terrestres humanas y mataban a las mujeres y hombres desafortunados que los rodeaban en clubs nocturnos, aeropuertos y cines. Mataban a la gente, a decenas o a cientos. Al azar. Y luego se suicidaban.

¿Eran esos locos peores que los soldados sirios que lanzaban bombas de barriles por las puertas de un helicóptero? Tal vez, pero solo porque eran suicidas. El ejército sirio arrojaría una bomba, por ejemplo, sobre un vecindario controlado por los rebeldes, esperaría veinte minutos a que los rescatistas empezaran a sacar a sus vecinos de los escombros y luego soltaría un segunda. Las bombas de barril mataban a decenas de miles de civiles más que las armas químicas.

Pero eran las armas químicas las que hacían que votantes de lugares como Múnich, Manchester y Minneapolis prestaran atención. Eran los vídeos de niños ahogándose hasta la muerte y de adultos vomitando y echando espuma por la boca. Si quieres llamar la atención de la Casa Blanca, mata a niños con sarín. Envíalo mediante un misil tierra-tierra o suéltalo desde un Mikoyán.

Los drones rusos se movían lentamente por los mismos cielos que los estadounidenses. Los pilotos, en el suelo lejos de ellos, los guiarían sobre sus objetivos y las máquinas no tripuladas transmitirían imágenes, vídeo y coordenadas. Así funcionaba en Ucrania y así funcionaba en Siria. Los drones rusos no eran de baja tecnología, pero a diferencia de los modelos estadounidenses y chinos, de momento solo servían para la vigilancia.

Hay que ponerse en situación: todo ese dinero para proteger a un piloto de tener que volar dentro de la cabina de un avión. Mientras tanto, se sigue atacando a civiles con herramientas tan bárbaras como las bombas de barril o tan brutales como el sarín.

A veces miraba a Viktor o miraba fotos de los presidentes en Washington, Moscú o Damasco y pensaba sombríamente para sí misma: *Aquí es donde todo acaba. Aquí.*

Pero, lamentablemente, no había vuelta atrás.

Así que hizo lo que pudo, que realmente no era mucho y probablemente no valía la pena el coste que tendría para su salud mental.

Pero a diferencia de los terroristas, anarquistas y yihadistas, todavía podía contar con una mano el número de personas a las que había ejecutado, aunque necesitaba también el pulgar. La mayor parte de lo que había hecho —y lo que esperaba hacer en Dubái una vez que Sokolov muriera— era más burocrático. Nunca podría decírselo a Viktor ni a nadie más, pero vivía con cierta dosis de odio hacia sí misma, incluso si —hasta el momento— todas las muertes habían sido necesarias en su conciencia. Incluso, tal vez también, solo *tal vez*, Sokolov. Ambas partes habrían estado de acuerdo.

Pero él había sido el menos definido. Hablando de manera objetiva, no era malvado. Pero tampoco se podía confiar en él. No se le roba a Viktor. Aun así, no era como el asqueroso que había ejecutado en Latakia o el cretino al que había ejecutado en Donetsk: simplemente se había sumergido en unas aguas bravas en las que pensaba que podía navegar. Se parecía bastante a ella, era un peón. El D2 o el E2 en el tablero de ajedrez. El peón se movía para abrir líneas de ataque para el alfil. Al contrario que la mayoría de los jugadores, el peón no solía durar. Hacía su trabajo y entregaba lo que tenía. Tenía que matarlo por una razón y esta era de peso: porque Viktor se lo había pedido.

Escuchó el suave zumbido de los motores en la oscuridad y cerró los ojos. Deseó poder retroceder en el tiempo. Deseó poder volver a aquella noche en el Royal Phoenician.

No, deseaba poder volver al momento antes de ir al hotel. Cuando lo había llamado.

«¡Hola, Alex! Estoy encantada de saber que mañana vamos a vernos. ¿Estás solo?».

¿La última pregunta? Ni se le había pasado por la cabeza. Tendría que haberla formulado. Porque entonces él le habría respondido: «Lo cierto es que no. Tengo a una amiga aquí conmigo. Pero, por favor, pásate de todos modos».

Pero en ese caso no habría ido. Habría esperado. Puede que tal vez hubiera ido mucho más tarde aquella noche al Royal Phoenician. Puede que no. Puede que se hubiera ocupado de Sokolov al día siguiente. O la noche siguiente.

Por desgracia, no podía retroceder en el tiempo, solo podía seguir hacia adelante. Hacer su trabajo. Arreglar el lío que había provocado y luego analizar sus opciones.

OFICINA FEDERAL DE INVESTIGACIÓN

RE: ALEX SOKOLOV

FECHA: 6 de agosto de 2018

La policía de Dubái alertó a nuestro agregado jurídico en los Emiratos Árabes Unidos esta mañana a las 09:15 a. m., hora de los Emiratos, de que una mujer que trabaja en el servicio de mantenimiento del Hotel Royal Phoenician encontró una posible prueba adicional para la investigación sobre el asesinato de Alex Sokolov.

ILMA BAQRI, miembro del personal de mantenimiento, estaba pasando la aspiradora por el pasillo nordeste de la quinta planta. Cuando movió el sofá redondo, vio en el suelo, detrás de él, un pintalabios y un bálsamo labial con el logo de la aerolínea de CASSANDRA BOWDEN. Es de los que se incluyen en los kits de primera clase.

Sin una muestra de ADN o de huellas dactilares, no podemos determinar si alguno de estos elementos pertenecía a CASSANDRA BOWDEN, pero la policía de Dubái ha requisado ambos artículos.

CAPÍTULO VEINTIDÓS

Cassie no era reacia al caos cuando estaba borracha. Sabía que incluso sobria era muy capaz de tomar decisiones terriblemente malas. ¿Primera prueba? El viernes por la tarde en el Federal Plaza con el FBI. Pero se dio cuenta de que no podría llegar hasta Miranda mientras estaba en la cola del control de pasaportes. Cruzar la línea de seguridad no era simplemente nadar a contracorriente, era nadar hacia una pared de cubículos de acero y vidrio, pasillos delgados y personal armado, cuyo trabajo era detectar —y detener— a posibles terroristas. Aunque quería —y lo deseaba desesperadamente— cargar contra la multitud y abrirse paso con uñas y dientes hasta llegar a Miranda, no se atrevió. La detendrían, tal vez incluso la arrestarían antes de poder acercarse a la mujer. Pero temblaba visiblemente; estaba muy agitada. Así que mantuvo la mirada sobre aquella mujer y le dijo a Makayla:

—¿Puedes pedirle a la tripulación que se detengan un minuto? ¿Que esperen por mí? ¿Y puedes vigilarme la maleta?

—¿Qué pasa? —le preguntó Makayla.

—Conozco a alguien del control de pasaportes, fila seis. Tengo que hablar con ella.

Se preguntó brevemente por las gafas que había visto que Miranda se guardaba en el bolso porque no las llevaba cuando se conocieron en la habitación de hotel de Sokolov en Dubái. Pero tal vez no llevaba lentillas en vuelos nocturnos para poder dormir. O eran gafas de lectura. Daba igual. Cassie especuló con que la mujer no llevaba

278 • THE FLIGHT ATTENDANT

gafas en la foto del pasaporte y no quería llevarlas ahora cuando el agente de seguridad la mirara e hiciera la comparación obligatoria con la imagen en miniatura de ella en el pequeño libro azul marino.

Si es que era azul marino. Por lo que sabía, podía ser rojo, negro o verde. Se dio cuenta de que había supuesto que era una estadounidense corriente con un pasaporte corriente. Puede que no. Puede que no fuera estadounidense. O puede que lo fuera, pero que tuviera algún tipo de importancia diplomática.

—¿Quién?

Habría tardado demasiado en explicarle a Makayla quién era específicamente la pasajera, por lo que Cassie solo respondió:

—Alguien de Dubái. Alguien que forma parte de la espiral de mierda que es ahora mismo mi vida.

Lo único que tenía que hacer era decir la palabra *Dubái* y supuso que toda la tripulación tendría una idea bastante aproximada de a qué se refería. Añadir «la espiral de mierda» había sido un reflejo, un destello inusual de autocompasión. Pero también había sido innecesario, ya que todos tenían sus teorías de lo que podría haber ocurrido en Dubái, de lo que podría haber o no haber hecho, y aunque solo fuera por curiosidad, no estaban dispuestos a abandonarla en ese momento.

Observó a la mujer de pie ante el agente de pasaportes, lo vio sellarle el pasaporte —aunque el color siguió siendo un misterio— y corrió hacia el final del embudo donde los pasajeros recogían el equipaje al final de este, frustrada porque eso significaba quitarle los ojos de encima a Miranda. Pero no tenía otra opción, no podía arriesgarse a dejar que se perdiera entre las hordas de viajeros que no se detenían en las colas o el equipaje facturado. Todo el cansancio posterior al vuelo había desaparecido, tenía la mirada alerta y no se preocupó por lo que le diría o le preguntaría. Porque lo sabía. Lo tenía muy claro.

Mientras esperaba, le envió un mensaje de texto a Ani diciéndole que entendía que estuviera durmiendo profundamente en Nueva York, pero que estaba a punto de enfrentarse a Miranda en Fiumicino. Iba a preguntarle quién era realmente Alex Sokolov y quién era ella, ya que estaba segura de que la mujer no trabajaba en su fondo de cobertura. Una parte de Cassie comprendía que estaba jugando con fuego: si Miranda había matado a Alex, ¿quién sabía qué era capaz de hacer si se sentía acorralada? Pero Cassie estaba preparada. Se dijo que probablemente la mujer estaría desarmada porque acababa de desembarcar de un vuelo transcontinental y, aunque hubiera sido capaz de meter un arma en el avión de algún modo, ¿cómo podría atacarla entre las cintas transportadoras de equipaje en un aeropuerto internacional abarrotado?

Pero pasaban los segundos y no aparecía. Seguía llegando gente en un flujo constante e interminable y no había ni rastro de Miranda. Cassie consideró si se le habría pasado por alto mientras le escribía a Ani, pero no lo creía. Solo había bajado la vista al móvil durante milisegundos cada vez; siempre había estado mirando. Estiró el cuello para volver a mirar el control de pasaportes, pero no había ni rastro de ella. Oteó a su alrededor en busca de un baño para mujeres en el que pudiera haber entrado, pero no había ninguno entre seguridad y el equipaje. Solo había uno detrás de ella.

Sin embargo, en ese momento vio el bolso, el precioso bolso de piel de becerro. Estaba sobre el hombro de una mujer que había pasado junto a ella, una mujer de cabello rubio, gafas de sol y un sombrero de paja de ala ancha que ya estaba más allá de las primeras cintas de maletas. Cassie volvió a observar la salida del control de pasaportes y, como no vio a Miranda, tomó una decisión. Se volvió y corrió detrás de la mujer del sombrero de paja, consciente de que debía parecer una loca, pero ya no le importaba.

Cassie la alcanzó antes de la salida de pasajeros. La agarró por detrás, la tomó del hombro y la hizo girarse para enfrentarla. No podía ver los ojos de la mujer detrás de las gafas de sol y el poco pelo que veía era mucho más claro que el de Miranda. No estaba segura de si era realmente ella o no. Intentó recordar si llevaba la misma blusa —blanca y holgada— que llevaba Miranda unos minutos antes en la cola, pero era tan monótona y anodina que no podía estar segura.

La mujer miró más allá de ella, sin ofrecer el menor indicio de reconocimiento.

—Eres tú, ¿verdad? —preguntó Cassie, suplicante. Pensó que, aunque no hubiera gritado, tenía la sensación de que cualquiera que la escuchara pensaría que era una histérica.

—¿Disculpe? ¿Nos conocemos? —Su tono era ligero e imperturbable. ¿Cassie lo había oído antes? Puede que sí. Puede que no.

—Eres Miranda, ¿verdad? Tienes que venir conmigo a la policía.

—Lo siento, pero no me llamo Miranda. ¿Puedo hacer algo por ti?

—¡Dubái! ¡Habitación 511 del Royal Phoenician! —insistió Cassie como si fuera un gemido.

—No sé qué significa todo eso —replicó ella—. No he estado nunca en Dubái.

Entonces Cassie sacudió a la mujer, no porque todavía creyera que fuera Miranda, sino porque había entendido que no lo era. No era ella. De hecho, o nunca había visto a Miranda o se le había escapado. Y, en el fondo, Cassie temía que fuera lo primero. En su desesperación, había sido más violenta con esa desconocida de lo que pretendía —incluso estaba a punto de agarrar el ala del sombrero de la mujer y quitárselo en un último gesto patético, en una última esperanza— cuando vio a alguien por el rabillo del ojo, otra pasajera, y esta persona la estaba apuntando con un pequeño tubo de pintalabios. Antes de que Cassie pudiera responder, supo lo que estaba a punto de pasar. Lo que ya estaba pasando. Notó el espray en su rostro, el insoportable escozor, incluso mayor que el de una quemadura solar. Aunque había cerrado los ojos y se había llevado las manos a la cara, los ojos le lloraron instantáneamente, su nariz se convirtió en un glaciar que se derretía y cada respiración era un jadeo o tos asmática y rasposa. Cayó de rodillas y usó el pañuelo del cuello para limpiarse la cara. Intentó gritar, hablar, disculparse. En lugar de eso, era consciente de que había alguien de pie junto a ella como si fuera una luchadora vencida y como si una buena samaritana la hubiera rociado con espray pimienta. La pasajera estaba pidiendo ayuda y Cassie oyó a la gente que corría —el suelo de baldosas vibraba debajo de ella— y luego la mujer del espray de pimienta fue apartada de ella.

—Estaba atacando a esta dama, lo he visto. —Lo estaba explicando en inglés con un vago acento de Boston. Cassie también oyó hablar en italiano, a agentes de policía, y luego notó manos sobre los hombros que le frotaban la espalda, y en algún lugar lejano oyó la voz de Makayla, de Brandon y la del director del servicio de cabina. Estaban diciendo algo sobre llevarla al baño, limpiarle los ojos y buscar la enfermería del aeropuerto. Pero la policía (no, en realidad eran soldados) no iba a aceptar nada de eso. Tenían otros planes para ella.

—Por favor, decidle que lo siento —suplicó Cassie—. Por favor.

Pero ya era demasiado tarde. Abrió los ojos, a pesar del dolor, y la mujer de las gafas de sol y el sombrero de paja ya no estaba a la vista. Había desaparecido. Y, con una punzada de desesperación, Cassie se dio cuenta de que si el encuentro había sido captado por una cámara de seguridad, parecería una azafata enloquecida —la misma que casi había decapitado a un joven estadounidense en Dubái— que atacó a una viajera con gafas de sol y un elegante sombrero de paja cuando salía del control de pasaportes y alguien con un frasco de espray de pimienta en un lápiz de labios había salido en defensa de la pobre mujer.

Makayla se quedó con Cassie pero el resto de la tripulación siguió adelante y tomó la furgoneta hacia Roma. En cuanto todo se calmó y Cassie todavía estaba arrodillada en el suelo de la sección de equipajes, miró hacia arriba con los ojos escocidos y llorosos y vio a tres hombres altos y delgados con uniformes de camuflaje y chalecos antibalas, cada uno con un rifle de asalto. Soldados italianos de pie como una falange a su alrededor que le recordaron a la estructura de tres columnas que había fuera del edificio del FBI en Manhattan. El Sentinel. Luego parpadeó, cerró los ojos y sintió que Makayla la rodeaba con los brazos y le preguntaba si podía andar. Dijo que sí.

Con ternura, la otra azafata la ayudó a ponerse de pie rodeándole la cintura con los brazos.

Alguien ya había acompañado a la mujer de Boston a algún otro sitio. Le habían dado las gracias y le habían dicho que necesitaban que declarara. Cassie supo que estaría contando la historia de su notable heroísmo en su primer día en Italia durante el resto de su vida a cualquiera que quisiera escucharla. Cassie la odiaba.

Makayla y uno de los soldados llevaron a Cassie primero a la enfermería, donde un enfermero con barba descuidada por las mejillas y la barbilla y un aliento que rezumaba a menta le adormeció los ojos con gotas anestésicas y se los aclaró hasta que creyó que se había ido la peor parte del espray. Le lavó la cara con una solución que, según dijo, era en realidad muy parecida al detergente diluido con agua y le dio una crema para que se la aplicara por la noche. Uno de los soldados que la había acompañado se quedó allí hablando ocasionalmente en italiano por la radio con sus superiores y, en un momento, le tomó el pasaporte para hacer una fotocopia antes de devolvérselo. Cuando el enfermero terminó, el soldado las escoltó a ella y a Makayla a una sala de conferencias sin ventanas donde fueron recibidas por un par de hombres con trajes impecables y relucientes camisas blancas. Trabajaban para la seguridad del aeropuerto y le ofrecieron agua (que la aceptó) y café (que lo rechazó). Si no le hubiera dolido tanto la garganta, tal vez hubiera pedido algo fuerte con alcohol. Entonces le dijeron a Makayla que la esperara fuera y mientras hicieron sentarse a Cassie en medio de una larga mesa de conferencias. Los hombres se sentaron frente a ella y uno de ellos tenía un portátil abierto a su lado. No recordaba sus apellidos, pero recordaba que el más alto, el tipo con la cabeza meticulosamente afeitada y bronceada y que parecía estar al mando, se llamaba Marco. Su compañero, el que parecía ser el responsable del portátil, podía haberse llamado Tommaso.

—Por favor, díganos exactamente qué ha pasado —empezó Marco. Su inglés era excelente, aunque tenía el acento muy marcado—. Había pasajeros por la zona que temían que se estuviera produciendo algún tipo de ataque, un ataque terrorista. Una dijo que esperaba explosiones y disparos. Otro Ámsterdam. Otro Estambul.

Cassie sintió que la adrenalina se le escurría como el agua de una bañera destapada mientras el enfermero la trataba por el espray de pimienta y lo único que quería era ir al hotel de la aerolínea y dormir. Llevaba despierta unas veinticuatro horas y el resultado era el tipo de alboroto que solía provocar cuando estaba borracha, no sobria. Pero también estaba ansiosa por hablar con Ani y decirle lo que había pasado. Tenía tres cosas que contarle: primera, había visto a una mujer con un extraño parecido con Miranda en el control de pasaportes y la mujer había desaparecido antes de salir de la zona de equipaje; segunda, había visto a otra mujer con el mismo bolso cerca de las cintas transportadoras de maletas y también se parecía un poco a Miranda, aunque tenía el pelo de otro color; y tercera, había abordado a esa segunda mujer por error y había sido rociada con espray de pimienta por una tercera.

No estaba preparada para admitir que no había visto a Miranda en el aeropuerto. Pensó que era algo poco probable, pero una pequeña parte de ella todavía creía —o al menos intentaba creerlo— que había visto a la mujer y esta había logrado desaparecer. Era la misma parte de ella que tenía la sensación de que la habían seguido en Manhattan y de que alguien la estaba vigilando. Así que quería saber si había algún modo de que Ani pudiera revisar las listas de pasajeros que habían llegado esa mañana a Fiumicino y ver si había una pasajera con ese nombre en algún vuelo. También quería preguntarle a Ani que, si de verdad era Miranda, ¿por qué estaba allí? No podía ser casualidad. Tenía que significar que la mujer la había seguido hasta Roma.

Intentó recordar detalles de los rasgos de Miranda de su visita a la suite del hotel de Alex —sus ojos, sus labios, el modo en que llevaba el pelo— para compararlos con los de la persona que había visto esa mañana en la cola de pasaportes. Lo cierto era que ya iba un poco borracha cuando conoció a Miranda en Dubái. ¿Cómo de precisa era su memoria? Y ahora acababa de abordar a una pobre mujer inocente que simplemente tenía un ligero parecido con la que había conocido una vez en circunstancias influenciadas por el alcohol; como ocurría con frecuencia en su vida. Mientras tanto, era posible que la verdadera Miranda la hubiera eludido y se hubiera escapado.

—A finales del mes pasado —empezó a relatar— pasé la noche en Dubái con un hombre que conocí en el avión ese mismo día. Después de que me marchara la mañana siguiente para tomar mi vuelo a París, alguien lo asesinó. Y esa mujer con la que estaba intentando hablar en la zona de equipaje... me recordó a alguien que había acudido a su habitación del hotel la noche anterior.

—¿Ella también pasó la noche allí? —preguntó Marco arqueando una ceja—. ¿Estuvieron los tres?

—No. Para nada. Ella solo vino a tomarse una copa. Y luego se fue.

—¿Cómo se llamaba?

—No sé su apellido. Pero en Dubái dijo que se llamaba Miranda.

—¿Y ha atacado a una pasajera esta mañana porque ha pensado que era ella?

—Yo no he atacado a nadie. La mujer del espray ha reaccionado de manera exagerada y me ha atacado a mí.

Marco y Tommaso intercambiaron una mirada y Cassie se sintió juzgada instantáneamente. Tomasso miró algo en el portátil.

—Voy a reformularlo —continuó Marco—. ¿Ha abordado a una pasajera esta mañana porque ha pensado que era ella?

—Sí.

—¿Por qué?

—Estaba tratando de detenerla.

—¿Detenerla de qué? —inquirió Marco.

—De escapar. Ella...

Marco levantó una mano con la palma hacia ella, tranquilizándola.

—Por favor —dijo firmemente. Se inclinó hacia adelante y juntó las manos sobre la mesa—. Por favor, volvamos a empezar. Si no le importa, volvamos al principio. A Dubái.

—¿Tengo que llamar a la embajada estadounidense? ¿Necesito un abogado?

—¿Por qué? No vamos a arrestarla. La mujer a la que ha abordado... ni siquiera está aquí. Probablemente ya se haya marchado. Estará empezando sus vacaciones aquí en Italia.

—¿Se ha marchado?

—Sí.

De nuevo, Cassie sintió una oleada de tensión, como si acabara de pisar con fuerza el pedal que impulsaba su angustia. El hecho de que la mujer se hubiera marchado significaba algo. ¿Acaso una persona normal no se habría quedado?

—¿Podrían encontrarla?

—Lo dudo.

—¿Lo intentarán? Tal vez puedan usar las imágenes de la cámara de vigilancia y las descripciones de los testigos. Deben de tener ambas cosas.

—Estaba de espaldas a la cámara en esa sección y no está tan bien iluminada como nos gustaría. Y llevaba un bonito sombrero y gafas de sol. Ni siquiera sabemos con certeza de qué color era su cabello.

—Era rubia.

—Bien. Usted cree que era rubia.

—Y tienen testigos. ¡Por Dios, si tienen incluso a la pirada del espray de pimienta! —exclamó notando que le temblaba la voz. Conocía ese sonido, era agotamiento y frustración mezclados de un modo bastante tóxico. Consideró añadir espray de pimienta *ilegal,* porque el gas pimienta, sobre todo el que se camuflaba en un pintalabios, no estaba permitido en las bolsas de mano.

—Los tenemos —respondió—. Y todos, incluyendo a la estadounidense del espray de pimienta, pueden describirla a usted perfectamente. Y, sí, pueden describir el modo en el que se ha abalanzado sobre la señorita.

—No me he abalanzado sobre ella.

De nuevo, los dos hombres se miraron. Se dio cuenta de que aunque no la iban arrestar, tampoco iban a ayudarla.

—¿Podemos volver a Dubái? —pidió Marco—. Háblenos de esa noche.

—Creo que debería irme.

—Queremos comprender qué ha pasado.

—Pues llamen a la embajada de Estados Unidos o déjenme llamarlos. Estoy demasiado cansada para hablar con ustedes ahora mismo sin tener a nadie de la embajada conmigo.

—Les llevará al menos una hora, puede que más, llegar hasta aquí. Eso suponiendo que haya alguien disponible. Estoy seguro de que no querrá esperar tanto.

—En ese caso, simplemente me marcharé, muchas gracias. Han dicho que no me iban a arrestar.

—No. —Hubo una larga pausa y Marco tomó de la mesa una fotocopia de su pasaporte y lo agitó casi con desdén—. Pero sabemos exactamente quién es, señorita Bowden. La Interpol sabe exactamente quién es.

—¿Entonces por qué han malgastado mi tiempo preguntándome por Dubái? —espetó—. ¡Estoy agotada y me acaban de atacar!

—Cuando la gente está agotada suele ser más cooperativa. Más habladora.

—¿Y qué es lo siguiente? ¿Ahogamiento simulado?

Marco se encogió de hombros.

—Eso lo hace su país, no el mío.

—Me voy.

—Como quiera —contestó él. Le pidió el nombre del hotel en el que se alojaba y su número de teléfono que anotó en la fotocopia del pasaporte. Tommaso anotó algo en el portátil.

—¿Cuánto tiempo estará en Roma?

—Hasta mañana. A última hora de la mañana.

—¿Se va en el vuelo de las dos y diez al JFK, verdad?

—Correcto.

Él asintió con superioridad.

—Conozco bien el horario de su aerolínea. Me sé los horarios de la mayoría de las aerolíneas. —Luego se puso de pie y Tommaso lo siguió, por lo que ella también se levantó de la silla—. La llamaremos hoy si necesitamos volver a hablar con usted, pero ¿señorita Bowden?

—¿Sí?

—Por favor, por su propio bien, no ataque ni aborde a desconocidas mientras está aquí. —Sonreía pero había un tono empalagoso y ominoso en su voz y sintió que sus palabras eran más una amenaza que un consejo.

CAPÍTULO VEINTITRÉS

Los aeropuertos fascinaban a Elena por el modo en el que todo el mundo estaba conectado cuando estaban allí. Todos estaban emocionados. Había pasajeros que estaban nerviosos y tensos, estresados porque estaban preocupados —y este era el espectro de la ansiedad— por sus escalas o por si les daba miedo volar o por si estaban en alerta máxima por calor o temían el estruendo de una bomba terrorista. Luego estaban los que viajaban con más frecuencia, preocupados por sus escalas o mejoras y a los que les molestaban los inconvenientes de las bolsas de plástico transparentes y los detectores de metal o por tener que quitarse los zapatos o las zapatillas. (¿Su propia frustración? Siempre la irritaban los idiotas que ponían los zapatos sucios en contenedores para chaquetas y bolsos. Se estremecía cuando tenía que dejar su jersey de cachemira en una bandeja de plástico que un momento antes había alojado suelas de zapatos que normalmente se plantaban ante urinarios).

Elena había vuelto a guardar el sombrero de paja en la bolsa antes de salir de la zona de equipaje. Consideró meterse en un baño de mujeres y ponerse una peluca diferente, pero sabía que Bowden no saldría pronto del aeropuerto. Ya no tenía que preocuparse por eso.

No le pasó desapercibida la ironía de que la azafata la hubiera visto en el control de pasaportes en Roma. Seguro que Viktor tendría algo que decir. Y aun así, la posibilidad de encontrarse con Bowden era lo que, en primer lugar, la había llevado a volar desde Newark y no desde el JFK.

Por otro lado, era un pequeño regalo inesperado que Bowden la hubiera visto y la hubiera atacado. Y luego estaba la suerte de que una justiciera de Massachusetts hubiera acudido en su ayuda. Elena tenía su propio espray de pimienta preparado, pero no le había hecho falta. Había vuelto a guardar discretamente lo que parecía una elegante pluma estilográfica italiana en su bolso después de que Bowden se derrumbara de rodillas con las manos en la cara.

Hizo una pausa cuando percibió una bocanada de combustible de avión mientras hacía cola para tomar un taxi. Odiaba el olor a combustible para aviones. Le daba náuseas. Pero se lo sacudió de encima porque estaba soleado y el encuentro en la zona de equipajes había sido algo bueno. De hecho, bastante bueno. Definitivamente, se lo diría a Viktor. Por lo que respectaba al resto del mundo, todo era una prueba más de que la azafata estaba completamente desquiciada. La causa y el efecto estaban claros: Bowden asesina a Sokolov en Dubái. El *New York Post* lo revela. Se lanza sobre una desconocida en Fiumicino. La mañana siguiente, encuentran su cuerpo en Roma y todos piensan que era algo probable —y absolutamente predecible— que la azafata se hubiera suicidado.

Asumiendo, por supuesto, que siguiera adelante con el plan. Primero, sin embargo, quería comprender qué hacía exactamente su cuñado en el depósito del ejército Blue Grass y cuánto podría haber descubierto Sokolov en Internet. Sabía lo que ella misma podía descubrir —fácilmente, llamada tras llamada— pero tenía que saber qué podría haber descubierto él. Eso era diferente. También quería sumergirse en la *dark web* y sus fuentes secretas para ver si sus instintos sobre Bowden, su cuñado Dennis McCauley y la aerolínea eran correctos. Luego tendría que consultarlo con su responsable. Sabía que no podía alargarlo mucho más. Ellos también lo sabían. Se preguntó qué ocurriría en las próximas doce horas. O, para el caso, en las próximas veinticuatro. O la arrestaban o Bowden moriría. Dependía de lo mucho que quisieran saber sobre Viktor Olenin y sus sueños de drones con gas venenoso.

CAPÍTULO VEINTICUATRO

Makayla le dijo a Cassie que tenía treinta y seis años mientras iban sentadas en los asientos de atrás del taxi de camino a Roma. Ella y su esposo, un ejecutivo publicista, tenían una hija de cinco años que estaba a punto de entrar en la escuela. Vivían en Douglaston, Queens, y sus suegros vivían cerca, lo que era un regalo del cielo para el cuidado de la niña. Hablaba y hablaba, casi sin preguntar nada, lo cual era perfecto, porque hacía un calor sofocante dentro del taxi a mediodía en agosto y Cassie solo quería escuchar. Incluso podría haberse quedado dormida si, una vez el taxi estuvo dentro del tráfico de Roma, el conductor no hubiera frenado y arrancado cada vez con una violencia impredecible e incesante. Pero la voz de Makayla era baja y amable, y Cassie se la imaginó leyéndole en voz alta a su hija las noches que no estaba volando a Frankfurt o a Roma.

Joder, pensó Cassie, *¿cómo sería tener una hija? ¿Tener hijos?* Una vez había visto una pizarra fuera de una tienda de ropa en West Village que decía: «¿Recuerdas la persona que querías ser? Todavía estás a tiempo». Quería creerlo, quería creerlo desesperadamente. Quería ser diferente de lo que era, ser cualquier cosa menos lo que era. Pero cada día que pasaba era menos y menos probable. En el asiento trasero de aquel taxi, reflexionó que la vida no era más que una reducción de oportunidades. Era un embudo.

—Este es el hotel —anunció Makayla y, antes de que Cassie pudiera sacar la cartera del bolso, la otra azafata ya había pagado.

—Por favor, deja que te lo pague —le dijo. Sabía que se alojaban en el mismo hotel que les había reservado la aerolínea la semana anterior, pero aún no pudo evitar un suspiro de frustración cuando miró hacia la entrada. Pensó instantáneamente en cómo tendría que evitar a Enrico. Vería a los otros miembros de la tripulación con sus icónicos uniformes negros, azules y rojos, y especularía que ella también estaría en el hotel.

—No es nada —contestó Makayla—. Puedes invitarme a una copa esta noche. ¿Qué te parece?

Cassie sonrió ante su propuesta. El hecho de que para Makayla el alcohol no fuera más que un atajo para la amistad y la camaradería no le pasó desapercibido. Lo era para la mayoría de la gente.

—De acuerdo —aceptó y esperó que, si se tomaban esa copa, los dioses fueran amables con ella y fuera el día libre de Enrico. El taxista sacó las dos maletas del maletero—. Gracias —le dijo Cassie a Makayla—. Gracias por todo.

—De nada, aunque en realidad, lo cierto es que no he hecho nada. Ahora deberías dormir un poco. A mí me vendría muy bien una siesta.

Cassie asintió con la cabeza y vio a un botones subir su maleta por los escalones de mármol y arrastrarla hasta el mostrador de recepción. Dormiría. Pero primero llamaría a su abogada en Nueva York. Eran casi las siete en la costa oeste; probablemente, Ani ya estuviera despierta.

—¿La has visto? —Era una pregunta, pero Cassie podía oír la conmoción y la incredulidad en la voz de Ani a través del teléfono.

—Tal vez —contestó Cassie—. No estoy segura. Creía que sí. En ese momento estaba convencida. Pero cuanto más lo pienso, más posible me parece que me haya equivocado. Puede que solo haya sido un ejemplo más de cómo estoy perdiendo la cabeza. Cada vez me parece más difícil verle el sentido a todo. Eso puede asustarme tanto como cualquier otra cosa ahora mismo.

Estaba sentada en la silla del escritorio de la habitación de su hotel con una pierna por debajo. Temía que, si se sentaba en la cama, se quedaría dormida en medio de la conversación. Tal vez nunca se levantara. Estaba en una planta diferente a la de la semana anterior, pero en el mismo lado del edificio, por lo que, una vez más, podía ver las torres de la Trinità dei Monti fuera de su ventana.

—Cuéntame qué ha pasado exactamente —le pidió Ani. Cassie lo hizo, incluyendo el interrogatorio de la seguridad del aeropuerto de Fiumicino.

—¿Acabas de bostezar? —le preguntó Ani cuando terminó.

—Estoy agotada.

—Lo entiendo, pero debes tener en cuenta que perseguir a una pobre mujer en la zona de equipaje es exactamente el tipo de motivo que puede servirle a la aerolínea para darte un permiso de ausencia. ¿Lo de hoy del *New York Post*? No. No castigarán a la Asesina del Carrito (eso solo es una supuesta locura) pero penalizarán a la azafata que ha demostrado ser inestable en la zona de equipaje de un importante aeropuerto internacional.

La magnitud de esa frase hizo que Cassie asintiera, a pesar de que estaba sola en la habitación.

—Se me ha pasado por la cabeza —admitió.

—Y, obviamente, le has dado a la fiscalía, cuando se acerquen a ti, más leña que echar al fuego. Esto es mil veces peor que llamar a la familia de Sokolov en Virginia el sábado por la noche.

—Lo sé.

—Y aun así, te has acercado a esta mujer en el aeropuerto solo porque tenía el mismo bolso que le habías visto a la que estaba en la cola. ¿Qué pensabas, que se había disfrazado?

—Sí. Tal vez. No lo sé. Estaba tan frustrada porque la mujer que pensaba que era Miranda se hubiera ido de repente...

—Madre mía. Realmente estoy preocupada por ti. Estás completamente fuera de control.

—Lo sé. Estoy un poco asustada, Ani. Tengo miedo de no pensar con claridad ni siquiera cuando estoy sobria. Es decir, llegué a pensar que me seguían en Nueva York.

—¿Qué?

—Vi dos veces a un tipo con gorra negra detrás de mí en la calle. Llevaba gafas de sol. Y en otra ocasión estaba segura de que también estaba allí.

—Pero ¿no lo viste?

—La tercera vez no. A eso me refiero. Creo que me estoy volviendo loca.

—Puede que sí, pero puede que no. No me extrañaría que el FBI tuviera a alguien vigilándote.

—Entonces, ¿no estoy loca?

—Sí que estás loca, Cassie. Eres un absoluto desastre. Pero eso no significa que no te estén siguiendo. Por favor, tómate lo del espray de pimienta como una llamada de atención. Una advertencia. Lamento que te haya pasado. Lo lamento de verdad porque odio pensar en tu incomodidad. Pero también agradezco que alguien te haya parado antes de que cometieras una absoluta locura.

—No le habría hecho daño. No soy una persona violenta. —*Al menos, no todavía*, pensó—. Agarrarla del hombro fue un acto reflejo.

—¿Todavía te duele? ¿Tienes molestias?

Cassie había tenido cuidado de evitar el gran espejo de la habitación del hotel. No quería ver lo manchada que, probablemente, tendría la cara. Temía que sus ojos se vieran rojos como los de un vampiro. El enfermero le había dicho que estaría mucho mejor a la hora de la cena. Esperaba que fuera así.

—No mucho. Pero me pregunto si tú o tu investigador privado podéis hacer algo por mí.

—Dime.

—¿Podéis consultar la lista de pasajeros de los aviones que han llegado a Roma esta mañana? ¿Podemos averiguar si había una mujer llamada Miranda en alguno de ellos?

—Pensaba que creías que te habías equivocado.

—He dicho que no estaba segura. Voy cambiando de opinión.

—Bueno, no puedo averiguar eso —respondió Ani—, pero se lo preguntaré a mi investigador privado. Dudo que pueda. Suena a un trabajo para el FBI.

—Vale —aceptó Cassie, aunque la respuesta de la abogada la asustó—. ¿Te ha dicho algo más sobre los antecedentes de Alex?

—No. Lo llamaré ahora cuando colguemos.

—Gracias. Ah, lamento no habértelo dicho de inmediato, gracias también por el modo en el que hablaste con el periodista del *New York Post*. Te lo agradezco muchísimo.

—Lo sé. Créeme, mi jefe también —añadió Ani con ironía y luego preguntó—: ¿Qué vas a hacer esta tarde? ¿Y esta noche?

—¿Te preocupa que vaya yo sola a buscar a Miranda?

—No.

—Pero crees que existe, ¿verdad? Es decir, puede que no esté en Roma. Puede que no la viera. Pero está por ahí, en alguna parte.

Incluso al otro lado del Atlántico, Cassie pudo oír su breve vacilación.

—La mayor parte del tiempo lo creo. De verdad. Pero que intimidaras a una desconocida en un aeropuerto no inspira mucha confianza en tu salud mental.

—Lo sé. Lo siento.

—Tal vez, simplemente, deberías relajarte. ¿Qué te parece? No salgas a cenar. No vayas a hacer turismo. Y, por lo que más quieras, no te tomes ninguna copa. Imagínate que estás bajo arresto domiciliario.

Puede que fuera por la palabra *arresto*, pero Cassie pensó en los dos agentes del FBI del Federal Plaza. ¿No había límite para los problemas que pudiera causar? ¿Para los problemas en los que ya se encontraba?

—Y, ¿Cassie? —Esperó—. Solo por si acaso, hazte un favor y cierra la puerta con llave esta noche.

No durmió tanto como esperaba. Tenía el reloj biológico demasiado bien acondicionado, demasiado predecible, por lo que se despertó de la siesta alrededor de las tres de la tarde. Salió desnuda de la cama, abrió las cortinas para darle la bienvenida a la luz del sol veraniego y se acurrucó debajo de las sábanas en el lado fresco de la cama. Durante un rato, observó el cielo azul a través de la ventana y luego las paredes de la habitación. La gran fotografía en blanco y negro enmarcada con la Pietà de San Pedro. La televisión. El armario. Arriba del escritorio había visto en un portalápices un solo bolígrafo con el nombre del hotel. El bolígrafo era una mierda, pero le gustó el portalápices. Estaba diseñado para parecer una ruina arquitectónica, un remanente del tipo de columna de granito que sostenía el gran pórtico del Panteón. (Recordó de alguna otra visita a Roma que eran columnas corintias). Pensó en robar el portalápices, probablemente como regalo para su sobrino, o tal vez para su cuñado. Quizá quedara bien en su escritorio.

No, no se lo llevaría. Ejercería un poco de autocontrol. Había estado en ese mismo hotel la semana pasada y ya había robado el sujetalibros. Puede que el servicio de mantenimiento se diera cuenta de que había desaparecido justo después de que se marchara y su nombre estuviera ahora en una especie de lista de vigilancia del hotel. Sería otro ejemplo del cruel humor del mundo si, después de todo lo que había bebido a lo largo de los años, acabaran despidiéndola de la aerolínea por robar baratijas de una habitación de hotel en Italia.

Por supuesto, esa era la única constancia en su vida: beber. El alcohol le daba placer, le aportaba coraje y consuelo. No le proporcionaba precisamente autoestima —sobre todo la mañana del después—, pero le daba la confianza de que, fuera lo que fuera ella, era suficiente. Ya no era la hija de un borracho profesor de autoescuela de Kentucky. Ya no era la chica que estaba sola en la centralita de la universidad durante las horas más intempestivas de la noche. Sí, pasaba días sin beber, pero eran meros intermedios entre actos. Entre el mal comportamiento. Entre los momentos que más era ella misma.

Y sabía que esos días eran cada vez menos frecuentes.

Comprobó el móvil. No tenía nada de Ani. Nada de Frank Hammond. Nada de la aerolínea. Nada de nadie. Probablemente, eso fueran buenas noticias.

Finalmente, deslizó las piernas hacia el borde de la cama y se pasó las manos por el pelo. Joder. Tal vez Ani tuviera razón en que debería cerrar la puerta con pestillo y fingir que estaba bajo arresto domiciliario. Pero era quien era. Sabía tan bien como cualquiera que la gente no cambiaba. Solo había que mirar a su padre. El atractivo del limoncello —y del Negroni, el Bellini, el Rossini y el Cardinale— era irresistible. Se ducharía. Se pondría el alegre vestido veraniego de flores que había metido en la maleta. Después se maquillaría, se pondría la crema que le había dado el enfermero del aeropuerto y saldría a pasear. Encontraría un bar en el que nadie supiera su nombre; y sería como una *sitcom* hasta que le llegara el momento.

Vio la nota que tenía debajo de la puerta cuando salió del baño. Se acababa de secar con una toalla y estaba a punto de vestirse. Era de Enrico, el joven camarero, y al parecer, hablaba su idioma mejor de lo que lo escribía y, probablemente, dependía del traductor de Google. Había visto a otros miembros de la aerolínea en el hotel, por lo que le había preguntado a una amiga del servicio de huéspedes si Cassie se encontraba entre ellos. Entonces había convencido a su amiga de que buscara el número de su habitación. Esperaba que lo viera como «iniciativo» y no como «acosante». Había encontrado a alguien que le cambiara el turno y estaba «deseable» de poder llevársela a dar un paseo y a cenar. La nota era adorable.

Pero pensó en Buckley en Nueva York. Podría decirse que su relación con el actor se había intensificado la última semana. Habían vuelto a acostarse y había sido más una cita que un encuentro al azar en un bar. Tenían una relación que su amiga Paula, la del Drambuie, definiría como Tinder Plus, la zona gris en la que era más que un ligue de Tinder pero no llegaba a salir con él. Puede que ella y Buckley todavía no fueran exclusivos, pero tenían una conexión que trascendía la libido y el alcohol y una aplicación para mantener sexo con extraños.

Además, ¿existía la más remota posibilidad de tener futuro con Enrico, dada la diferencia de edad? Por supuesto que no. Pero, de nuevo, ¿podía tener futuro con alguien? Por supuesto que no. Su futuro, con el tiempo, sería la cárcel. Miró la letra del papel que tenía en las manos. Era propia de oficina de hotel. La tinta era azul y Enrico había escrito con trazos cuidadosos y atentos. Había escrito que estaría esperándola abajo, en el bar, y que podía irse con ella en cualquier momento a cualquier lugar que ella quisiera.

No tenía ni idea de dónde estaría en un año, en una semana o en un mes.

Por lo que sabía, podría no tener noticias de Buckley porque él había leído el *New York Post* y estaba justificadamente consternado. No quería tener nada que ver con ella. ¿Por qué iba a quererlo? Por Dios, la mayor parte del tiempo ni siquiera ella quería tener nada que ver consigo misma. Esa también era una de las razones por las que encontraba consuelo cuando iba hasta las trancas. Era mucho más fácil mirarse al espejo cuando los ojos tardaban un poco más en enfocar y por la mañana no recordaba los modos horribles y ridículos en los que se había comportado.

Mientras estiraba los brazos hacia atrás para abrocharse el sujetador, miró por la ventana y se quedó contemplando durante un momento la belleza de las torres de la Trinità dei Monti. Estaba en Roma, la ciudad en la que supuestamente Nerón había tocado el violín mientras los edificios que lo rodeaban se quemaban. No tenía ni idea de si era cierto. No sabía si los violines existían en el siglo i. No importaba. Entendía lo que significaba. Cuando estés en Roma haz lo que los romanos.

Bajaría las escaleras y tocaría el violín.

Como esperaba, Enrico estaba en el bar. Pero no estaba trabajando. Se había sentado en un taburete ante una mesa de caoba hermosamente pulida. Lo vio en el extremo más cercano, frente al fregadero oculto y la impecable hilera de cocteleras, medidores, mezcladores y rodajas de fruta. Estaba hablando con una joven menuda que vestía la camisa blanca abotonada y el chaleco azul del hotel y tenía una magnífica melena oscura. Era la camarera que estaba trabajando ese turno. Cassie supuso que tendría poco más de veinte años. Pensó que el mundo era muy joven. El bar no estaba vacío en esa ocasión porque eran las últimas horas de la tarde. Pero los huéspedes, contó que serían una docena, estaban sentados en las mesas y en la larga y acogedora barra.

Enrico se fijó en ella de inmediato, como si tuviera un ojo puesto en la entrada y se levantó para saludarla. Él también llevaba una camisa blanca, pero se había puesto unos vaqueros ajustados en lugar de los elegantes pantalones negros de la semana anterior. Estaba muy guapo. Se preguntó si en cuanto se tomara una copa —o tal vez dos o tres— se lo llevaría a su habitación.

—Tenía miedo de no verte —dijo pasándole los brazos por la parte baja de la espalda y atrayéndola hacia él. La besó en ambas mejillas y se inclinó ligeramente hacia atrás, evaluándola. Sintió la calidez de sus dedos a través del rayón de su vestido—. Te has vuelto más guapa esta última semana.

—No. Pero sí que soy una semana más mayor.

—Y has salido sin protector solar, ¡qué vergüenza!

Cassie asintió tímidamente. Era más fácil asentir que explicar que la habían rociado con espray de pimienta esa mañana en el aeropuerto.

—Pero ese vestido te queda perfecto —insistió él.

—Probablemente soy demasiado mayor para usarlo.

Él la soltó y sonrió. Le hizo un gesto a la chica de detrás de la barra que estaba preparando unos Bellinis para una mesa de británicos que había en la esquina. Había echado puré de melocotones frescos en la bebida y el prosecco tenía muy buena pinta.

—Esta es Sofía. Ella también prepara un Negroni excelente. Le he enseñado yo mismo. Pero deja que prepare el tuyo.

Cassie vio cómo Sofía colocaba las copas en una bandeja y se las llevaba a los clientes. Cuando se quedó en silencio, Enrico preguntó:

—¿Es un día más de Bellini? ¿Prefieres un Bellini antes que un Negroni?

Lo miró a los ojos. Sí, quería un Bellini. Lo deseaba a él. Quería perderse en el alcohol y envolver sus muslos desnudos alrededor de su culo desnudo y sentir su presencia en su interior. Quería olvidarse de Alex Sokolov y de Frank Hammond y de la mujer que había pensado que era Miranda. Eso era algo nuevo, lo de beber para olvidar. Normalmente, solo bebía para perderse, lo que podía ser parecido, en cierto modo, pero era definitivamente diferente.

Escuchó la notificación de su móvil que le informaba de que tenía un mensaje nuevo.

—Lo siento —se disculpó ante Enrico—. Debería ver qué es. —Metió la mano en el bolso y sacó su móvil. El mensaje era de Ani. Le pedía que la llamara enseguida. Cassie respiró profunda y lentamente para calmarse. Escuchó un breve zumbido en los oídos y notó que se le aceleraba el corazón—. Necesito llamar a mi hermana —le dijo al camarero.

—Pareces preocupada. ¿Va todo bien?

Observó a los británicos mientras levantaban las copas de champaña con los Bellinis y brindaban juntos. *Mi vida*, pensó, *es todo hambre. Hambre, deseo y necesidad.*

—Supongo que ahora lo averiguaremos —respondió. Agarró el móvil y se retiró al anonimato del vestíbulo del hotel.

CAPÍTULO VEINTICINCO

Elena fue a hacerse un bronceado a un salón al otro lado de la calle de Bulgari y Gucci y le indicó a la esteticista que pensara en Saint-Tropez. Quería parecer un antiguo anuncio de Bain de Soleil. Luego fue a una farmacia; eligió una apartada de la Via Sistina, lejos de su hotel y del de Bowden y compró un par de guantes de plástico y un bote de tinte de pelo que se llamaba negro azulado natural.

De vuelta en su habitación, se aplicó meticulosamente el tinte de pelo y programó cuarenta y cinco minutos el temporizador del móvil. Todavía no tenía canas, ni una sola, pero quería asegurarse de que fuera un color sólido. Pensó que le gustaría tener el pelo del color del ala de un cuervo durante el resto del verano y principios del otoño.

Mientras esperaba, se sentó en la cama y utilizó la red encriptada de su portátil para profundizar en Dennis McCauley. Ver si había algo nuevo. Cualquier cosa que no hubieran sido capaces de decirle. Pasó a la clandestinidad, hackeando su vida a través de una variedad de sitios oscuros a los que accedía mediante el espejo similar de Lewis Carroll de troyanos y *rootkits* que preferían los cosacos. Miró las reuniones de su calendario de esa semana en la base militar de Kentucky y una de la semana siguiente en el Centro Edgewood de Química Biológica en Maryland. Vio sus preferencias en porno, que eran mucho más convencionales que las de muchos tipos del ejército o contratistas de defensa con los que había tratado y vio que a su equipo de béisbol preferido le había ido especialmente bien esa semana. Escaneó sus cuentas bancarias y las inversiones de su familia.

Pero no encontró ningún indicio de que fuera un cosaco activo que se enriqueciera vendiendo lo que sabía.

Pensó una vez más en la revelación que había tenido la noche anterior en el avión, la idea de que durante todo ese tiempo había entendido al revés la seducción de Dubái: había asumido que Cassandra Bowden había seducido a Sokolov durante el vuelo a los Emiratos mientras que probablemente hubiera sucedido lo contrario.

Joder, había cometido un error de novata. Se enfrentaba a gente que había crecido en una cultura en la que la paranoia era una habilidad de supervivencia.

Después de matarlo, intercambió las memorias USB y le dio a Viktor una con datos dramáticamente simplificados. Tenía especificaciones sobre los drones espía, pero nada que Rusia no pudiera conseguir por sí misma en unos meses a través de NovaSkies. Esperaba que fuera suficiente para satisfacer a Viktor. Estaban equivocados. Luego había dejado las pruebas de que Sokolov robaba del fondo en su portátil. Nadie lo pasaría por alto. La CIA sabría por qué estaba muerto y, con el tiempo, la Inteligencia Nacional compartiría lo que sabían con el FBI. Pero la policía de Dubái simplemente lo vería como un negocio ruso —impávido y a sangre fría— como de costumbre. El precio para un éxito regular cuando algo salía mal eran centavos. Una vez su padre le había pagado a un subordinado una miserable bonificación de quince mil bonos para ejecutar a un comerciante de materias primas que había intentado —y fracasado— robarle el acero que había comprado en una fábrica de Lípetsk. Otra vez había pagado una miseria —cinco mil dólares— para que mataran a un pobre gerente de contratos británico en Donetsk cuando sus jefes de Londres se habían negado a negociar un contrato. (Después de eso, lo hicieron de inmediato). Las agencias estadounidenses no estaban encantadas con que Sokolov estuviera muerto, pero tampoco es que fuera especialmente buen tipo y nadie quería verlo en un juicio. Sabía demasiado. La mayoría estaban agradecidos porque no se hubiera descubierto la tapadera de nadie. Había sido extrañamente respetuoso. Tampoco requeriría una escalada pública que nadie quería.

Cerró la sesión del portátil e intentó encajar las últimas piezas del rompecabezas, pero había demasiadas y estaba muy cansada. Se obligó a relajarse. Hojeó las revistas de moda italianas y británicas que había comprado en un quiosco de la calle y leyó las noticias en la tableta. Pero seguía dándole vueltas a la azafata, a lo que se suponía que debía hacer y a lo que tenía planeado hacer. Había demasiados modos de suicidarse. Podían ser pastillas; podía desangrarse en la bañera; podía tirarse desde gran altura y caer a ríos, océanos o hermosos abismos; podía saltar ante tranvías, metros o autobuses; ahorcarse o usar un arma, cualquier tipo de arma.

Consideró probable que un terremoto como Cassandra Bowden pudiera tener al menos una última sorpresa para ella. Si tenía que apostar, apostaría por el camarero. Al fin y al cabo, combinaba los dos intereses principales de Bowden en un bonito envoltorio. Eso, por supuesto, sería un desastre. Lo último que quería era tenerlo a él también sobre su conciencia. Desafortunadamente, un asesinato-suicidio que involucrara a Cassandra Bowden y a un ligue italiano sería tan factible como un simple suicidio y era posible que le pidieran eso.

Se había prometido a sí misma pasar unos días sola en Sochi cuando terminara, aunque, por supuesto, no estaría completamente sola. Sin duda, se pasarían algunos de los viejos amigos de su padre. Sería gente que llevara mucho fuera del círculo y que no supiera hasta qué punto la había cagado con la azafata. Tal vez fuera alguien que simplemente supiera que Sokolov estaba muerto y quisiera darle las gracias. Era bastante simple: se había decantado por la yugular. Había usado su vieja broma, un corte seco.

Pero tendría mucho tiempo para observar a los osos desde el porche y escuchar a los búhos mientras dormía bajo la pérgola.

Intentaría recuperar el equilibrio emocional después de Diyarbakir, Dubái y ahora, Roma.

Se recostó contra el reposacabezas y cerró los ojos, saboreando el aire acondicionado de la habitación, pero inquieta por todo lo que no sabía y todo lo que era posible que hubieran decidido no contarle.

CAPÍTULO VEINTISÉIS

En el vestíbulo del hotel, Cassie se sentó en un lujoso sofá renacentista de color rojo rubí y se posó en el extremo que no tenía respaldo. Le sonrió al conserje. Le sonrió al atractivo hombre con traje negro y auricular que claramente era de la seguridad del hotel.

—¿Estás en tu habitación? —preguntó Ani.

—Sí —mintió ella.

—Bien, seguro que hay algún periodista por algún chivato de tu aerolínea. Alguien encontrará tu hotel. Es otro motivo para mantener la discreción.

—¿De verdad? El crimen tuvo lugar en Dubái, no en Perugia ni en Roma. ¿Por qué les iba a importar a los periodistas italianos?

—¿Por qué le iba a importar a cualquier periodista? Sexo y asesinato.

—Ah, claro.

—Tengo noticias de mi investigador.

—¿Sobre las listas de pasajeros?

—No. Duda mucho de que pueda hacer algo al respecto, ha husmeado en otras partes.

Cassie lo escuchó con atención tratando de concentrarse.

—¿Y?

—Estas son algunas de las cosas que ha descubierto. ¿Recuerdas lo que te dije el otro día sobre el tipo de gente que invierte en ese fondo?

—Sí, dijiste que muchos eran rusos.

—Exacto. Hay un par en la lista OFAC del Departamento del Tesoro. Al parecer, algunos son de esos oligarcas asquerosamente ricos. Cree que algunos pertenecieron al KGB. Son tipos que ganaron ridículas cantidades de dinero los años posteriores al colapso de la Unión Soviética. Cree que es posible que el FBI esté investigando a Unisphere y a ese fondo en particular.

—¿Porque mataron a Sokolov?

—No. En este caso el FBI ya estaba investigando a la empresa por los inversores. Por quiénes son.

—Entiendo.

—Pero es posible que hayan estado investigando al propio Sokolov. Puede que administrara mal el fondo y se llevara algo más de lo que le correspondía. O tal vez, como ya te dije, puede que sea un esquema Ponzi. Quizá solo estuviera obteniendo los rendimientos que esta gente esperaba al traer gente nueva al fondo y finalmente fuera demasiado lejos.

—¿Por qué le importa al FBI si solo robaba a los rusos y el dinero está en el Caribe?

—Unisphere es una empresa estadounidense y puede que Sokolov estuviera cometiendo fraude. Por lo que sabemos, algunos de los inversores rusos viven en Estados Unidos y están totalmente limpios.

—Entonces, ¿creen que a Alex lo mató algún mafioso ruso?

—Podría ser —contestó Ani—. Recuerda: engañas a esos tipos o les robas y eres hombre muerto.

—Los troles de Internet llevan días diciendo que Alex era un espía. ¿Eso todavía es posible?

—Sí, muy posible. Si Sokolov no era un delincuente o jugaba rápido y libremente con el dinero de otra gente, puede que fuera un agente encubierto.

—¿Para nosotros?

—O para ellos. Si era para nosotros, Unisphere era su tapadera porque sabemos quiénes son algunos de los inversores y conocemos sus conexiones con el presidente ruso. Si era para ellos, Unisphere era su tapadera porque podía vivir fácilmente en Estados Unidos y reunirse con esta gente sin levantar sospechas. Podía ser el chico de los recados (supongo que utilizan este término) o el mensajero. ¿El tipo que conociste en el asiento 2C? Es tan probable que fuera de los suyos como de los nuestros. O puede que jugara en ambos bandos. Mi compañero dice que es otra posibilidad. Puede que por eso lo mataran. Nada es nunca totalmente blanco o negro, ¿verdad? Puede que fuera un tipo despreciable.

Cassie pensó en todo eso y en el hombre con el que se había acostado en Dubái.

—Pero, Ani, no parecía un delincuente ni un tipo despreciable. He conocido a bastantes capullos (perdón por el lenguaje) y no me pareció que él lo fuera.

—Bueno, en caso de que robes, no lo gritas a los cuatro vientos, ¿no? Lo mismo con los espías. No vas repartiendo tarjetas de visita con tu verdadera profesión.

—Supongo que no —admitió Cassie.

—Pero Sokolov no dejó ningún rastro que insinuara que fuera un espía. Nada de Langley, ninguna conexión con el Departamento de Estado y ningún amigo en las embajadas.

—Pero su familia es originaria de la Unión Soviética.

—Sí.

—Entonces es más probable que fuera un espía ruso.

—Puede ser. Y, bueno… —Ani hizo una pausa para aclararse la garganta—. Tenemos el informe completo del forense de Dubái.

Cassie notó que su abogada había vacilado a mitad de la frase. Se había callado casi como un reflejo.

—Malas noticias, ¿verdad?

Apoyó la frente en la mano, cerró los ojos y esperó.

—El cuerpo fue hallado a las cinco de la tarde. La sangre estaba prácticamente seca. Al parecer, el tiempo de vaciado gástrico es de cuatro horas, tal vez cinco por el alcohol, y su estómago estaba totalmente vacío. Así que, definitivamente, murió antes de la una de la tarde, probablemente, antes de las doce. Puede que antes del almuerzo. Pero la habitación estaba a dieciocho grados, el cuerpo no estaba burbujeando precisamente, perdón por la expresión. No estaba hinchado y estaba empezando a descomponerse.

Se estremeció sin saber si sentía repugnancia o tristeza ante la especificidad del deterioro mortal de Sokolov.

—Suena prometedor, aunque disculpa si no puedo emocionarme mucho ante la imagen del cuerpo del pobre chico descomponiéndose en la cama en la que dormimos.

—Es prometedor. Quédate con eso. Si Dubái quiere procesarlo o la familia de Sokolov quiere presentarte ante un tribunal civil, puedes afirmar de manera convincente que estaba vivo cuando saliste de la habitación. No pueden probar lo contrario.

—Bien entonces —añadió Cassie, pero sabía la verdad. Si necesitaba defenderse, como en tantos otros aspectos de su vida, se basaría en una mentira. Se preguntó si su voz sonaba tan muerta en la realidad como en su cabeza. Comprendía demasiado bien por qué esa noticia no la había alegrado.

—Pero aquí viene lo importante —continuó Ani—. Según el informe, se hizo (con mis palabras, no con las suyas) de manera profesional. Quienquiera que matara a Alex le cortó la arteria carótida. Sabía exactamente dónde estaba. Le cortaron la tráquea. Todo ocurrió en treinta segundos. Y estoy segura, Cassie, de que eres completamente capaz de matar a alguien con un cuchillo, una botella rota o incluso un abrecartas mientras duerme, pero seguro que no serías tan eficiente. Con perdón. Tan quirúrgica. No ocurriría tan rápido. ¿Sabes siquiera dónde está la carótida?

Miró los remolinos que dibujaba la alfombra oriental bajo ella. Observó los dedos de sus pies sobre las sandalias. El esmalte de uñas rosa.

—No, la verdad es que no.

—Es decir, incluso aunque este hubiera sido uno de los peores *blackouts* de tu vida y realmente mataras al chico, creo que todo habría quedado hecho un desastre.

—El pobre estaba hecho un desastre.

—Deja que lo reformule, habría habido pinchazos, cortes y heridas de defensa en sus manos y en sus brazos porque se habría despertado y habría peleado contigo. No había nada. No le hundiste la botella en el pecho ni en la cara. Eso no pasó.

—¿Estás diciendo que puedo estar absolutamente segura de que no lo maté?

—Sí, absolutamente. Al cien por cien —dijo Ani.

—Ah.

—No pareces muy aliviada. Desde el principio has dicho que estabas convencida de no haberlo hecho. Creía que esta información te alegraría más. ¿Qué pasa?

—Es solo que…

—¿Es solo que qué?

—Supongo que es solo muy surrealista. Y el pobre hombre sigue muerto y no cambia el hecho de que yo lo dejara atrás en la cama.

Pensó que la justificación no era especialmente gratificante cuando todo lo que había hecho había sido tan patético. Tenía tan poca fe en sí misma que había corrido, había mentido y no había hecho mucho para ayudar a encontrar al responsable de la muerte de aquel chico tan interesante que le había lavado el pelo en la ducha y que, al menos con ella, había sido tan generoso y agradable.

—Bueno, a menos que el FBI o la policía de Dubái piensen que eres una espía o una asesina a sueldo, no creo que seas considerada una posible sospechosa. Quienquiera que lo matara estaba bien entrenado. Un profesional. Un sicario. ¿Viste a alguien así cuando estuviste con Sokolov en el restaurante? ¿Quizá en el vestíbulo del hotel?

—No tengo ni idea de qué aspecto tiene un sicario.

—Me dijiste que fue a algún sitio después de cenar y antes de volver a su habitación. ¿Tienes idea de a dónde fue?

—Nada.

—¿Solo lo viste interactuar con Miranda?

—Así es.

—Y Miranda no parece existir —agregó la abogada—. Las cámaras de seguridad del vestíbulo muestran a personas utilizando los ascensores en medio de la noche. Pero todos parecen coincidir con clientes y tener razones para entrar o salir, como un vuelo a primera hora o una fiesta de noche. Y no hay ninguna mujer sola que encaje con la descripción que proporcionaste de Miranda.

—¿Qué quiere decir eso?

—No lo sé. Puede que saliera de la habitación de Alex, pero no de esa planta. ¿Te parece posible?

—Supongo que sí. Es un hotel muy grande y tiene al menos tres alas.

—¿Y varios ascensores?

—Creo que sí —respondió Cassie—. ¿Hoy has sabido algo del FBI?

—No.

—Bueno, puede que eso sean buenas noticias. Puede que no les importe. Puede que, al igual que tú, hayan llegado a la conclusión de que yo no maté a Alex. O tal vez simplemente están dejando que la policía de Dubái se encargue del caso, lo que, como has dicho, podría llevar años. Puede que la teoría de tu investigador sea cierta y que todo se trate de un fraude y de rusos cabreados con los que no tengo nada que ver. Solo seguirán el dinero.

—Podría ser. Pero, por favor, no te hagas ilusiones.

—¿Por qué no?

Enrico había llegado al vestíbulo y estaba apoyado en una columna, con los brazos cruzados ante el pecho, mirándola. Parecía preocupado.

—En primer lugar, ni siquiera es la hora del almuerzo aquí en Estados Unidos. Por lo que sabemos, podríamos volver a tener noticias de ellos en diez minutos. O en dos horas. O mañana. Me refiero a que es pronto. Además, así como yo he interpretado el informe del forense, puede que ellos lo interpreten de un modo muy diferente.

—¿Y en segundo lugar?

—¿En segundo lugar? Cuanto más pienso en el informe, menos segura estoy de que el FBI importe siquiera. Quien matara a Alex Sokolov sabe ahora que estuviste en la habitación después de que le cortara la garganta. Estuviste allí. Viste el cuerpo y viste a esa mujer que puede o no llamarse Miranda. Cassie, incluso si de algún modo consigues esquivar la bala del FBI, todavía tendrás que esquivar la suya.

Enrico la tomó de la mano y bajaron por la calle del hotel hacia Villa Borghese, y entraron al parque por las antiguas puertas del Piazzale Brasile. Cassie miró por encima del hombro y analizó la calle en busca de sombreros: gorras de béisbol negras o sombreros de paja. Estaba más segura que nunca de que estaban ahí. Había alguien ahí. Podía sentirlo.

Era lo bastante tarde como para no necesitar la sombra de los árboles, pero lo bastante pronto como para que los vendedores siguieran trabajando y hubiera muchos turistas y lugareños disfrutando de la cálida y húmeda tarde de agosto. Enrico le dijo que vivía con otros dos jóvenes, incluyendo su hermano, en un apartamento al lado del parque.

—Por aquí vengo al trabajo —le contó mientras señalaba con la mano libre los pinos que Cassie vio más parecidos a piruletas o a sombrillas abiertas que a los pinos que recordaba de su infancia en Kentucky—. Es un bonito trayecto, ¿verdad?

—Lo es —corroboró ella.

—En la Villa hay muchos limoneros. Es muy bonita. No me queda de paso, pero a veces paso por allí de todos modos, me desvío.

Le explicó que su apartamento era pequeño, que los tres hombres usaban el salón como tercer dormitorio improvisado y que realmente no había comedor. Pero estaba en la segunda planta de un edificio de cuatro pisos con una azotea compartida y le contó que las vistas del vecindario al atardecer eran preciosas. Le aseguró que sus compañeros de piso, ambos camareros, estarían fuera, lo que ella comprendió que significaba que la llevaría a su apartamento a tomar una copa en la azotea antes de bajar a la cama. En ese momento no estaba muy inclinada a dejar que la llevara a cualquier sitio.

—¿Puedo hacerte una pregunta? —inquirió Cassie.

—Por supuesto.

—¿Tienes algún arma?

Él se detuvo en seco y le soltó la mano. Le tocó la mejilla y, suavemente, volvió su rostro para mirarla directamente.

—¿Un arma? Esto es Italia, no Estados Unidos.

—Supongo que eso significa que no.

—Mi abuela estadounidense es de Florida y sigo las noticias. ¿Por qué lo preguntas?

—No importa.

—No, por favor. Dímelo. Mi tío caza. Jabalíes, ciervos. Nada serio, pero va a Montisi durante la temporada. Allí tiene un *podere*, una pequeña granja. Pero solo vive a dos manzanas de mí aquí en Roma la mayor parte del tiempo. Y su apartamento es mucho mejor que el mío.

Ella reanudó la marcha por el sendero porque se sentía incapaz de mantener contacto visual. Él caminó a su lado, con las manos detrás de la espalda.

—Pensaba en una pistola —explicó.

—Sabes que aquí no se puede llevar pistola en lugares públicos. Va contra la ley.

—No lo sabía.

—¿Tienes licencia para eso? ¿En Estados Unidos, tal vez?

—No.

—¿Alguna vez has disparado un arma?

—Sí.

—¿De verdad? —Parecía sorprendido.

—Han pasado años, pero sí. No era una pistola, era un rifle. Una escopeta Remington. Era de mi padre. Recuerda que crecí en el campo. Fui a cazar con él un par de veces y tomé un curso de seguridad para niños cazadores.

—¿Niños cazadores?

—Sí, niños. —Y añadió—: ¿Crees que tu tío tendrá una pistola? ¿O un simple rifle de caza?

—Tiene una pistola.

Un niño de entre diez y once años con los ojos muy abiertos y amplia sonrisa corrió hacia ella y le entregó una rosa magnífica y blanca como la nieve de las dos docenas de rosas que sostenía entre los brazos. Ella sonrió e inhaló el aroma. Todavía olía a fresca. Enrico le dio al niño un par de euros y este se marchó corriendo. A lo lejos había una mujer con un sombrero de paja, pero no era el mismo sombrero del aeropuerto ni la misma mujer.

—¿Alguna vez le diste a algo?

—Herí a un ciervo, pero fue un mal tiro. El animal tardó demasiado en morir.

—¿Por qué te interesa todo esto? ¿Por qué necesitas un arma?

Ella se encogió de hombros.

—Podría necesitar una. Puede que no. Sinceramente, no lo sé.

—¿Tiene esto algo que ver con la llamada a tu hermana en el vestíbulo del hotel?

—Sí.

—Cuéntamelo.

—Mira, podría mentirte, Enrico. Se me da increíblemente bien mentir. Miento a todas horas. Miento a otra gente y me miento a mí misma.

—Pero ahora no vas a mentirme.

Ella le sonrió.

—No, no voy a hacerlo. Pero tampoco voy a contártelo todo. Puedes encontrarlo casi todo en línea, solo tienes que buscar mi nombre en Google. Pero, Enrico, la verdad es que tengo la sensación de que es mejor que no lo sepas.

—Soy camarero. Preparo bebidas para la gente. Hago el amor con hermosas azafatas...

—¿Quieres decir que no soy la primera? —preguntó ella interrumpiéndolo para burlarse de él.

—Eres la primera y la única.

—A ti también se te da bien mentir.

—Lo que quiero decir es que no tengo enemigos —puntualizó él.

—No, pero yo sí. O puede que los tenga.

—¿Aquí en Roma?

—Parece ser que sí. Tal vez.

—Así que quieres protección, ¿es eso?

—Sí.

Enrico la rodeó con el brazo y la atrajo hacia él.

—Entonces te protegeré.

—No estoy segura de que puedas.

—Pero lo intentaré.

Cassie negó con la cabeza.

—No. Lo mejor que puedes hacer es llevarme a casa de tu tío.

—Si está en casa, es posible que no me deje tomar su arma. Su Beretta.

—¿Ni una noche?

—Tendrá miedo de que me meta en problemas.

—¿Y si no está en casa?

—¿Quieres que me la lleve sin más?

—Me refiero a tomarla prestada.

—Tengo una idea mejor —declaró Enrico con voz traviesa. Cassie esperó—. Pasa la noche en mi apartamento. Conmigo. Nadia sabrá que estás allí. Y si alguien lo sabe tendrás a tres camareros jóvenes y fuertes para protegerte.

Pensó en eso mientras andaba, mirando de vez en cuando a los vendedores con *gelato*, a las parejas que iban en bicicletas alquiladas o a los turistas que fotografiaban un pequeño templo romano junto a un pequeño estanque. Vio a dos muchachos estadounidenses con camisetas de cuello *henleys*, ambos preadolescentes que corrían un poco por delante de sus padres. Vio a un joven con sombras junto a una bicicleta plateada sin brillo y él la miró cuando pasó por delante.

Respiró aire, delicioso ante la proximidad del crepúsculo, y recordó el cuerpo frío de Alex Sokolov junto a ella en la cama y su sangre bañándole el pelo. Pensó en su cuello y en la almohada blanca empapada con su sangre como si fuera una esponja. Imaginó la descomposición de la que había hablado Ani al teléfono. Después de la conversación con su abogada, sabía que no podía poner en peligro a Enrico de ese modo. En la parte reptiliana de su cerebro, el núcleo que controlaba la mayor parte de sus funciones vitales, comprendió que algo había sido destruido en su interior y empezaba a endurecerse. Por eso quería esa pistola.

—Déjame pensarlo —le dijo—. Vamos a tomarnos una copa.

CAPÍTULO VEINTISIETE

Elena se paró frente al espejo de la habitación del hotel, evaluando su nuevo cabello negro. Lo cierto es que le gustaba su nuevo aspecto. Luego miró el teléfono que tenía en la cómoda y observó el punto azul que representaba a Cassandra Bowden en la aplicación. La azafata estaba pasando por delante del templo de Asclepius en Villa Borghese. O bien no creía estar en peligro, o bien le importaba una mierda. Conociendo a Bowden, podía ser cualquiera de las dos. Elena dudaba que la mujer estuviera sola.

Roció un poco de miel en el queso pecorino que había pedido al servicio de habitaciones, saboreó la combinación de dulce y salado, y se limpió los labios con la servilleta. Tenía una habitación en el hotel en el que se alojaba la azafata. Al igual que había hecho en Dubái, estaría arriba mucho antes de que regresara su presa. Sin embargo, esta vez estaría esperando a Bowden —y al camarero, o quien fuera— en su propia habitación. ¿Y si parecía que Bowden iba a pasar la noche en otro lugar? Elena se desplazaría hasta allí.

A menos que tuviera noticias de su superior que le indicara lo contrario.

Después de ponerse el vestido negro, se lavó los dientes y llenó el bolso. Le habían enviado un paquete al hotel con las herramientas que había solicitado: dos docenas de pastillas de pentobarbital. Una botella de Stoli. Una Beretta con un silenciador y un clip. Un rotulador borrable con una placa de circuito Arduino en el cañón para abrir la cerradura de la puerta de la habitación del hotel.

Muñequeras forradas con piel sintética, un juguete sexual que no dejaría marcas en la piel de la mujer como sí harían las esposas o la cinta adhesiva. Una pistola paralizante incorporada a una linterna. Y, solo por si acaso, un cuchillo con una hoja de titanio de diez centímetros que se plegaba como una navaja de Boy Scout. Pensó que era muy similar al que había usado con Alex Sokolov. Esperaba que no fuera uno de esos casos en los que lo necesitara.

Todo encajaba perfectamente en su bolso junto a su cartera, su polvera, su pintalabios, sus gafas de sol y su móvil.

Revisó la aplicación y vio que el punto azul se había detenido en una estructura en una calle lateral cerca de la British School. Comprobó la dirección de la calle. A Elena no le sorprendió en absoluto descubrir que era un bar.

CAPÍTULO VEINTIOCHO

Cassie tenía calor por el paseo por el parque y ansiaba un Bellini. Pensó en la bandeja llena de esta bebida que había visto en el bar del hotel de Enrico. Pero no se pidió ninguno. En lugar de eso, respiró hondo y pidió agua con gas. Y luego, ya que estaba en Roma, pidió también un cappuccino. Esperaba abstinencia —no física, sino emocional—, pero sabía que si había habido un momento en su vida en el que necesitara sensatez, era ese. Esa noche. Enrico, sin embargo, como si su único propósito en la Tierra fuera tentarla, pidió un Bellini. Los dos tenían una mesa en la terraza de un bar que una hora antes habría estado al sol, pero que ahora estaba a la sombra y el aire era tan perfecto como podía serlo en agosto en Roma. Cuando llegaron las bebidas, observó a Enrico tomar un sorbo.

—¿Qué opinas? —le preguntó.

Pareció tomarse la pregunta más en serio de lo que ella pretendía.

—Yo lo preparo mejor, pero es difícil estropear el prosecco y el zumo de melocotón. Aunque tendrían que haber hecho puré de melocotones frescos, no solo abrir una botella de zumo. El resultado es muy diferente. —Luego se inclinó sobre la mesa pequeña y redonda y apoyó los codos sobre el hierro forjado—. ¿En qué lío andas metida, *amore mio*? Si me lo dices puede que me sea más fácil conseguirte esa pistola.

Metió la mano en el bolso en busca del móvil y planéo mostrarle el artículo de *New York Post*. No estaba segura de cuánto compartiría después de eso. Pero antes de hacer nada, vio que tenía un mensaje de Buckley. Quería saber la diferencia entre un carrito de tartas y un carrito de postres, pero admitió que le gustaban ambos. El mensaje era perfecto y juguetón, y Cassie se encontró sonriendo. Era un alivio tener noticias de él, pero se sintió perturbada por lo feliz que la había hecho ese simple mensaje.

—¿Buenas noticias? —preguntó Enrico.

—Sí. La verdad es que sí.

—Entonces, ¿ya no necesitas la pistola?

Miró a través de la mesa el Bellini durante largo rato. Era bonito. El alcohol era precioso. Los colores, las botellas, las etiquetas, las copas. Los rituales. En ese bar servían el Bellini en un vaso de tubo con remolinos rojos y verdes en el borde. Se imaginó a Buckley leyendo el periódico —un auténtico ejemplar de papel y tinta, un dinosaurio superviviente de los días anteriores a que el asteroide digital destruyera a muchos de sus primos— en una cafetería del West Village.

¿Hacía solo noventa minutos estaba fantaseando con llevarse a ese joven a su habitación? Sí.

Abrió la aplicación del móvil para la web y encontró su historia en el periódico. Le entregó el teléfono a Enrico.

—Feliz lectura —le dijo.

Cuando terminó, dejó el móvil sobre la mesa y se recostó en la silla cruzando los brazos sobre el pecho.

—¿Así que creen que mataste a este hombre? —preguntó en un tono casi acusador.

—Sí —respondió ella, aunque no estaba segura de a *quién* se refería. ¿A los medios? ¿Al FBI? ¿A la policía de Dubái? La verdad es que podría ser cualquiera de ellos. O todos.

—Pero no lo hiciste.

Estuvo a punto de decirle la verdad. Estuvo a punto de decirle que al principio le preocupó haberlo hecho y que ahora estaba segura de que no. Pero tenía que cuadrar sus historias, así que respondió:

—Cuando salí de la habitación todavía estaba vivo. Iba a vestirse para ir a las reuniones que tenía en Dubái.

—Así que alguien lo mató después de que te marcharas.

—Así es.

—Y ahora me estás pidiendo un arma.

—Sí.

Él arqueó una ceja.

—No creo que planees matarme.

—No. Nunca.

Enrico respiró hondo y la miró a los ojos.

—Te conseguiré esa pistola.

—Gracias.

—¿Sabes? Puede que haya periodistas italianos que quieran hablar contigo. ¿Saben cuál es tu hotel?

—Según mi abogada, lo descubrirán. Pero hoy no se me ha acercado nadie en el vestíbulo. Al menos esta tarde, no había nadie vigilando la entrada principal.

—Una razón más por la que me alegro de ir a mi apartamento.

Sintió una pequeña punzada por tener que decepcionarlo. Se miró las manos sobre el regazo, recobrándose. Todo eso sería mucho más fácil si pudiera tomarse una copa. Aunque fuera una. Pero si se tomaba una, se tomaría dos y volvería a estar en sus brazos y en su cama.

—No vamos a ir a tu apartamento —le dijo—. No podemos. No puedo.

—¿Por qué? —inquirió él, abatido.

—No quiero poner en peligro a tu hermano y a tu amigo. Y no quiero ponerte en peligro a ti.

—Entonces, ¿volveremos a tu habitación? —Ella se dio cuenta de que no había malinterpretado lo que le decía, pero se estaba aferrando a cualquier hilo que pudiera darle esperanza. Se sintió halagada.

—No —declaró firmemente. Tomó el cappuccino y estudió durante un instante el remolino de leche, hipnotizada por su encanto. Tomó un sorbo—. No lo haremos. Volveré yo sola. Tomaremos el arma y me acompañarás al hotel, hasta el vestíbulo. Por favor. Y mañana por la mañana te dejaré el arma en una caja o paquete de algún tipo cuando me vaya. Te la dejaré en el mostrador de recepción.

—Creo que me necesitas.

—Necesito muchas cosas, Enrico. De verdad. Confía en mí, necesito una larga lista de cosas. Pero no puedo dejar que corras ese riesgo. No puedo. Y...

—¿Y?

—Las cosas han cambiado desde la semana pasada.

—¿Por el artículo del periódico? —preguntó él.

—Porque hay otro hombre.

—¿No lo había la semana pasada?

—Lo había, pero no como ahora.

Él asintió. Su decepción se había profundizado, pero tenía la sensación de que no estaba herido. Era diferente.

—Todavía podría quedarme contigo —insistió él.

—No. No te lo permitiré. Tampoco me quedaré con ningún otro azafato por el mismo motivo. No sería justo.

—¿Hay alguna posibilidad de que te estés preocupando por nada?

—La hay —admitió ella, aunque no lo creía. Pensó en lo que le había dicho la abogada cuando habían hablado esa misma tarde. Sabía lo que ella misma había sentido en el andén del metro en Manhattan el otro día. Estaban ahí. Había alguien. Pero, por el bien de Enrico, continuó—: Se me ha pasado por la mente. Esperemos que sea así.

Él tomó otro sorbo de Bellini y pareció incluso menos satisfecho que la vez anterior. Cassie dudó de que Enrico se molestara en terminárselo.

—Tengo otra pregunta para ti —añadió él. Parecía serio.

—Pregúntame lo que sea.

—¿Alguna vez se te ha pasado por la cabeza que, tal vez, bebes demasiado?

Le sonó el móvil casi en el momento en que dejaron el bar y se dirigieron al apartamento del tío de Enrico. Vio que era su hermana y aceptó la llamada, y le indicó a Enrico que iba a pararse para centrarse. Se acordó de que había leído el correo de Rosemary por la noche en el avión mientras sobrevolaba el Atlántico y se dio cuenta, con pesar, de que no había respondido. En cuanto la saludó, su hermana empezó a hablar.

—Acaban de marcharse dos agentes del FBI de mi casa —afirmó. Su furia era evidente incluso a través del teléfono—. Han ido dos agentes del FBI y dos agentes de la policía militar al despacho de Dennis en su base. En. Su. Base. ¿Tan grave es esto, Cassie? ¿Qué has hecho?

—Lo siento, cariño. Tendría que haberte respondido al correo. Es que...

—¿Es que qué?

Se me pasó porque estuve a punto de atacar a una mujer en el aeropuerto de Roma a la que pensaba que había visto en Dubái. Me echaron espray de pimienta. Perdí la noción del tiempo cuando me interrogó la seguridad del aeropuerto de Fiumicino. Caí en un sueño profundo. Solo he hablado con mi abogada. Acabo de convencer a un camarero italiano para que me consiga una pistola.

Pero no le dijo nada de eso. Simplemente se apartó unos metros de Enrico y dijo:

—Se me olvidó.

—El FBI, Cassie. El FBI.

—¿Qué te han preguntado? ¿Qué le han preguntado a Dennis? —Vio que Enrico la estaba mirando y parecía preocupado.

—Querían saber qué tipo de relación tienes con mi esposo. Querían saber si habías hablado conmigo de problemas económicos.

Con él. Con nosotros. Querían saber si te has comportado de forma extraña últimamente. O alguna vez. Querían saber cuánto bebes. Podría continuar.

—Pues hazlo.

—Querían saber si alguna vez te habíamos visto con gente extraña o con ese Alex Sokolov, el tipo al que asesinaron. Supongo que, al igual que tú, vivía en Nueva York. Querían saber si habías contado algo de Dubái. O de Europa. Historias de tus viajes.

—¿Qué les has dicho?

—Les he dicho que no tienes ninguna relación con Dennis, excepto que es tu cuñado. Al principio he pensado que insinuaban que teníais una aventura realmente desagradable (y puede que tal vez lo hicieran) pero no. Al menos, no era lo principal.

—¡Por supuesto que no la tenemos! Te quiere. Y yo te quiero.

—Buscaban algo más. ¡Era como si pensaran que él te estaba contando cosas del trabajo que se supone que no debe contarle a nadie!

—Te prometo que no entiendo nada.

—No creo que eso sea lo importante, Cassie. Sabes que lo que hace está clasificado. ¡Por el amor de Dios, está en el Cuerpo de Armas Químicas!

—¿Qué más les has dicho?

Rosemary se sonó la nariz. Cassie se dio cuenta de que, a pesar de lo enfadada que estaba su hermana, también estaba asustada. Probablemente hubiera estado llorando antes de llamar. Había más miedo que agresividad en su voz.

—Les he dicho que bebes demasiado, pero que, hasta donde yo sé, no eres tan irresponsable como nuestro padre. Les dije que no sé nada sobre las personas extrañas de tu vida porque no conozco a ninguno de tus amigos. Ni novios. Cuando les he dicho eso, creo que les ha parecido sospechoso, pero sobre todo, me ha dado pena. Me he dado cuenta de que no sé nada de tu mundo excepto que viajas a sitios interesantes y les traes regalos bonitos a mis hijos.

Cassie quería atacarla con sus palabras, decir algo a la defensiva sobre que era en realidad Rosemary la que la mantenía apartada.

Pero su hermana ya estaba muy enfadada y Cassie sabía que era culpa suya que ella se viera arrastrada a su pesadilla, por lo que no respondió. En lugar de eso, solo inquirió:

—¿A Dennis también le han preguntado esas cosas?

—No lo sé. Estaba en la base y no podía hablar. Pero supongo que sí. Se lo han llevado a una sala de conferencias y lo han interrogado largamente.

—Bueno, parece que no tenía nada que ocultar.

—¿Nada que ocultar? El trabajo de Dennis involucra armas químicas. A ti solo te parece un ingeniero empollón, pero este empollón se pasa el día deshaciéndose del sarín, del VX y de todo lo más aterrador que hay en nuestro arsenal.

—Lo sé.

—¡Lo que quiero decir es que tiene una autorización de seguridad muy alta!

—Lo entiendo —dijo Cassie en voz baja.

—¡Y ahora lo está interrogando el FBI!

—Pero él no ha hecho nada malo.

—Lo sé. Y tú lo sabes, pero es que...

—Pero ¿qué?

—Tiene mala pinta. Tiene muy mala pinta.

—Lo siento —murmuró Cassie—. De verdad.

Su hermana ignoró su disculpa.

—Querían saber qué me contaste sobre el hombre que fue asesinado. Les he dicho la verdad: no mencionaste al tipo porque nunca mencionas a nadie de las legiones de hombres con las que te acuestas.

—Por Dios, Rosemary, no son legiones.

—¿Qué se supone que debo decirles a Jessica y a Tim?

—Supongo que no piensas que vayan a estar especialmente orgullosos de su tía.

—Cassie, te quiero. De verdad que sí. Pero ¿qué demonios has hecho? Esto es diferente. Temo por mi marido y temo por mis hijos. Dime en qué problema te has metido.

—Yo no he hecho nada —contestó. Se dijo a sí misma que no estaba mintiendo, que estaba manteniendo el mensaje—. Pasé la noche con un hombre muy interesante en Dubái. Cuando me marché todavía estaba vivo. ¿Después de eso? No tengo ni idea de lo que pasó.

—Pero sí que tenemos una idea —replicó su hermana—. Alguien le cortó prácticamente la cabeza. Y en cuanto a que fuera un tipo interesante, tengo la sensación de que el FBI usaría un adjetivo completamente diferente.

La puerta principal estaba abierta y Enrico entró en el apartamento sin llamar. Atravesaron la oscura e inmaculada sala de estar y la cocina y salieron a la terraza. Su tío vestía con una elegante camisa blanca y un pantalón de traje azul claro, sin corbata y estaba tomándose un Cointreau en la terraza privada mientras leía el periódico bajo una pequeña pérgola. La chaqueta del traje estaba colgada del respaldo de la silla. Había una fuente de un metro de una diosa que sostenía una jarra y dos pequeñas jardineras elevadas con tomateras. Había limoneros. Era un oasis encantador y privado en medio de la ciudad.

Cassie supuso que Piero Bianchi tendría unos cuarenta y cinco años y cuando se puso de pie para saludarla detectó una pizca de verbena. Era el hermano más joven de la madre de Enrico y trabajaba para el banco. Era esbelto, como su sobrino, pero se le había caído el pelo y tenía más cabellos canos que de color. Aun así, a Cassie le pareció desconcertante estar más cerca de Piero en edad que de Enrico. Este le había escrito a su tío para asegurarse de que estuviera en casa, pero no le ha dicho por qué iban. Le había dicho a Cassie que no sacara el tema del arma ni dijera ni una palabra al respecto. Le aseguró firmemente que él se encargaría.

—Así que eres azafata —comentó Piero cuando se sentaron alrededor de la mesa. Apenas tenía acento—. Tengo amigos que trabajan para Alitalia y American.

—¿Pilotos o azafatos?

—Ambos. Pero sobre todo azafatos.

—Me gusta el estilo de vida.

—También a ellos. ¿Seguro que no queréis nada de beber?

—No, estoy bien —respondió. Miró a Enrico y él también negó con la cabeza.

—¿Dónde tienes la base?

—En el JFK.

—Está entre los aeropuertos que menos me gustan del mundo. Es un dinosaurio.

—Lo es.

De repente, Enrico se levantó y dijo que iba al baño.

—Y dime, ¿cómo conociste a mi sobrino?

—La aerolínea se hospedaba en su hotel. Me preparó un Negroni excelente.

—No me sorprende. Algún día, espero que pronto, le financiaré un bar. Un restaurante y un bar. Sin embargo, primero necesita alguien que le ayude en la cocina. ¿Sabes cocinar?

—En mi nevera no hay más que restos de comida india y yogur caducado.

—Supongo que eso significa que no.

Se terminó lo que le quedaba del Cointreau. Cassie se quedó mirando la copa vacía cuando la dejó y tuvo la sensación de que su anhelo era tan fuerte que incluso Piero podría notarlo.

—Enrico es buen muchacho —comentó Piero. Cassie no pasó por alto el modo en el que había dicho la palabra *muchacho*. No sabía si la estaba reprendiendo o burlándose de ella, como una especie de consuelo agradable, o si simplemente se refería a su sobrino como lo haría cualquier tío, incluso aunque el muchacho fuera ya un hombre adulto.

—Lo es —corroboró simplemente.

—Cuando me ha dicho que traía a alguien que quería que conociera, me esperaba a alguien diferente.

—¿Alguien más joven?

Soltó una fuerte carcajada como reflejo.

—No. Italiana.

—¿De verdad?

—Por supuesto que no, estoy bromeando. No sé por qué pero he oído algo en su voz cuando me ha llamado que me ha llevado a creer que quería decirme algo importante y creía que sería algo tipo «he conocido a esta persona que prepara algo exquisito con jabalí, vieiras o calabacín y quiero abrir un restaurante con él o con ella».

—Lo siento.

—Cielo santo, ¿por qué deberías sentirlo?

—Porque no soy esa persona y pareces decepcionado.

—Para nada. Pero todavía estoy tratando de entender por qué quería que te conociera. ¿Estáis saliendo?

—No, solo somos amigos.

—Bueno, eso sí que me sorprende. Aunque no estéis saliendo, había asumido que tenías una relación más allá de la amistad. Conozco bien los pasatiempos de mi sobrino.

—Tal vez en otra vida.

—Quizá.

Un momento después, Enrico volvió. Notó que se había desabrochado la camisa. Le sonrió, se inclinó hacia adelante y fingió rascarse la parte baja de la espalda. Ella miró hacia allí y vio que estaba apretando la camisa con el pulgar y el índice para que pudiera ver el contorno de la empuñadura de la pistola que llevaba en el bolsillo trasero de los pantalones.

CAPÍTULO VEINTINUEVE

Elena observó a Cassie y a Enrico salir por la puerta principal del apartamento. El tío del camarero se quedó durante largo rato en la puerta, bajo una farola exterior con el vidrio de color ámbar mientras la pareja se alejaba de él por la calle. No se despidió de ellos con la mano porque estaban de espaldas. Tenía los hombros hundidos y parecía un poco triste. Se preguntó por qué. Intentó averiguar por qué habría llevado Enrico allí a la azafata. Si quería presentarla a su familia, la habría llevado primero a sus padres, no a su tío.

No había necesitado herramientas clandestinas para investigar a Piero Bianchi mientras esperaba a que volvieran a salir. Solo quería lo básico. Descubrió que era banquero, aunque no parecía tener mucho que ver con divisas extranjeras, fondos de cobertura o banca internacional. Financiaba sobre todo bienes raíces locales, construcciones nuevas dentro del anillo romano. Era reconfortante, aunque no concluyente. Después de todo, gran parte del fondo que administraba Sokolov eran bienes raíces. Era posible que el sector le hubiera contado algo a Bowden sobre su trabajo cotidiano y Bowden se lo hubiera dicho al camarero y los dos hubieran ido a ver al tío Piero para que les hiciera un tutorial. Cualquier banquero con la experiencia de Piero podría responder a preguntas básicas de inversión o explicar las bases de lo que hacía Sokolov en Unisphere.

Pero si Bowden tenía preguntas, había tenido muchas oportunidades de hablar con banqueros mientras estaba en su casa, en Manhattan. ¿No los habría rastreado su abogada? ¿No habría ido

Bowden a hablar con alguien en Estados Unidos en lugar de ir al refugio de animales o al zoo o a tirarse a ese actor?

No, Elena decidió que habrían ido a ver al tío Piero por alguna razón que no tenía absolutamente nada que ver con el fondo de cobertura.

Pensó en algo que le había dicho su padre: una chica inteligente ni es el pelele de nadie ni tiene enemigos. Una chica inteligente es al mismo tiempo un arma y una sonrisa. (En ese momento, Elena consideró añadir que la exmujer de su padre solo era arma y parecía irle bien, pero entendió el mensaje y le dio las gracias).

Su superior en Abu Dhabi había postulado una teoría para explicar la conexión entre Sokolov y Bowden.

«¿Es posible que esta azafata sea en realidad mucho más inteligente que la media? Puede que haya estado trabajando con Sokolov todo el tiempo y que su debacle con el alcohol fuera un engaño», le había dicho.

«Explícate».

«Vale. Bowden ni siquiera estaba en la habitación cuando llamaste a las once y cinco. Llegó poco antes que tú y ella y Sokolov se inventaron la excusa cuando fueron descubiertos. Fingieron que su reunión era una casual noche de borrachera».

«No, iban muy borrachos», le aseguró. «No estaban fingiendo».

Ella le rebatió con su teoría: Bowden había dicho algo en el avión sobre la ocupación de su cuñado y Sokolov había visto una oportunidad. Era una azafata que volaba regularmente a los Emiratos Árabes Unidos y tenía un cuñado que era mayor en una base del ejército que estaba repleta de armas químicas. Era ingeniero de destrucción. Tal vez la azafata pudiera ayudarlo a enlistarlo o a chantajearlo. Pero Viktor ya tenía a su propio activo dentro del programa de armas químicas, el FSB tenía su propio servicio de mensajería con la aerolínea. No la necesitaban.

La ironía, por supuesto, era que ahora en Estados Unidos el FBI tenía que investigar al comandante McCauley. Asegurarse de que no hubiera violado su autorización de seguridad y le hubiera dicho a su cuñada algo que esta pudiera haber compartido con Sokolov. Estaban hablando con él. Estaban hablando con su familia.

Mientras tanto, Viktor probablemente sospechaba —no asumía— que o bien la azafata era del FBI y estaba interesada en Sokolov o bien era de la CIA y esperaba utilizar a Sokolov para entrar en los cosacos. ¿Y si no lo era? Aún así, había estado en la suite. Puede que fuera simplemente una azafata sexualmente voraz que se encontraba en el momento equivocado en el lugar equivocado, pero también podría ser algo bastante más peligroso.

Así que Viktor había esperado —y con razón— que su temible protegida hubiera matado a la mujer cuando se la encontró en la habitación.

Pero ella no lo había hecho.

Desde que ocurrió lo de Dubái, Viktor le había estado diciendo que les preocupaba que la azafata pudiera revelar algo comprometedor que Sokolov hubiera compartido estando borracho. Habían subrayado que la azafata la había visto y, por lo tanto, podía delatarla fácilmente. Claramente, esa pirada la había reconocido en Fiumicino, así que también ella tenía ese miedo. Pero había algo más, algo que empezaba a ver con claridad. No solo le había fallado a Viktor al no ejecutar a Bowden y al no decirle al principio que la mujer estaba en la habitación: había comprometido irrevocablemente su fe en ella. La fe que le tenía. La confianza. Pensaron que podía haber salvado a un activo del FBI o a una verdadera agente. Nunca le creerían, sin importar cuán elocuentemente explicara la verdad de lo que estaba segura ni cuántos sinónimos de la palabra *borrachos* encontrara en inglés o en ruso.

Se habían dado cuenta de que era de la CIA, se habían dado cuenta de que los había traicionado.

Los espías —y siempre se sentía una engreída narcisista cuando pensaba en ella misma de ese modo, pero era mejor que las palabras alternativas que resaltaban más el aspecto letal de su trabajo— cambiaban de bando por muchos motivos. La mayoría de las veces era porque no tenían elección: se habían visto comprometidos o estaban siendo chantajeados y cambiar de lado era el único modo de librarse de la cárcel. O, en ciertos casos, de seguir con vida. La justificación para su traición en Estados Unidos tenía un origen prosaico y profundo. Sí, una vez estuvo instalada en Boston pudo ver de un modo más objetivo que la corrupción se había extendido como una plaga en la nueva Rusia y se había negado a sucumbir a ese híbrido único de fatalismo y cinismo que marcaba a su pueblo. Quería que su nueva Rusia fuera mejor que la antigua y eso significaba socavar la vieja guardia. Pero solo eso no habría sido suficiente. También había un hombre, un estudiante de posgrado cinco años mayor que ella. Un estadounidense. Un joven agente del FSB. Nunca sabría si su noviazgo había sido totalmente por el reclutamiento, porque, en retrospectiva, nunca había llegado a ser un gran romance: él le había dejado claro que no podían ser vistos juntos por si uno o el otro era descubierto. Pero había sido él el que le había dado la noticia de que su padre no había sufrido un derrame cerebral cuando ella tenía veinte años. Lo habían envenenado con yoduro de metilo. Habían elegido ese pesticida porque la causa de la muerte parecería un derrame cerebral. Lo habían hecho los cosacos. Viktor Olenin. En su vejez, su padre se estaba volviendo demasiado franco y crítico con el presidente de la Federación de Rusia. Se estaba convirtiendo en una carga, en alguien impredecible. Sabía demasiado para seguir con vida.

Pero, a pesar de la toxina, había vivido. Más o menos.

Ahora ese joven era profesor de Ciencias Políticas en Berlín. Elena había dejado de revisar su perfil público en las redes sociales cuando había visto que su novia alemana se había convertido en su esposa.

Suspiró. Se preguntó si la confianza de Viktor en ella había comenzado a menguar incluso antes de que decidiera no matar a la azafata. Si era así, ¿en qué momento habían empezado a dudar de su devoción? ¿De su fidelidad? No importaba. Lo único que importaba era que pensaban que le había perdonado la vida a Bowden por razones mucho peores que la mera bondad. Era posible que la mataran incluso si se encargaba de la azafata o, para ser más precisos, justo después de que lo hubiera hecho.

Y, sin embargo, cuando examinaba todo el tablero, ejecutar a la mujer todavía le parecía un movimiento viable para todos. Le había expresado sus preocupaciones a su superior y Washington estaba deliberando si era el mejor momento para intervenir. Pero ella era, por lejos, la agente más profundamente arraigada en los cosacos, la única dentro del grupo que podía decirles qué estaba haciendo Olenin. Y eso era importante.

Sintió un pinchazo en el corazón por Sochi. Estaba en su sangre, en su ADN. No estaba preparada para renunciar a eso. Todavía no.

Hasta donde sabía, su padre nunca había tenido un piso franco, un apartamento en Ámsterdam o una cabaña a las afueras de Johannesburgo donde poder refugiarse. Una crisálida secreta con comida, dinero y un pasaporte de recambio de donde pudiera emerger con alas nuevas y una nueva identidad. Pero solo porque ella no estuviera al tanto no significaba que no existiera. Nunca se les dice a los seres queridos si se tiene una. Así se los protege. Ella misma nunca se había forjado ninguna y ahora se preguntaba si esa arrogancia juvenil —«no me hará falta nunca, soy muy inteligente y tengo demasiados amigos muy bien colocados»— iba a ser su perdición.

Siguió al camarero y a la azafata a una distancia prudencial. Era la hora del crepúsculo, el momento más fácil de todo el día para seguir a alguien. Además, había turistas y multitud de gente cenando en ese barrio y podría camuflarse entre ellos si Bowden se daba la vuelta de repente. Pero, claro, era poco probable que la mujer la reconociera con su nuevo color de cabello. Se lo había teñido específicamente porque no podía arriesgarse a que se repitiera lo que había sucedido por la mañana en el aeropuerto.

Se dio cuenta de que la pareja no se tocaba mientras caminaban, aunque todavía era posible que volvieran a su hotel. Sin embargo, en lugar de cortar camino por la Villa Borghese, habían paseado por la Via di Villa Ruffo, por lo que supuso que pararían en algún restaurante de camino.

Como estaban pasando el rato, ella tuvo que hacer lo mismo, lo que significaba que también tenía que soportar silbidos ocasionales e insinuaciones de jóvenes que pasaban por su lado por la acera o ralentizaban mientras conducían por la calle con sus coloridas Vespas. Sonreía a los hombres cuyos comentarios eran menos ofensivos porque le pareció importante no montar una escena e ignoró a los demás.

En la Piazza del Popolo, cuando el camarero y la azafata pasaron junto a una verja negra que les llegaba hasta la cintura con una hermosa cicloide de arcos de hierro forjado y se acercaron al gran obelisco del centro del parque, descubrió por qué Enrico había llevado a Bowden a casa de su tío. Piero tenía un terreno en el campo. En la Toscana. Sin duda, el tipo tendría permiso de caza. Puede que incluso tuviera un permiso para portar un arma oculto. Su sobrino había llevado a la azafata a su apartamento para proporcionarle un arma.

CAPÍTULO TREINTA

—¿De verdad no me vas a permitir prepararte uno de mis Negronis perfectos? —le preguntó Enrico mientras entraban en el vestíbulo del hotel en el que se alojaba. Instintivamente, miró a su alrededor para ver si había otros miembros de la tripulación presentes. No había ninguno. El vestíbulo era muy pequeño en comparación con el del Royal Phoenician (parecía más un salón que una sala de baile) los techos eran bajos y la decoración era muy modesta. Se fijó en los falsos tapices renacentistas de las paredes y en el sofá en el que se había sentado esa tarde.

—No —respondió. Aunque miró con nostalgia el bar mientras se acercaban a los ascensores y prestó atención al tintineo de las copas, las risas y la música que ocasionalmente flotaba sobre la bacanal.

Habían cenado en una romántica trattoria con paredes de ladrillo y velas en candelabros de hierro forjado. Como Enrico era amigo del subchef, habían comido como reyes por una miseria, que era lo que tenían de presupuesto. Cassie nunca había probado una ensalada de *panzanella* tan deliciosa, cada tomate tenía un tono diferente de rojo o naranja. Enrico le había dicho que los vinos de la casa eran excelentes, pero Cassie había insistido en que no iba a beber, por lo que Enrico tampoco lo había hecho. Se había sentado con la espalda apoyada en la pared y había tomado un sorbo de agua con gas. No estaba segura de lo que buscaba. No estaba segura de a quién buscaba. Sinceramente, no creía que Miranda ni nadie aparecieran en el restaurante, pero después de lo de Fiumicino, no estaba dispuesta a sentarse de espaldas a la puerta.

Había sido una velada encantadora aunque —según se dijo— sería casi estoica en su negación: nada de alcohol ni de sexo. Se lo había llevado a su habitación para que él pudiera entregarle el arma. Era un hecho que ella sabía más sobre armas de fuego que él. Pero él no se había atrevido a darle la Beretta en el restaurante, por lo que habían acordado que subiría a su habitación para poder dársela allí. Cassie había dejado claro que no mantendrían relaciones sexuales, pero sabía que él no perdería la esperanza. Era encantador más allá de su edad y estaba tan poco acostumbrado a que alguien le dijera que no como ella a decirlo.

Cuando llegaron a su habitación, vio que la luz roja del teléfono del escritorio parpadeaba. Instantáneamente, su ansiedad aumentó. Enrico permaneció de forma paciente junto a la ventana de pie, dándole la espalda y rodeado por las cortinas mientras ella descolgaba el auricular y escuchaba. Resultó que tenía dos mensajes.

«Hola. Soy Makayla. Solo llamo para ver qué tal. ¿Cómo no se me ocurrió pedirte el móvil? Quería asegurarme de que estabas bien. ¿Todavía quieres tomarte esa copa? ¿Te apetece cenar con nosotros? Estoy en la habitación 713. Son casi las cinco».

Anotó mentalmente el número de la habitación de la otra azafata y escuchó el segundo mensaje.

«Hola, Cassie, soy Makayla otra vez. Unos cuantos hemos quedado en el vestíbulo a las siete y media. Vente con nosotros si te apetece. Sin presiones. Escríbeme cuando te despiertes o vuelvas de donde estés». A continuación le dictaba su número de móvil. Cassie se lo apuntó y le respondió que lamentaba no haber recibido los mensajes. Le dijo que había salido a dar un largo paseo pero que ya estaba de vuelta en el hotel y que estaba bien. Que se quedaría a pasar la noche y le dio las gracias.

—¿Va todo bien? —preguntó Enrico.

—Sí. Solo es una compañera que quería asegurarse de que estaba a salvo en mi habitación.

—Bien. —Enrico tomó el Tolstói de bolsillo que tenía en la mesita de noche junto al despertador digital del hotel—. ¿Alguna vez has leído a Carlo Levi?

—No.

—Deberías... si te gusta Tolstói. Escribió de manera preciosa sobre los campesinos italianos. La que una vez fue mi gente. Tenía un alma parecida a la de Tolstói. «El futuro tiene el corazón antiguo». Creo que lo he dicho bien.

—Gracias. No creo que lo encuentre entre los libros que venden en el aeropuerto.

—Búscalo. Cuando estés en casa —le dijo y, del algún modo, su tono de voz hizo que la idea de su casa le sonara como un sueño inalcanzable, un puerto que no volvería a ver nunca. Aun así, Enrico le sonrió y se sentó a los pies de la cama. Dio unos golpecitos en el colchón a su lado, llamándola. La cama estaba tan desastrosa como la había dejado después de su siesta de la tarde. Cassie se unió a él y Enrico le entregó la pistola. Se la dio y buscó las balas en el bolsillo delantero de su pantalón.

La pistola pesaba más de lo que esperaba, pero le gustaba su simple solidez. Su peso. Parecía más resistente que un rifle. Y el olor metálico la llevó instantáneamente de regreso al aula de secundaria durante aquellas tardes de otoño en las que había asistido al curso de seguridad para cazadores y un policía estatal jubilado le había enseñado los tres tipos de cargadores —tubular, de caja o rotativos—, y dónde se asentaba la pólvora dentro del cartucho. Al momento estaba de vuelta en el bosque con un grupo diferente de recuerdos: el frío aroma otoñal. Hojas mojadas que empezaban a fusionarse con el barro. Árboles en descomposición. Ropa mojada.

Pensó en el aliento cervecero de su padre cuando señalaba las huellas de los ciervos en la tierra blanda o sus excrementos entre las hojas junto al estrecho sendero.

La Beretta era una compacta del 92 completamente negra. Sacó el cargador para asegurarse de que estuviera vacío y giró la recámara para asegurarse de que tampoco hubiera ninguna bala.

—Las balas son muy pequeñas —dijo Enrico. Se echó cuatro en la mano y rodó una quinta entre el índice y el pulgar. Ella se la quitó—. ¿Caben las cinco en el arma?

Cassie examinó el cargador.

—Sí. Probablemente este cargador tenga capacidad para tres rondas más.

—Tendría que haber agarrado más balas —dijo él negando con la cabeza.

—Por Dios, no.

Al llenar el cargador se le ocurrió que era como cargar un dispensador de caramelos Pez, ladrillo a ladrillo. Una vez metidos los cartuchos, usó la palma de la mano para cerrarla. Esperaba haberlo hecho todo bien. Lugo la dejó en la mesita de noche junto al teléfono. No quería acostumbrarse al agarre mientras lo tenía a él a su lado en la cama. Quería hacerlo cuando estuviera sola.

—¿Y ahora qué hacemos? —preguntó Enrico.

Habían comprado una gran caja de bombones Perugia de camino al hotel. El plan era que, por la mañana, cuando ella y el resto de la tripulación se marcharan, le dejara la caja a un amigo suyo que estaría en el mostrador de recepción. La pistola estaría en el fondo, descargada, debajo de los bombones.

—Te doy las gracias y te acompaño hasta la puerta.

—¿Y te comerás los bombones?

Cassie le sonrió. Era un chico adorable. El juguete perfecto.

—Puede que haga hueco en la caja. Tiene que haber espacio para el arma, ¿verdad?

—¿E intentarás dormir un poco?

—Supongo. Si alguien quiere matarme, ya ha podido hacerlo esta tarde y esta noche.

Enrico tomó su mano entre las suyas y la miró fijamente. Cassie observó que sus ojos parecían somnolientos bajo la luz de la habitación del hotel.

—Pero tienes miedo. Querías una pistola.

—Ahora estoy muchísimo menos asustada.

—Pero ¿y mañana? ¿Y pasado mañana? ¿Y el día siguiente? ¿Qué tienes planeado?

Cassie se llevó los dedos de Enrico a la boca y les dio un beso. Y luego otro.

—No tengo ningún plan —respondió—. Ojala lo tuviera, pero no.

La verdad era que había vivido hora por hora desde que se despertó en Dubái y encontró el cadáver de Alex Sokolov. Primero, solo quería alejarse del cuerpo, de la posibilidad de ir a la cárcel y llegar al aeropuerto Charles de Gaulle. Luego, solo quería aterrizar en Estados Unidos. Después quería buscar a una abogada. Más tarde quería sobrevivir al FBI. Luego. Luego. Luego...

Pero no podía decirle nada de eso porque Enrico creía —o al menos fingía creer— que Alex Sokolov estaba vivo cuando se había marchado de su habitación.

—Bueno, tengo un plan —añadió él arqueando las cejas con expresión juguetona. Ella negó con la cabeza—. No estoy pensando lo que crees.

—Estás pensando que eres tan guapo que me voy a rendir a tus encantos. Bueno, eres muy guapo y me encantas, pero estoy tratando de hacer lo mejor. De ser mejor. Así que, por favor, no me tientes más porque lo cierto es que no soy conocida precisamente por mi fuerza de voluntad.

—No. Estoy pensando en encender la televisión y jugar a algún videojuego o ver una película. Estoy pensando en bajar a por una taza de café para mí.

—No puedo permitirlo. Ya te he dicho que no quiero que corras ese riesgo.

—¿Puedo decirte algo?

—Por supuesto.

—Ya he hablado con los de seguridad. Les he dicho que la Asesina del Carrito se aloja aquí y que puede que intente colarse alguien de algún periódico o de algún canal de televisión. Estarán más atentos en el vestíbulo.

Ella se recostó y lo evaluó.

—Vaya. Eres bueno.

—¿Estás impresionada?

—Sí.

El agarró la pistola y la sujetó por la empuñadura.

—Y tenemos esto. ¿Y si nos quedamos juntos viendo la tele y jugando a algún juego? No hay nadie en el mundo que pueda hacernos daño esta noche.

Ella le quitó la pistola. Le preocupaba que pudiera descargarla accidentalmente.

—Ojalá fuera cierto, pero no lo es. —Se puso en pie y, con la mano libre, lo hizo levantarse y lo acompañó hasta la puerta—. La caja de bombones estará abajo mañana por la mañana con la Beretta de tu tío —le aseguró.

—Escríbeme.

—Lo haré.

—¿Te veré la semana que viene?

—Sí, claro —contestó ella, aunque no lo creía. Tenía la sensación de que no volvería a verlo nunca. Luego le dio un casto beso en la mejilla, le dio las gracias de nuevo y le deseó las buenas noches. Cuando se fue, pensó en lo que le había sugerido su abogada y cerró la puerta con pestillo.

Después de que Enrico se marchara, Cassie se sentó en la silla de cara a la puerta sujetando la Beretta con dos manos. Cerró un ojo y miró a través de la mirilla, apuntando a la mirilla de la puerta primero y al picaporte después. Quitó y volvió a poner el seguro.

Era tarde en Roma, pero se acercaba la hora de cenar en Manhattan. Le escribió a Ani para ver si tenía noticias. Ani le respondió que no. Le escribió a su hermana para decirle que sentía haberle causado tantas preocupaciones —no solo ahora, sino a lo largo de los años— y le dijo que la quería. Le escribió a su amiga Gillian para agradecerle todas las veces que la había acompañado a casa y le había sujetado el pelo mientras vomitaba en el váter. En los váteres. En plural. En váteres de bares, de discotecas o de casas de otra gente. Le escribió a Paula para decirle que no perdiera la camiseta, una broma interna que compartían sobre el ansia que ambas tenían por beber cuando estaban juntas y sobre cómo siempre una de las dos solía acabar la noche sin camiseta. Cassie recordaba sujetarle el pelo a Paula, al igual que hacía Gillian con ella. Le escribió a Megan para que saludara la Puerta de Brandeburgo por ella. Añadió lo mucho que le había gustado siempre volar con su compañía. Escribió las palabras *filet mignon* con un *hashtag* después del mensaje, haciendo referencia a la vez que Megan servía a un tipo enfadado, aburrido y particularmente despreciable en primera clase. Había tirado el plato principal, *filet mignon*, al suelo de la cabina y se había quejado amargamente como si hubiera sido culpa de Megan. Ella le había respondido, con una sonrisa sincera «menos mal que tenemos de más». Luego se había llevado la carne al baño, la había enjuagado con el agua no potable que salía del grifo, lo había recalentado y se lo había vuelto a poner en el plato.

Y le envió un mensaje a Buckley y le respondió a su pregunta más reciente.

¿Que cuál es la diferencia entre un carrito de tartas y un carrito de postres? Ambos son dulces y sabrosos, pero lo cierto es que no te conviene ninguno de los dos.

Esperaba que su broma lo hiciera sonreír, pero lo cierto de la afirmación la hizo estremecerse. No era solo el reconocimiento de su alcoholismo, era el hecho de que era tóxica, siempre se arriesgaba a menospreciar a las personas que amaba o que podía llegar a amar algún día. Demasiado a menudo los obligaba a tomar malas decisiones o los obligaba a salir de su vida. En el mejor de los casos, los obligaba a cuidar de ella. Hoy, aunque sobria, había hecho que un joven le robara un arma a su tío. Había necesitado que Makayla la llevara al hotel después de ser rociada con espray de pimienta. Y había atacado a una desconocida en un aeropuerto internacional.

Le escribió un segundo mensaje a Buckley.

Cuando te he enviado el primer mensaje (el de arriba) lo he hecho como una broma. Pero tienes que saber, Buckley, que también es cierto. Es lo más cierto que he dicho nunca. No soy buena para ti. No soy buena para nadie. No son solo las mentiras o el hecho de que sea una borracha, es quien soy. Es lo que soy. Así que... no me esperes. No esperes nada de mí. Solo te decepcionaré y sé que mereces algo mejor. Y eso también es cierto.

¿Entendería que eso era un adiós? Puede que no.

Pero lo haría cuando ella ignorara su siguiente mensaje y el de después de ese, ya fuera porque estuviera haciendo lo correcto o porque estuviera muerta.

Finalmente, encendió la televisión y encontró canales estadounidenses. Se sentó apoyada en la cabecera de la cama con la pistola a su lado y vio una vieja *sitcom* sobre unos jóvenes físicos brillantes que eran socialmente raritos. Quería ver cualquier cosa menos las noticias.

Estaba empezando a quedarse dormida cuando la despertó el aullido ensordecedor, agudo y estridente de la alarma de incendios del hotel.

CAPÍTULO TREINTA Y UNO

¿Quién quemó realmente la mayor parte de Moscú en 1812? Tolstói parecía creer que había sido el ejército de ocupación francés y que había sido un accidente, demasiados soldados iniciando demasiados incendios. Innumerables y pequeños incendios que formaron uno masivo que expulsó a Napoleón del Kremlin, aunque solo brevemente. Volvería y residiría allí un mes antes de que empezara el largo retiro francés. Pero Elena sabía que su padre y sus amigos no pensaban lo mismo: los propios rusos, los pocos que quedaron en la ciudad, le prendieron fuego a los edificios de madera. ¿No había desmovilizado el propio comandante ruso el cuerpo de bomberos? ¿No había ordenado la destrucción de los vagones de control de incendios? Nadie sabría nunca con certeza en qué lugar del espectro entre suicidio y sabotaje se originó el infierno, pero Elena había crecido convencida de que habían sido los propios moscovitas —civiles y soldados por igual— los que habían destruido la gran ciudad.

Lo cual, en su opinión, encajaba perfectamente con el carácter ruso. Se veía a sí misma en la luz de esas llamas. Conocía a su gente y sabía cómo los despreciaba Occidente, tanto en 1812 como ahora. ¿Acaso no lo había sentido cuando había estado estudiando en Suiza y en Massachusetts y había oído comentarios despectivos en clases de Ciencias Políticas sobre sirvientes, gulags y oligarcas? Bueno, los estadounidenses también habían cometido sus crímenes: genocidio, esclavitud y sí, tenían oligarcas propios. Era así.

Ella y sus antepasados vivían con un chip en el cuerpo que los hacía ser al mismo tiempo desafiantes y fatalistas y solo conquistables por ellos mismos. Siempre habían sido los propios rusos los que habían acabado venciendo, aniquilando o quebrando a otros rusos.

Le tenía mucho más miedo a Viktor que a cualquier hombre o mujer que hubiera conocido en Occidente.

Su mente, como hacía ahora a menudo, vagó hasta Sochi y la dacha que tenía allí su padre. Su casa de allí. En su mayor parte, se había librado de la locura de la construcción olímpica, pero la vista de las montañas al sudeste había cambiado. Se veían carreteras que habían cortado a través del bosque en la montaña y en invierno se podían ver los senderos alpinos que se habían añadido cuando había nieve. Su padre se habría horrorizado si hubiera vivido para verlo. Pero la vista hacia el este no había cambiado, era tan rústica y primitiva como cuando Stalin veraneaba por la zona, y tenía la sensación de que, a pesar de su decepción, su padre se habría adaptado. Tal vez se hubiera acostumbrado a sentarse en el porche del este de la casa en lugar de en el del oeste y se hubiera organizado el día para disfrutar del amanecer en lugar del atardecer. No sobrevivías en la Unión Soviética si no te adaptabas. No prosperabas en un mundo postsoviético si no eras camaleónico. Ciertamente su padre lo era. Pero también era realista y disciplinado. Era una razón más por la que lo respetaba y lo amaba.

Y era ruso, invencible por fuerzas externas a la frontera. La única persona que lo había derrotado había sido su esposa, también rusa.

Leyó el mensaje de Washington dos veces para asegurarse. Y luego, una tercera.

No había ninguna ambigüedad. Estaba acabada. Era su fin. Estaban de acuerdo con ella: los cosacos sabían que se había pasado de bando.

Su interior era un tumulto de emociones poco característico. Aunque le dolía admitirlo porque le gustaba creer que estaba por encima de una emoción tan vulgar como el miedo, sintió alivio porque ella misma era una prueba de la brutalidad de Viktor hacia sus enemigos. Sabía lo que se avecinaba para ella. Pero también tenía vergüenza porque sentía que había fracasado. Le había fallado a la agencia, sí, pero más que eso sentía que le había fallado a su padre. Había hecho todo eso para joder a Viktor. Y había otras olas discordantes y confusas rompiendo sobre ella, y todas empezaban y acababan con la inesperada niebla que envolvía su futuro.

Sus órdenes eran tomar a la azafata y salir. Debía sacarlas a las dos.

Se pondría manos a la obra y activaría la alarma de incendios como había planeado porque sospechaba que Bowden tenía un arma y no quería que la mujer le disparara en cuanto entrara en su habitación. Pero el resto de su velada sería bastante diferente.

Que así sea.

Qué gracioso que acabara de pensar en su amado Sochi. Sintió una punzada en el corazón al saber que nunca volvería a ver Rusia.

Elena comprendió que el punto azul de su móvil podía decirle más o menos dónde se encontraba la azafata cuando se trataba de una dirección, pero no podía confirmarle que hubiera salido de la habitación del hotel. El corazón de la rana latía en esa dirección, pero no podía distinguir si estaba fuera en la calle o arriba en su habitación.

Así que activó la alarma antiincendios en la planta de Cassandra Bowden, pero en un pasillo diferente. Luego fue rápidamente al pasillo de la azafata y vigiló, moviéndose ocasionalmente con la manada mientras salían los huéspedes, esperando mezclarse entre ellos al lucir igual de agotada y somnolienta que los demás. Llevaba una anodina sudadera con capucha negra y pantalones de chándal.

Parecía como si la mayoría de los huéspedes presupusieran que se trataba de un simulacro o de una falsa alarma, pero notó que la mayoría obedecía —a regañadientes— y tomaba las escaleras en lugar del ascensor para llegar hasta el vestíbulo y salir del hotel. La mayoría se había vuelto a poner la ropa, aunque ninguno estaba tan bien vestido como antes. Vio a hombres y mujeres con vaqueros o con chándal como ella, con camisas desabrochadas y sus zapatillas deportivas o zapatos apenas atados. Vio chanclas. Vio a mujeres sin maquillaje y a hombres con el pelo revuelto de dormir. Detectó a parejas que habían sido interrumpidas mientras mantenían relaciones sexuales por cómo se veían de avergonzados y molestos a la vez y por cómo se aferraban todavía hambrientos el uno al otro. Vio a tres niñas y supuso que serían hermanas. La más pequeña tenía solo tres o cuatro años y estaba en brazos de su padre, que usaba los puños para secarse los ojos.

Y vio a Bowden. Allí estaba. Sola. Todavía llevaba el vestido que se había puesto para cenar con el camarero, pero este no estaba con ella. No supo lo que eso significaba, pero le facilitaría el trabajo.

La azafata se había puesto las sandalias y llevaba un bolso colgado del hombro. Elena estaba bastante segura de que el bolso contenía una pistola.

La mujer no la había visto esa vez. No se volvería a repetir la locura de la mañana en Fiumicino.

En ese mismo momento, le sonó el móvil y vio que era Viktor. Ni siquiera ahora se atrevía a ignorarlo, así que agarró el teléfono y se retiró al hueco de la escalera, segura de saber que Bowden se había ido.

—¿Sí?

—¿Dónde estás?

Ella se lo dijo y él respondió; le contó con todo detalle lo que había cenado esa noche.

—Debería irme —dijo ella.

—Sí —confirmó él.

Cuando salió, el pasillo estaba despejado, pero todavía no habían llegado los bomberos para examinar el pasillo. Sacó el rotulador borrable del bolso y deslizó la punta por el pequeño orificio del enchufe de la parte inferior de la cerradura de la puerta de la azafata. Se oyó un satisfactorio chasquido cuando el cerrojo interior se abrió.

A continuación, Elena se deslizó en la habitación. Bowden había dejado las luces y el televisor encendidos. Las cortinas ya estaban cerradas, lo que consideró un golpe de suerte. Estaba dispuesta a cerrarlas ella, pero si lo hacía cabía la posibilidad de que la azafata notara el cambio en cuanto abriera la puerta, y se marchara o disparara. Una preocupación menos.

Inspeccionó la habitación cuidadosamente, y se detuvo en la maleta abierta con la ropa enrollada de manera meticulosa, la cual formaba pequeños tubos o doblada y planchada. La mujer sería un desastre en muchos aspectos, pero era una excelente empacadora. Vio la caja de bombones Perugia en la cómoda, la mesita de noche con la tableta y sus cargadores y el escritorio con un portalápices bastante bonito, parecía el pie de una antigua columna romana. Como la gran mayoría de las habitaciones de hotel, el espacio estaba dominado por la cama, una cama de matrimonio con una cabecera falsa atornillada a la pared. Y, lo más importante, se fijó en la localización de los dos espejos.

Mientras se colocaba justo en el interior de la puerta para esperar el regreso de la azafata, con el baño de la mujer a la izquierda, notó un movimiento antes de verlo e intentó darse la vuelta. Pero era demasiado tarde. Lo sabía y estaba más molesta por su estupidez que horrorizada por darse cuenta de que estaba a punto de morir. Alguien había entrado en la habitación de Bowden cuando se había metido en el hueco de la escalera para contestar la llamada de Viktor. Un brazo fuerte la agarró del cuello y le aplastó la laringe; la arrastró hasta el baño. Notó la agonía de un cuchillo en la parte baja de la espalda y el gruñido peculiarmente sonoro de su propio grito ahogado. Sabía, a pesar del dolor incapacitante, lo que vendría luego y eso pasó segundos después de que lo visualizara mentalmente. El atacante retiró el cuchillo y se lo pasó por la garganta. Intentó gritar como reflejo, pero ya notaba arcadas sangrientas —el tipo le había cortado el músculo y el cartílago, al igual que como había hecho ella con Alex Sokolov— y solo pudo producir el sonido de alguien que hacía gárgaras con enjuague bucal. Y, por supuesto, no era así exactamente como había ejecutado a Sokolov. Él dormía. Estaba profundamente dormido. En sus últimos segundos de vida, en medio de todo el dolor y la sorpresa, sintió desesperación porque la estuvieran matando estando despierta.

CAPÍTULO TREINTA Y DOS

Cassie se quedó entre la multitud que había de pie en la calle y en la acera frente al hotel y vio llegar a los camiones de bomberos y a estos entrar corriendo al edificio. Estaba agradecida porque, cuando la sirena de su habitación había empezado a sonar y la alarma había empezado a parpadear en rojo, todavía estaba vestida. Comenzaba a quedarse dormida porque acababa de perder la pista de lo que sucedía en la *sitcom*. Así que no había tardado casi nada en ponerse un par de sandalias y meter la pistola en el bolso junto con su pasaporte, su cartera y la llave de la habitación. Le alegraba que fuera agosto en Roma. Era medianoche, sí, pero se estaba bien afuera. Supuso que serían unas doscientas personas, ninguna alarmada en lo más mínimo, la mayoría con diferentes pijamas o chándales. Era de las pocas mujeres que llevaban falda o vestido. Durante un momento, se quedó observando a una joven pareja mientras se acurrucaba y sintió, al mismo tiempo, envidia y felicidad por ellos. El chico podía llevar la barba estilo Van Dyke sin parecer Satanás y ella estaba claramente desnuda —o casi desnuda— bajo el chal de color naranja brillante con el que se había envuelto. Notaron su mirada y él le sonrió, por lo que Cassie bajó rápidamente sus ojos hacia el móvil. Estaba revisando el correo no deseado cuando oyó su nombre y alzó la vista. Era Makayla. Se había puesto unos leggins negros y una camiseta blanca. Cassie vio que dormía con trenzas.

—Bueno, esto es divertido —comentó la otra azafata uniéndose a ella bajo la farola en la que estaba parada.

—¿Estabas durmiendo? —preguntó Cassie.

—Sí. Profundamente. Supongo que es una falsa alarma.

—Sí, yo también lo creo. No veo nada que sugiera que pueda haber un incendio. Ni humo ni nada.

—Tal vez sea una tontería sin importancia en la cocina.

—Podría ser.

La mujer se apoyó en la farola y sorprendió a Cassie cuando dijo:

—En momentos como este, desearía seguir fumando.

—¿Fumabas?

Makayla asintió.

—Lo dejé cuando mi marido y yo decidimos que queríamos formar una familia.

—¿Te costó mucho dejarlo?

—Para nada. Pensaba que sí, pero no. Simplemente lo dejé. Decidimos que era el momento de tener hijos y al día siguiente, cuando salí de un cajero automático antes de dirigirme al aeropuerto, me fumé el que sabía que sería mi último cigarrillo. Quedaban nueve o diez en el paquete y lo tiré. Tiré el mechero. Por supuesto, siempre había sido una fumadora bastante casual. Empecé por una obra de teatro en el instituto.

—No jodas.

Puso los ojos en blanco.

—En serio. *Un lunar en el sol.* Yo era Ruth y el director me hizo fumar esos cigarrillos falsos. Tenía tiza o algo que hacía que pareciera que había humo. Pero no tenía ni idea de cómo sujetar un cigarrillo. Así que una tarde después de un ensayo me compré un paquete de los de verdad para practicar. Fue un gesto de diva del drama.

—¿Cuándo fumabas?

—¿Te refieres a años después?

—Ajá.

—Normalmente en momentos como este.

—¿Cuando sonaban las alarmas de incendios? —preguntó Cassie arqueando una ceja.

—Cuando me aburría. O caminaba. O después del sexo.

—Alex Sokolov también era así. —No había planeado decirlo en voz alta y se preguntó por qué lo había hecho.

—¿El tipo que fue asesinado en Dubái?

—Sí. Solo fumaba en el extranjero, en Europa, en Rusia o en Medio Oriente. Al menos eso es lo que me dijo.

Makayla pareció asimilar eso.

—¿Cuánto lo conocías? Creía que lo habías conocido en el vuelo desde París.

—Es cierto. No me siento orgullosa de haber acabado pasando la noche con él. Pero sí, fue entonces cuando nos conocimos.

—¿Era un buen chico?

Cassie vio que otro miembro de la tripulación se acercaba, un hombre algo mayor que ella llamado Justin que se había puesto vaqueros azules y una camisa Oxford blanca. Al menos supuso que se había vuelto a vestir. Se preguntó si a menudo dormiría desnudo cuando viajaba como algunos de sus amigos porque eso significaba no tener que empacar pijamas. O tal vez su cuerpo estaba caliente —como el de ella— y le gustaba la sensación de las sábanas frías contra su piel cuando se dormía. Tal vez le gustara la carga erótica. Ella lo hacía algunas noches.

—Buenas noches, señoritas —empezó—. No hay nada como dormir dos buenas horas antes de que suene la alarma. La alarma de incendios, eso es.

—No hay nada igual —coincidió Cassie. Y luego, tal vez porque hubiera llegado a una etapa en la que no le importaba una mierda lo que la gente pensara de ella, continuó respondiendo a la pregunta de Makayla—: Sí. Alex Sokolov era un buen tipo. Al menos lo fue conmigo. Puede que tramara algo. Tal vez estuviera involucrado en algo turbio. No lo conocía bien y probablemente bebí demasiado para juzgar bien el carácter de nadie, pero me cayó bien. —Se volvió hacia Justin con la voz tan plana como pudo, con el tono de una mujer que sabía todo lo que podía haber esperado de la vida y se le había pasado de largo, y explicó—:

Hablamos del hombre con el que me acosté en Dubái, el que fue asesinado en nuestra habitación de hotel. Perdón, en su habitación de hotel.

Justin evaluó lo que le había dicho durante una fracción de segundo. Luego levantó los brazos con las palmas hacia afuera y se enmarcó el rostro, la señal universal de rendición.

—Puedo quedarme allí si queréis hablar en privado. No quiero interrumpir —dijo a la ligera.

—No —continuó Cassie—. Parece que ya no tengo secretos.

Sin embargo, en cuanto esta frase salió de sus labios, supo que no era verdad. No era cierto en absoluto. De algún modo era el peor tipo de mentira porque sugería que sus secretos y mentiras estaban detrás de ella. Pero, por supuesto, solo estaba viviendo un conjunto diferente de secretos y mentiras.

—¿Pensaste que llegaría más lejos cuando volvierais a Estados Unidos? —preguntó Makayla.

—¿Lo mío con Alex? Lo cierto es que no. Pero nos divertimos mucho aquella noche. Quizá nos hubiéramos vuelto a ver. Quizá no. —Volvió a guardarse el móvil en el bolso, y lo dejó junto a la pistola—. Teniendo en cuenta mi historial, probablemente no.

Justin miró incómodo sus zapatillas de deporte. Todos notaron que no se había molestado en atárselas, así que se arrodilló y Cassie se imaginó que probablemente estaría agradecido por tener algo que hacer que no implicara escucharla hablar del triste final de su ligue en el Royal Phoenician.

—Mi vicio siempre ha sido beber —le dijo a Makayla—. Nunca he fumado. No estoy segura de poder dejar de beber como tú dejaste de fumar. Joder, sé que no podría.

—¿Estabas bebiendo cuando ha sonado la alarma?

—¿Sola de noche en una habitación de hotel con una botella de tequila? Sí que podría ser yo, pero no. No esta vez. No he bebido nada en todo el día ni en toda la noche.

—Ahí lo tienes. Estás bien.

Cassie suspiró.

—No, no estoy bien, Makayla. No estoy nada bien. Ya me has visto en el aeropuerto esta mañana.

Justin se levantó y añadió:

—Lo que pasó en Fiumicino no tiene nada que ver con la bebida. Estabas sobria, Cassie. —Durante un momento, se quedaron en silencio y Cassie tuvo la sensación de que él quería abrazarla y consolarla, pero que temía que fuera interpretado como algo menos caballeroso—. Quiero decir, estabas sobria, ¿verdad?

—Sí —respondió ella—, lo estaba.

—Ahí lo tienes.

Vieron a dos bomberos que salían por la entrada principal seguidos por un caballero de traje negro y corbata del tono rojo de una hoja de arce de Nueva Inglaterra a finales de septiembre. Primero en italiano y después en inglés, llamó la atención de todos. Se presentó como el gerente nocturno y se disculpó profusamente por las molestias de lo que, por suerte, solo había sido una falsa alarma. Dijo que todos podían volver con seguridad a sus habitaciones o, si lo preferían, al bar del hotel que había vuelto a reabrir una hora más para cualquiera que quisiera tomarse una copa que corría a cuenta de la casa. Explicó que una copa gratis era lo mínimo que podía hacer el hotel para disculparse por sacarlos a todos de la cama en mitad de la noche.

—Yo me apunto —dijo Justin—. ¿Vosotras qué?

Pero Makayla lo fulminó con la mirada, con esos sus ojos oscuros como puñales. A Cassie no se le pasó por alto lo que significaba eso.

—Creo que todos deberíamos volver a la cama —espetó.

—No, está bien —afirmó Cassie—. De verdad. No me uniré a vosotros, pero si os apetece, adelante, no quiero ser una aguafiestas.

En lugar de eso, Justin negó con la cabeza y añadió tímidamente:

—Probablemente, Makayla tenga razón. El despertador sonará más pronto que tarde.

—Sí, es cierto.

Y con eso, los tres volvieron al vestíbulo del hotel, tomaron juntos el ascensor y cada uno salió en una planta diferente. Cassie fue la última en salir en la sexta planta. Ningún otro huésped bajó allí, por lo que supuso que estarían todos en el bar.

Cuando salió, se quedó de pie un largo instante mirando hacia el pasillo. No era tan opulento como el del Royal Phoenician, ni tan largo, pero era elegante, perfectamente decorado para un encantador hotel boutique italiano. La alfombra estaba un poco raída por la edad, pero los patrones le recordaban a un tapiz renacentista. Pensó en las nubes y el mar en un cuadro de Botticelli e imaginó todo el trabajo que haría falta quinientos años antes para conseguir un color o un tinte, para transformar pigmentos en acrílico con la punta del pincel.

Luego empezó a caminar por el pasillo. Sintió una punzada de inquietud, pero había vivido con ese tipo de sensación desde que había despertado junto a un cadáver, así que la ignoró. Caminó en silencio por el pasillo, sola, con la llave de la habitación en la mano y la mirada al frente. Se dijo a sí misma que el aire no estaba realmente cargado y que no había nada que temer, ningún motivo para estar preocupada. Solo iba a volver a su habitación de hotel por la noche, sola, como había hecho cientos de veces anteriormente y no había razón para estar ansiosa o asustada.

Al fin y al cabo, esa vez estaba realmente sobria.

Cuando se dio cuenta de eso, sonrió.

Pero la sonrisa no le duró mucho, porque cuando giró la esquina vio a un hombre y se sobresaltó. Durante una fracción de segundo, temió que su ansiedad tuviera una causa específica, era el miedo de toda mujer que iba sola y se cruzaba con un hombre en su camino. Este estaba a unos veinte metros de su habitación y estuvo a punto de darse la vuelta y echar a correr. Entonces se dio cuenta de que solo era Enrico y se relajó. Estaba sentado en una pequeña silla apoyado contra la pared con el rostro en la sombra por el candelabro que tenía detrás. Junto a él había una mesa con un teléfono del hotel. Se puso de pie en cuanto la vio y fue a abrazarla, pero ella lo apartó.

CHRIS BOHJALIAN • 353

—Me he asustado por ya sabes qué —le dijo ella.

—He pensado que sería una agradable sorpresa —respondió él en tono de disculpa—. Lo siento, no pretendía asustarte.

—Por Dios, Enrico, prefiero estar sola. Ya te lo he dicho.

—Y yo iba a dejarte sola. Estaba en el bar cuando ha sonado la alarma, los estaba ayudando a cerrar. Y he pensado que mi preciosa azafata estaría aterrorizada.

—¿Por una alarma de incendios? No.

Él negó con la cabeza.

—Por estar fuera en la oscuridad y no en la seguridad de la cama de tu habitación.

—Pues ya he vuelto. Estoy bien.

—Entonces te acompañaré a tu habitación y te dejaré allí.

Enrico le tendió el codo y ella lo tomó. Caminaron juntos por el pasillo. Al llegar a la puerta, deslizó la llave y la abrió.

CAPÍTULO TREINTA Y TRES

Acababa de arrastrar el cuerpo de Elena al baño y tirarlo en la bañera cuando oyó la voz de Enrico en el pasillo. No tuvo tiempo de replantearse el plan, pero al menos estaba preparado.

En cuanto el camarero y la azafata estuvieron dentro de la habitación y la puerta se hubo cerrado tras ellos, salió del baño a oscuras. Golpeó en la parte trasera del cráneo a Enrico con la culata de la pistola que llevaba en la mano izquierda, y con la derecha apuntó la pistola paralizante de Elena Orlov al vestido vaporoso de Bowden, en la parte posterior del muslo. El camarero se derrumbó casi instantáneamente sobre la alfombra, inconsciente, y su camisa se empapó con los restos de la sangre de Elena. La azafata gruñó en voz alta, se estremeció y luego se quedó flácida como una muñeca de trapo. Se derritió sobre él. Lo miró fijamente mientras él la dejaba en la alfombra junto al camarero y el atacante pudo ver el terror en los ojos de Cassie. Pronto podría hablar y quería hablar con ella. Pero primero tenía que reevaluar lo que iba a hacer.

Agarró el bolso de la mujer y vio que había conseguido un arma. Perfecto. No le importaba de dónde la había sacado, podía usarla. Elena le había preparado bien el escenario al llamar al periódico. La mujer no sufriría una sobredosis de barbitúricos que había traído el espía estadounidense. En lugar de eso, dejaría una imagen en la que parecería evidente que Cassandra Bowden había matado a su amante italiano, a su nueva amiga rica de Sochi y luego se había disparado a sí misma en la cabeza con el arma que tanto le había costado conseguir.

Sin embargo, primero tenía que transferir el silenciador de su propia Beretta a la de ella.

CAPÍTULO TREINTA Y CUATRO

La pistola paralizante era insoportable y Cassie quería gritar —en su mente se imaginó una retahíla de improperios, como una mujer con la boca sucia y un vocabulario impresionante soltándolo todo en medio del parto— pero solo podía emitir largos y suaves gemidos. Estaba boca abajo en el suelo de la habitación del hotel justo delante de la puerta del baño y Buckley estaba agachado a su lado.

Sí, era el actor. Por supuesto que era él.

En realidad llevaba la misma gorra de béisbol negra. Se había obsesionado tanto con Miranda y todo el tiempo había sido alguien que pensaba que era dulce, bienintencionado y parecido a un cachorrito. Era un testimonio de lo mal que evaluaba a la gente y elegía a sus amigos, y habría sido gracioso si no fuera a matarla como él o uno de sus socios había matado presuntamente a Alex. Iba a agarrarla del pelo, echarle la cabeza hacia atrás, para dejarle el cuello al descubierto, y a cortarle la garganta —y probablemente también la del pobre Enrico— y la dejaría desangrándose boca abajo sobre la alfombra del hotel.

Cassie esperaba que no doliera, pero sabía que sí lo haría. Se dio cuenta de que lo que más la asustaba era el dolor, el breve y agudo corte del filo rasgándole la piel, y pensó que tal vez eso explicara por qué bebía. El dolor venía en todos los colores y tamaños y era mucho peor que los pinchazos, dolores y sueños febriles que afectaban al cuerpo. Era el dolor lo que abría grandes agujeros en las almas, vaciaba la autoestima y le arrebataba a una persona el respeto por sí misma. Era el dolor lo que hacía que te miraras en el espejo y te preguntaras, por el amor de Dios, qué diablos hacías aquí. Cassie comprendió que su vida era un estudio preciso de este tipo de conducta paliativa. O, para ser exactos, de mala conducta.

Tenía la lengua espesa y pesada por la pistola paralizante y mientras observaba cómo se derramaba el contenido de su bolso frente a ella, trató de convertir en palabras su gemido gutural. Había una frase que quería decir y deseó poder pronunciar esas dos palabras: «lo siento». O tal vez algo más específico como «Lo lamento, no he podido hacer más. Lamento no ser capaz de ser amada. Lamento no haber tenido hijos. O incluso un gato propio. Lo siento, Rosemary. Lo siento, Jessica. Lo siento, Dennis. Lo siento, Tim».

«Lo siento, Alex».

«Lo siento, Enrico».

Por Dios, Enrico. Estaba a punto de morir por la sola razón de ser caballeroso. Un joven romántico que la había acompañado de vuelta a su habitación. No tendría que habérselo permitido. Otro error suyo con consecuencias para otros.

¿Alguna de estas personas la echaría de menos? ¿Megan? ¿Gillian? ¿Paula? ¿Alguien la echaría de menos de verdad? Supuestamente, cualquier acto egoísta que cometamos nos acompañará hasta la tumba, mientras que los actos desinteresados permanecerán vivos. Era incapaz de imaginar un solo acto que llegara a insinuar la inmortalidad. ¿Su legado? No tenía ninguno.

Notó que tenía las mejillas húmedas y estaba llorando, lo cual no esperaba. A lo largo de los años, los pilotos le habían contado, normalmente mientras se tomaban una copa, que las últimas palabras de la mayoría de los capitanes antes de que sus aviones se estrellaran contra la ladera de una montaña o se rompieran antes de caer al mar eran las siguientes: «Madre. Mamá. Mami». Esa mujer encantadora que una vez le había leído algo de Beverly Cleary se habría sentido devastada por el modo en que su hija mayor había seguido rigurosamente el camino de autodestrucción de su marido. Cualquier madre lo haría.

Finalmente, reunió el suficiente valor para formar una oración. Pero no era la disculpa de dos palabras lo que burbujeaba en su interior ni la súplica para evitarse a sí misma o a Enrico el dolor que se avecinaba. Era la profunda verdad de quién era porque hablaba de cómo había vivido y de la pura y simple realidad de que no podemos escapar de quiénes somos y de que la mayoría de las veces morimos tal y como vivimos.

Volvió la cabeza tanto como pudo para poder mirar a Buckley a los ojos y le preguntó, con la voz todavía confusa por la conmoción y la parálisis:

—Por favor. ¿Puedo tomar una copa?

Él se detuvo, como si considerara realmente su petición con los ojos casi desconcertados y, durante un largo instante, Cassie creyó que acababa de comprar otro minuto de vida. Un último sorbo de la esencia, la ambrosía, el néctar de los dioses que le llenaba las venas y el alma y mantenía a raya su dolor. Pero entonces él negó levemente con la cabeza, casi con nostalgia, y colocó un tubo largo y circular —Cassie supuso que sería un silenciador— en la Beretta del tío de Enrico.

OFICINA FEDERAL DE INVESTIGACIÓN

FD-302 (redactado): COMANDANTE DENNIS McCAULEY, CUERPO QUÍMICO DEL EJÉRCITO

FECHA: 6 de agosto de 2018

DENNIS MAcCAULEY, fecha de nacimiento __ / __ / ____, número de la Seguridad Social _____, teléfono (__) _____, fue interrogado por los agentes especiales debidamente identificados RICHARD MARINI y CATHY MANNING en una conferencia privada en el BLUE GRASS ARMY DEPOT en Richmond, Kentucky.

MANNING condujo el interrogatorio, MARINI tomó estas notas.

Tras ser informado de la naturaleza del interrogatorio, MAcCAULEY proporcionó la siguiente información.

MAcCAULEY reconoció haber visto a su cuñada, CASSANDRA BOWDEN, el sábado 4 de agosto por la tarde en Nueva York e insistió en que su comportamiento era «casi» normal. Fue con su familia al zoo del Bronx y luego a un restaurante en Manhattan. Se dio cuenta de que revisaba su móvil más de lo que lo haría la mayoría de los adultos durante el día y la cena, y «definitivamente parecía nerviosa por algo».

Dijo que no recordaba haberla visto nunca sin que estuviera presente su esposa ROSEMARY BOWDEN-McCAULEY. Afirmó que ellos dos nunca habían intercambiado correos ni habían hablado por teléfono.

Sostuvo firmemente que nunca había compartido información clasificada con BOWDEN, y BOWDEN tampoco se lo había pedido nunca. Añadió que, si bien habían hablado de manera general alguna vez sobre su vida en el ejército y su experiencia como ingeniero, siempre hablaban más del trabajo de BOWDEN que del suyo. Negó haberle entregado documentos, datos, diagramas, memorias USB o correos que tuvieran algo que ver con la eliminación de armas químicas o con el arsenal restante de Estados Unidos. Insistió en que nunca había compartido información sobre el sarín, el VX o cualquier arma química que todavía no hubiera sido destruida del arsenal de Estados Unidos.

Dijo que nunca se llevaba el trabajo a casa, por lo que era imposible que su esposa ROSEMARY hubiera compartido información con su hermana o le hubiera proporcionado a CASSANDRA BOWDEN información clasificada, porque él no le contaba nada.

Comentó que le sorprendía que su cuñada pudiera haber matado a Alex Sokolov, aunque reconoció que tiene un problema con la bebida. Declaró que no cree que sea una espía rusa.

CAPÍTULO TREINTA Y CINCO

Pero Buckley no disparó.

En lugar de eso, como si le estuviera pasando a otra persona y como si fuera una experiencia extracorporal, Cassie vio cómo la arrastraba por los brazos hacia el interior de la habitación del hotel y la alejaba de la puerta. El vestido se le había enrollado por las caderas y notó que la alfombra le quemaba los muslos. Mentalmente, agradeció la incomodidad, pues sugería que estaba recuperando el tacto y la movilidad. Cuando llegaron hasta la cama, la soltó y la dejó caer sin ceremonias en el suelo a su lado, como si fuera una canoa arrastrada desde la playa, y luego se sentó en el borde del colchón y le apuntó al pecho con la Beretta.

—Grita para pedir ayuda y te mataré —le dijo.

Cassie intentó negar con la cabeza. De hecho, pudo moverla ligeramente.

—No lo haré —murmuró con la voz todavía pastosa y ronca. Intentó concentrarse en cualquier lugar menos en la punta del largo silenciador al final de la pistola.

—Háblame de Elena.

—¿Elena?

Al instante, se cambió la pistola de mano, la agarró por el cañón y le golpeó con fuerza en la espinilla con la empuñadura. Ella cerró los ojos y gritó como un reflejo por el dolor. Cuando los volvió a abrir ya la estaba apuntando de nuevo con el arma. Se recobró y gimió:

—No sé quién es.

—La mujer que fue a la suite de Alex Sokolov en Dubái.

—¿Miranda?

Buckley puso los ojos en blanco.

—Miranda —repitió.

—Nos tomamos una copa. Nos bebimos el vodka que trajo. Y luego se fue.

Él le golpeó la otra espinilla con la pistola, pero ya fuera porque se lo esperaba o porque acababa de experimentar el mismo dolor, esta vez simplemente gruñó entre lágrimas.

—¿Qué estabas haciendo con ella?

—¡Bebiendo! ¡Ya te lo he dicho! ¡Eso es todo!

—¿Te reclutó?

—¿Reclutarme?

—Cassie, déjame ser claro, la única posibilidad que tienes de salir con vida de esta habitación es darme los nombres. Evidentemente, conocías a Elena. ¿Quién más está involucrado?

—¿Involucrado? No sé a qué te refieres, no entiendo nada de esto —le dijo. Estaba llorando, pero no le importaba—. ¿Reclutar? ¿Involucrados? ¡No soy ninguna espía! No soy nada. Me conoces. Sabes lo que soy. Yo solo...

—¿Por qué no te mató?

—¡No lo sé! Te lo estoy diciendo, no sé nada —gimió.

Él la miró fijamente, reflexionó sobre lo que le había dicho y añadió:

—Casi te creo. He estado a punto.

—Porque te estoy diciendo la verdad.

—Háblame de tu cuñado.

—Está en el ejército —murmuró—. Es comandante. Está destinado en el depósito Blue Grass.

—¿Qué más?

—No hay nada más.

Él se levantó, puso un pie a cada lado del cuerpo de Cassie y la apuntó directamente con la Beretta.

—Se te está acabando el tiempo, Cassie. ¿Por qué estabas en Dubái con Sokolov?

—Nos conocimos en el avión, eso es todo —gimoteó—. Por favor, no me mates.

—¿Por qué estaba interesado en ti?

¿Por qué se interesaban los hombres en Cassie?, quiso preguntarle. La respuesta era simple: porque era una borracha y era fácil. Y aunque una parte de ella comprendía lo adecuado que era el sarcasmo y el autodesprecio al evaluar su vida, había un arma apuntándola, por lo que simplemente contestó:

—Quería pasar un buen rato. Supongo que yo también. —Por el rabillo del ojo vio que Enrico había movido la cabeza. No se atrevió a llevar la mirada hasta él porque no quería llamar la atención de Buckley sobre el joven camarero, pero Cassie detectó que había abierto uno de los ojos—. Solo era un tipo del avión —continuó esperando mantener el interés de Buckley—. Alguien con quien beber en Dubái. No pensé que volvería a verlo.

No sabía si había alguna remota posibilidad de que Enrico pudiera acercarse a él sigilosamente sin llamar la atención, pero esa idea le dio esperanzas.

—¿Mencionó algún otro nombre de alguien que fuera a ver en Dubái?

—No. Es decir, sé que tenía una reunión, pero supuse que sería de algo relacionado con el fondo de cobertura.

—¿Mencionó a alguna otra persona que trabajara en la aerolínea?

—No. —Trató de mirar a Enrico con los ojos llorosos, ojos que no enfocaban nada pero que lo asimilaban todo. Su amiga Paula había crecido con un caballo y así había aprendido a montar, a mirar a su alrededor sin girar la cabeza y a no confundir al animal con el movimiento de su cuerpo.

Enrico había conseguido acercarse un poco más desde su sitio junto al baño. Supuso que en cualquier momento se abalanzaría sobre Buckley. En cuanto lo hiciera —si podía moverse rápidamente, cosa que dudaba— intentaría ayudar. Ella también atacaría. Hacía unos años había tomado un curso voluntario de autodefensa que había ofrecido la aerolínea. Nunca había necesitado nada de lo que había aprendido —o, por desgracia, había estado tan borracha que no se había dado cuenta de que debería defenderse— e intentó recordar lo que le habían enseñado los instructores en la clase. Había algo sobre tirar del agresor cuando tenía las manos sobre ti. Darle un codazo en la cabeza. Golpearlo o darle un puñetazo en el abdomen. Eso podría hacerlo. Haría cualquier cosa para obligar al hombre que había sobre la cama a lidiar con múltiples ataques.

—Voy a revisar tu maleta y tu equipo. Voy a vaciarlo todo en el suelo. Deberías estar empezando a recuperar la movilidad. No te levantes del suelo y no intentes detenerme. ¿Queda claro?

Cassie asintió.

Pero entonces Buckley movió el brazo como si golpeara a alguien con el dorso de la mano —había visto a Enrico— y apretó con calma el gatillo de la Beretta del tío Piero.

CAPÍTULO TREINTA Y SEIS

El arma explotó. El silenciador amortiguó el estallido, pero no lo eliminó. Cassie se dio cuenta de que había hecho una mueca de dolor y había gritado. Y de que Enrico seguía vivo. Se había lanzado sobre Buckley inmovilizándolo de lado sobre el colchón. Había un corte en la mejilla de Buckley, cubierto con un charco rojo y se sostenía la mano derecha con la izquierda. La herida de la mano pintaba mucho peor que la del rostro, Cassie vio la sangre chorreando por el antebrazo del hombre así como las quemaduras negras que tenía por los dedos y el pulgar. Tenía el dedo índice dislocado o roto.

Sus ojos se encontraron y la fulminó con la mirada.

—¡Ni siquiera sabes cargar una puta pistola!

Cassie vio la Beretta en el suelo junto a ella, fragmentos de metal retorcidos como tentáculos que salían por la parte trasera de la pistola. El silenciador estaba recto pero colgaba de la punta, todavía humeante. Se miraron el uno al otro y Cassie comprendió que Enrico seguía vivo por eso: no había cargado el arma correctamente.

—Pide ayuda —le dijo Enrico—. Llama abajo.

Había rodeado a Buckley con los brazos, parecían casi amantes y recordó momentáneamente cómo había sido cuando ella se había envuelto a su alrededor. Se esforzó por ponerse en pie, tambaleándose, con las piernas como si fueran regalices, pero se agarró al escritorio y descolgó el teléfono con cautela.

—No —advirtió Buckley y escupió algo (Cassie vio que era un diente) sobre la alfombra. Ella se detuvo el tiempo suficiente para que él continuara—. Te estoy advirtiendo, no puedes esconderte de todos. Mañana te perseguirá otro.

En el exterior oyeron a los demás huéspedes por el pasillo. Algunos volvían de la calle, donde habían estado después de ser evacuados del hotel y otros atraídos por el sonido de la pistola que había explotado. Sin embargo, era obvio que ninguno tenía ni idea de qué era ese ruido o de dónde provenía. Oyó a alguien sugerir que sería de alguna televisión y a otra persona contestándole que no, que había hecho demasiado ruido y especuló que tendría algo que ver con el aire acondicionado. Tal vez con lo que hubiera disparado la alarma de incendios que los había hecho salir en plena noche en primer lugar. Ninguno parecía preocupado.

Cassie siguió mirando a Buckley. La mejilla derecha se le estaba poniendo negra y el ojo empezaba a desaparecer entre la hinchazón que se le estaba formando alrededor.

—¿Quién eres? —le preguntó—. Dímelo, ¿quién eres realmente? —Mantuvo el dedo sobre el botón del servicio de habitaciones.

Dilo en serio.

Cassie se preguntó cuándo había dicho eso y luego lo recordó. Había desafiado a su madre a asegurarle que todo iría bien cuando su padre estaba tan borracho que era incapaz de subir las escaleras y se caía todo el rato como si padeciera una enfermedad degenerativa en los músculos. Aparentemente, su madre no había sido lo bastante convincente cuando le había dicho que todo iría bien.

Por un segundo, Cassie pensó que debería haberle dicho esas palabras también a un ex suyo. Tal vez le hubiera dicho que la quería a modo de broma y ella quería más. Puede que se hubiera sentido traicionada por la ligereza con la que había hablado. Puede que también se sintiera traicionada en ese momento.

No, no era eso.

Porque eso nunca había pasado.

Nunca había tenido ningún novio que le dijera que la quería. Nunca.

Cassie observó la sangre coagulándose en los dedos de Buckley. Claramente se trataba de un nuevo tipo de traición, más pequeña y más grande al mismo tiempo que cualquier otra que hubiera experimentado en su vida. Era más grande porque lo que estaba en juego era mucho mayor, pero más pequeña porque realmente no había llegado a conocerlo.

Solo se habían emborrachado un par de veces. Solo se habían acostado un par de veces.

Solo. Solo.

La triste verdad era que no lo conocía en absoluto.

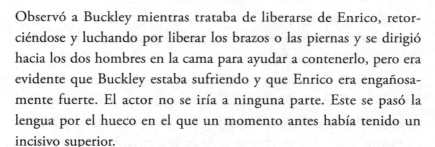

Observó a Buckley mientras trataba de liberarse de Enrico, retorciéndose y luchando por liberar los brazos o las piernas y se dirigió hacia los dos hombres en la cama para ayudar a contenerlo, pero era evidente que Buckley estaba sufriendo y que Enrico era engañosamente fuerte. El actor no se iría a ninguna parte. Este se pasó la lengua por el hueco en el que un momento antes había tenido un incisivo superior.

—No importa. Mi nombre, quiero decir —dijo cuando terminó la breve pelea. Cassie no pasó por alto la ironía de que sonaba borracho.

—Sí que importa.

—Entonces es Evgeny.

—¿No es Buckley?

—No.

—No eres actor de verdad, ¿no? ¿Y no eres de Westport? ¿Era todo mentira? —Él puso los ojos en blanco y asintió—. Y me estuviste siguiendo en Nueva York —añadió, esta vez sin pregunta.

—Exacto.

—¿Trabajas con Miranda?

—Creía que sí. No lo hacía. No realmente. Su verdadero nombre era Elena. Elena Orlov.

—¿Era?

—Era.

—¿Está muerta? —preguntó Cassie aliviada al tiempo que extrañamente entristecida—. Joder, ¿cómo? ¿Por qué?

Reparó en la sangre de la alfombra junto a la puerta mientras hablaba, recordó la sangre de Alex en aquella magistral cama de Dubái y tuvo la sensación de que esta vez la gran mancha era de Elena.

—Porque no te mató. Esa fue la primera pista. Creemos que se pasó de bando cuando se fue a estudiar a Boston. Ahora trabajaba para vosotros.

—¿Para Estados Unidos?

—Para Estados Unidos.

—¿Así que eres de la inteligencia rusa?

—No soy nada.

Enrico le dio un fuerte codazo en la espalda, y el otro hombre hizo una mueca y añadió:

—Sí, FSB. Soy un cosaco. Búscalo en Google. —Luego se volvió a Enrico y agregó—: No hace falta que me rompas el riñón y no es necesario que me asfixies. Creo que ha quedado claro que no me voy a ninguna parte. Así que, suéltame el pecho, ¿vale, amigo?

—Llama, Cassandra —le pidió Enrico—. No hables con este loco.

—No, Cassie. No llames. Cuelga el teléfono —le ordenó Buckley—. Encontrarás el bolso de Elena en el baño. Está al lado de su cuerpo. En ese bolso hay una pistola. Otra. Es una Beretta y ya está cargada, así que, gracias a Dios, no tendrás que cargarla tú. No tendrás que hacer nada. También hay un cuchillo. Aunque no seas de la CIA, seguro que ahora ya tienes amigos en el FBI de Nueva York. Llámales. Diles que llamen a su agregado jurídico aquí en Roma. Diles que Elena Orlov está aquí en este hotel, en la habitación 621. Que está muerta. Diles que Evgeny Stepanov está en la habitación 406. Estoy dos plantas debajo de vosotros. Estaré esperando allí al agregado del FBI. Cuando salga de tu habitación, cuenta hasta treinta, dispara el arma y grita pidiendo ayuda.

Enrico negó con la cabeza.

—No lo hagas, Cassandra. Va a escaparse.

—No, hombre, no. No tengo a dónde ir.

—Quiero saber una cosa —empezó Cassie—, ¿mi cuñado está limpio?

—Hasta donde yo sé, sí.

—Entonces, ¿tienes un infiltrado en otra parte?

—Eso parece.

Cassie colgó el teléfono y quitó el dedo del botón del servicio de habitaciones. Luego sacó el bolso de Elena Orlov del baño, con cuidado al principio de mantener la mirada apartada del cadáver de la bañera, pero no fue capaz de no mirarlo. Allí estaba. Miranda. Elena. Estaba de su lado, pero Cassie todavía podía ver a qué profundidad había metido Buckley el cuchillo y la sangre que se acumulaba cerca del desagüe. Agarró el bolso del baño y lo revisó en el pasillo. No estaba segura de qué hacer con la mitad de las cosas que contenía —como pastillas o ataduras— pero encontró el cuchillo y la Beretta. Le quitó el seguro al arma.

—Recuerda que esa pistola está bien cargada —le dijo Evgeny cuando volvió.

—Sigue.

—Apúntame con el arma. Está bien. Te sentirás más segura. Entonces tu amigo podrá soltarme. Se quedará de pie junto a ti. Me entregarás el cuchillo. O, si quieres mantener las distancias, puedes arrojar el cuchillo sobre el colchón. Creo que ya hay bastante sangre en la colcha y en la alfombra, así que un poco más no puede hacer ningún daño. Mi diente está ya en el suelo. Así que habrá muchas pruebas para los forenses. Entonces volveré a mi habitación, llamarás a tus contactos del FBI y les dirás dónde estoy.

—¿Y a la seguridad del hotel?

—No, no los llames. Eso atraerá a la policía italiana y a una investigación real. Quiero que todo el mundo, al menos todo mi mundo, crea que me has matado a tiros. Que tú me has asesinado.

Enrico negaba con la cabeza y le suplicaba con la mirada que no lo hiciera. Cassie se preguntó si soltaría a Evgeny cuando se lo pidiera. Puede que no. Pensó en todos los errores que había cometido en su vida, en todo el dolor que había sembrado y cosechado, en todo lo que nunca tendría y nunca haría, pero tenía la sensación de que escuchar a Evgeny no sería uno de sus errores.

—¿Y qué hay de mí? —preguntó—. Has dicho antes que, incluso aunque te mate o llame a la policía, alguien más vendrá a por mí.

—Serás una persona nueva. Tu gente se encargará de ello.

—Supongo que con lo de «mi gente» no te refieres a la aerolínea.

—Mira, Cassie, piénsalo. ¿De verdad quieres pasarte toda la vida siendo la Asesina del Carrito? Lo dudo. Ahora mismo compartimos algo que nunca esperé cuando te seguí hasta aquel bar en el East Village: la necesidad de empezar de nuevo.

OFICINA FEDERAL DE INVESTIGACIÓN

FD-302: MEGAN BRISCOE, AZAFATA

FECHA: 7 de agosto de 2018

MEGAN BRISCOE fue interrogada por los agentes especiales debidamente identificados NANCY SAUNDERS y EMORY LEARY en las oficinas del FBI en Washington.

SAUNDERS condujo el interrogatorio, LEARY tomó estas notas.

Cuando se le preguntó directamente si alguna vez había actuado como mensajera o había entregado documentos o información clasificada a un gobierno extranjero, se quebró y confesó que sí. Admitió que la Federación de Rusia les pagaba a ella y a su marido. Él usaba su autorización de seguridad como consultor para traerle materiales y, más recientemente, del programa de defensa de armas químicas de Estados Unidos en el Centro Edgewood de Química Biológica de Maryland y ella los entregaba a sus superiores en el extranjero.

Pidió un abogado y el interrogatorio acabó con su arresto y el de su esposo.

= = = = = =

Después del interrogatorio, registraron la casa y el garaje de BRISCOE en Centreville, Virginia, y se hallaron dos memorias USB con información clasificada sobre armas químicas escondidas en una caja de toma de corriente, detrás de una placa, en su dormitorio principal.

EPÍLOGO
¿TE ACUERDAS DE LA PERSONA QUE QUERÍAS SER? TODAVÍA HAY TIEMPO

En el vuelo nocturno a Moscú, Cassie le llevó al pasajero del 4C su vodka y su tónica y se inclinó sobre él un segundo de más, como un gato sobre el reposacabezas de un sillón. Si no hubiera sabido quién era —o, al menos, lo que la agencia le había contado sobre él— lo habría tomado por una estrella retirada del hockey sobre hielo. El tipo de adonis ruso pelirrojo que de muy joven habría llevado al equipo de su país a conseguir el oro olímpico y que había arrasado en la NHL con veintitantos. Claramente se había roto la nariz al menos una vez. Todavía tenía los hombros anchos, pero tenía el pelo muy fino y la piel estropeada. Usaba gafas para leer. Supuso que, para su horror, tendría su edad.

Por supuesto, no era jugador de hockey, era de la inteligencia rusa. Tal vez un cosaco, o tal vez parte del Centro 18 del FSB: los ciberespías. Después de asimilar todo lo que había podido captar de su tableta —dos direcciones de correo electrónico y unos nombres que apenas podía deletrear— se retiró al *galley* de primera clase y anotó lo que había visto. Supuso que no le estaba revelando a la agencia nada que no tuviera ya. Pero nunca se sabe. Le gustaba ese tipo de función, que era todo lo que le ofrecerían en esa etapa. Ya llevaba dos años sobria, pero tenía que superar un largo historial de consumo de alcohol por lo que la vigilancia era lo máximo que podían asignarle. Tenía un pelo y un nombre nuevos. Tenía una nueva base y cuando necesitaban una azafata, la utilizaban a ella. Aparentemente, tenían un pozo negro de actores disponibles para este tipo de función. Y a ella se le daba bien el trabajo, los circunloquios de una alcohólica no eran diferentes al subterfugio diario de una espía.

Por supuesto, la ironía de ese encargo en particular era que todo lo que sabía la agencia del caballero del 4C lo habían descubierto por Evgeny (o Buckley, como todavía pensaba en él a veces). El pasajero era amigo de Viktor. Los conocimientos de Evgeny iban desde lugares de entrega hasta números de cuentas bancarias. Sabía lo que les gustaba beber a todos y sus gustos en mujeres y hombres. También tenía una identidad nueva, pero todavía lo mantenían en un piso franco a las afueras de Washington. Dado su historial, el interrogatorio podía durar toda una vida.

Cassie solo lo había visto una vez desde Roma. Cuatro meses antes, cuando Masha tenía casi un año, y uno de sus superiores los había reunido en un apartamento cerca de Dupont Circle. Tal vez estuviera a una manzana de Fondo Carnegie para la Paz Internacional y el responsable había dejado claro que Evgeny no vivía allí. El propósito de la reunión era que el ruso compartiera de primera mano lo que sabía sobre una mujer a la que Cassie tenía que vigilar en un vuelo a Beirut. A Cassie nunca le habían dicho el nuevo nombre de Evgeny y él tampoco se lo había revelado, pero ahora llevaba el pelo corto, entre blanco y rubio, y Cassie se preguntó si se lo habría decolorado o el castaño que llevaba cuando lo conoció era solo tinte. Probablemente su color natural fuera el que recordaba de aquel verano, de las noches en las que bailaron juntos en un bar grunge al sur de su apartamento y pasearon juntos por el West Village bajo una perfecta medialuna.

O el de la noche en la que había matado a una mujer llamada Elena y había intentado matar a un hombre llamado Enrico. La noche en la que podría haberla matado fácilmente.

Cuando se reunieron en Washington, a Cassie no le pareció que Evgeny fuera feliz ni infeliz, más que nada parecía cómodo y comprometido con su nuevo papel.

Pero cuando le sonrió, vio el carácter juguetón que recordaba. Cassie hizo una pequeña broma sobre su novio, un guionista de televisión de Los Ángeles, y Evgeny le confesó que había visto algunos capítulos de su serie. Por un momento, a Cassie le sorprendió que supiera tanto sobre ella, incluso ahora, pero luego asintió. Por supuesto que lo sabía todo. A continuación añadió:

—Deberían ceñirse al drama familiar. Al drama de familia blanca, anglosajona y protestante. Y si quieren que interprete al hijo rebelde que se convierte en actor, soy su hombre.

Abrió los ojos de par en par al decirlo y Cassie se preguntó honestamente si le estaría tomando el pelo.

Antes de separarse, Cassie le preguntó si había alguien a quien extrañara en Rusia o en Estados Unidos. No estaba segura de por qué, supuso que era porque todos pensaban que estaba muerto. Él rio entre dientes y comentó:

—Créeme, no quieres conocer a mis amigos. Para nada. Hacen que yo parezca bastante... estadounidense.

—¿Qué significa eso?

—Gallina. —De nuevo, tuvo la sensación de que se estaba burlando de ella. Pero luego se inclinó hacia adelante y juntó las manos—. ¿Cómo de gallina, te preguntas?

Ella esperó, preguntándose si iba a hacer alguna broma a costa de Estados Unidos. En lugar de eso, él continuó:

—Tan gallina que me alegro muchísimo de que lo echaras a perder todo cuando cargaste aquella arma. No habría querido tenerte en mi conciencia.

—Porque...

—Porque eres demasiado divertida. Eres un desastre, o al menos lo eras, pero seguro que eras buena compañía. —Luego separó los dedos como si fuera un globo que iba a explotar y añadió—: Tengo el presentimiento de que no eres ni de lejos la madre de mierda que pensaste que serías.

Cassie puso los ojos en blanco.

—Estar sobria ayuda.

—¿La llamaste Masha, verdad? —Ella asintió—. No puede ser un apellido.

—Tolstói. La joven de *La felicidad conyugal*. Ella es mi final feliz.

—Madre mía, te recuerdo leyéndolo —comentó con sincera felicidad al recordarlo—. ¿Todavía bailas descalza?

—Tengo otros placeres. Libros de cartón. Vasos infantiles con forma de animales. Dentición.

Él chasqueó la lengua fingiendo reprocharla y se separaron.

Ahora, mientras estaba de pie bajo la tenue luz de la cabina mirando las notas que había escrito sobre el pasajero del 4C, recordó, como hacía con bastante frecuencia, cómo mamaba Masha. Se aferraba a Cassie y bebía con el mismo fervor con el que ella había bebido tequila una vez. Esos ojitos de bebé se intensificaban y luego se saciaban y, en esos momentos, Cassie podía ver en ellos al padre de Masha, al enigmático hombre que amaba a Tolstói y que le había lavado el pelo con tanta ternura en una lujosa suite de hotel una noche en Dubái.

Pensó en la frase que había leído en una pizarra fuera de una boutique de West Village: «¿Recuerdas quién querías ser? Todavía estás a tiempo». No estaba completamente segura de que eso fuera lo que quería ser, pero descubrió el trabajo que le proporcionaba la misma adrenalina que la bebida sin las resacas ni las humillaciones. Le daba un propósito a su vida. Sin embargo, sabía que quien le había salvado la vida realmente era Masha, porque era ella la razón por la que había dejado de beber, le daba calor por las mañanas cuando Cassie estaba en casa y se despertaban juntas y gritaba eufórica cuando volvía de un viaje. Masha era la palabra *luna*, su primera palabra, y señalaba con su dedito índice hacia el cielo al anochecer, hacia una luna en forma de hoz y alargaba esas dos sílabas como si entonara una canción. Masha le daba algo que amaba más que a sí misma, algo que no venía en una copa con hielo, un paraguas de papel y una pajita.

Cassie abrió el bar de primera clase en el vuelo, miró las botellas de alcohol, tan preciosas como huevos de Fabergé y tomó una lata de Coca-Cola Light.

AGRADECIMIENTOS

«Nada puede ser más limitante para la imaginación, nada activa más rápido los dispositivos de censura y los sistemas de distorsión de la psique que tratar de escribir de un modo veraz e interesante sobre la propia ciudad natal», nos enseñó John Gardner en *The Art of Fiction*.

Estoy de acuerdo. Rara vez escribo sobre lo que conozco. Pero siempre hago mis deberes y he llegado a amar el proceso de investigación que requieren mis libros. En parte porque aprendo, pero también por los nuevos amigos que hago. En este caso, ofrezco mi más profundo agradecimiento a aproximadamente veinte personas.

Jerrold H. Bamel y Tristram Coffin fueron mis guías para saber cómo se involucraría el FBI a lo largo de la historia. Tengo la sensación de que cualquiera de ellos podría escribir fácilmente algún día un emocionante thriller de espías. Tris es exfiscal de Estados Unidos en el distrito de Vermont. Jerrold es un agente jubilado del FBI y ahora investiga fraudes corporativos. También prepara una deliciosa mermelada de mango, piña y limas.

Carla Malstrom y Daphne Walker compartieron conmigo cómo es la vida de una azafata a mil metros sobre el nivel del mar. Si hablas con cualquiera de ellas durante una hora, agradecerás a los asistentes de vuelo por todo el trabajo que hacen —y todo lo que tienen que soportar— la próxima vez que subas a un avión.

Adam Turteltaub —un gran amigo de la universidad—, Khatchig Mouradian —mi padrino armenio— y Matthew Gilbert me enseñaron todo sobre Dubái. Adam y Khatchig también leyeron los primeros borradores de este manuscrito y me ofrecieron su valiosa opinión. Les he dedicado libros a los dos en el pasado y sé que volveré a hacerlo.

J. J. Gertler —otra amistad que se remonta a mis dieciocho años— era mi experto en drones, armas químicas e inteligencia nacional. Es experto en seguridad nacional y es un placer volver a escribir su nombre entre los agradecimientos.

También ayudándome de nuevo en una novela, Steven Shapiro, médico forense jefe del estado de Vermont, que me asesoró con las escenas de la autopsia. Ani Tchaghlasian fue mi guía a través del laberíntico mundo del dinero extraterritorial, las leyes de la OFAC y el tipo de fondo que gestiona uno de mis personajes.

Andrew Furtsch y Stephen Kiernan, mis compañeros de bici en Vermont a los que ya he dedicado libros anteriormente, me permitieron darles vueltas a las maquinaciones de la trama a lo largo de cientos de millas. Stephen Gragg me asesoró con la seguridad del aeropuerto. Y, mientras viajaba conmigo por las carreteras secundarias de Artsaj y en un bar de Stepanakert, Fred Hayrapet compartió conmigo historias sobre lo que sucede cuando un trato sale mal en lugares como Donetsk o Dubái.

Tengo que hacer una mención especial a Sarah Hepola. Me enamoré de sus memorias inquietantemente hermosas: *Lagunas: memorias de una alcohólica*, poco después de que terminara el primer borrador de esta novela. Mantengo una captura de pantalla de la página 214 de su libro en mi móvil.

Entre los libros que leí y disfruté mientras escribía esta novela, se encuentran las memorias de Heather Poole sobre ser una azafata, *Cruising Altitude*; el libro sobre vuelos de Patrick Smith, *Ask the Pilot*; y la historia de los drones de Richard Whittle, *Predator*.

Le ofrezco mi más profundo agradecimiento a mi notable editora, Jennifer Jackson —este es nuestro sexto libro juntos y, sí, también le dedique una novela— y a todo el equipo de Doubleday, Vintage y Penguin Random House Audio: Maria Carella, Todd Doughty, John Fontana, Kelly Gildea, Zakiya Harris, Suzanne Herz,

Judy Jacoby, Jennifer Marshall, Anne Messitte, Charlotte O'Donnell, John Pitts, Nora Reichard, William Thomas y Margaux Weisman.

Estoy muy agradecido a mis agentes: Penelope Burns, Miriam Feuerle, Jane Gelfman, Cathy Gleason, Brian Lipson, Abigail Parker, Deborah Schneider, Hannah Scott y Andrew Wetzel.

Finalmente, como siempre, estoy muy agradecido por el consejo de mi prometida, Victoria Blewer y de nuestra hija, la siempre asombrosa Grace Experience.

Gracias a todos.

Ecosistema digital

Floqq
Complementa tu lectura con un curso o webinar y sigue aprendiendo.
Floqq.com

Amabook
Accede a la compra de todas nuestras novedades en diferentes formatos: papel, digital, audiolibro y/o suscripción.
www.amabook.com

Redes sociales
Sigue toda nuestra actividad. Facebook, Twitter, YouTube, Instagram.

EDICIONES URANO